D1468338

Ingén!eux

Ingér

DAVID JOHNSTON
TOM JENKINS

Innovations canadiennes qui ont rendu le monde meilleur

LES ÉDITIONS **LA PRESSE**

Catalogage avant publication de Bibliothèque et Archives
nationales du Québec et Bibliothèque et Archives Canada

Johnston, David, 1941-

[Ingenious. Français]
Ingénieux

Traduction de : Ingenious: how Canadians innovators made the world
smaller, smarter, kinder, safer, healthier, wealthier & happier.

ISBN 978-2-89705-541-7

1. Inventions - Canada - Histoire. 2. Inventeurs - Canada - Histoire.
3. Innovations - Canada - Histoire. I. Jenkins, Tom, 1959-   .
II. Titre. III. Titre : Ingenious. Français.

T23.A1J6414 2017   609.71   C2016-942476-6

Présidente : Caroline Jamet
Directeur de l'édition : Jean-François Bouchard
Directrice de la commercialisation : Sandrine Donkers
Communications : Marie-Pierre Hamel et Annie-France Charbonneau

Éditrice déléguée : Nathalie Guillet
Mise en pages : Simon L'Archevêque
Traduction : Josée Latulippe, Anne-Marie Deraspe
Révision linguistique : France Lafuste
Correction d'épreuves : Sylvia Poulin

L'éditeur bénéficie du soutien de la Société de développement
des entreprises culturelles du Québec (SODEC) pour son
programme d'édition et pour ses activités de promotion.

L'éditeur remercie le gouvernement du Québec de l'aide
financière accordée à l'édition de cet ouvrage par l'entremise
du Programme de crédit d'impôt pour l'édition de livres,
administré par la SODEC.

Nous reconnaissons l'aide financière du gouvernement du
Canada par l'entremise du Fonds du livre du Canada (FLC).

© Les Éditions La Presse,
pour la version française
Dépôt légal — 1er trimestre 2017
ISBN 978-2-89705-541-7
Imprimé et relié au Canada

LES ÉDITIONS **LA PRESSE**
750, boulevard Saint-Laurent
Montréal (Québec)
H2Y 2Z4

Numéro de contrôle
de la Library of Congress
disponible sur demande.

En hommage
à la créativité sans
limite des hommes et
des femmes qui ont
habité cette terre
aussi immense
que magnifique
que nous appelons
le Canada.

TABLE DES MATIÈRES

INNOVER : VOICI COMMENT
**Approches éprouvées
à l'usage de tous**

PLUS INTELLIGENT

PLUS PROCHE

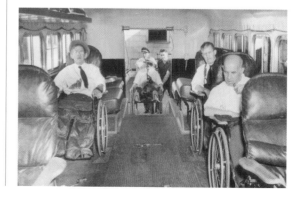

PLUS SAIN

PLUS RICHE

PLUS HEUREUX

Pourquoi avons-nous écrit ce livre?

Ce livre parle non pas d'invention, mais d'innovation. Si l'invention représente souvent un aspect de l'innovation, celle-ci est toujours plus large. Et d'après notre expérience, elle est habituellement plus convaincante.

Nous croyons que le contenu de ce livre en surprendra plusieurs. Peut-être serez-vous de ceux-là. D'ailleurs, qu'auriez-vous répondu si nous vous avions demandé de nommer des innovations canadiennes présentement utilisées à l'échelle mondiale? Seriez-vous parmi ceux qui auraient aussitôt pensé à l'ampoule à incandescence, à l'hélice, à la radio électrique, à la *Déclaration universelle des droits de l'homme*, au recyclage, aux salles de cinéma, à la physique nucléaire et à Superman? Il vous sera désormais difficile d'oublier ces innovations, de même que de nombreuses autres que nous avons répertoriées ici et qui illustrent la créativité des Canadiens et des Canadiennes à son meilleur.

Nous vivons dans une ère où des perspectives exceptionnelles s'ouvrent à nous. Nos modes traditionnels de réflexion et de collaboration ont été révolutionnés par de nouvelles façons de nous réunir, de résoudre les problèmes, de concevoir et de réaliser ce dont les gens ont besoin et ce qu'ils souhaitent. Les technologies informatiques et de communication font à présent partie intégrante de tout ce que l'être humain entreprend. Aucune autre époque n'a été aussi propice à la génération d'idées, à leur partage, à leur amélioration et à leur transformation en quelque chose qui mène au progrès. Action ou réaction, produit ou procédé, habitude ou habitat, désormais tout appelle le changement.

Le Canada possède une longue tradition d'ouverture aux nouvelles idées, et nous sommes parvenus à une étape du développement de notre pays où nous avons sans cesse besoin, dans tous les domaines et de façon urgente, de meilleures idées. Nous souhaitons apporter notre contribution. C'est pourquoi nous avons écrit ce livre. D'abord pour célébrer l'histoire et l'esprit de créativité au Canada, mais aussi pour inspirer tous les Canadiens et Canadiennes afin qu'ils reconnaissent la fibre innovatrice qui les anime et comprennent le rôle essentiel qu'ils doivent jouer dans l'amélioration de tout ce que nous entreprenons ensemble comme société, tant au pays qu'ailleurs dans le monde. La première étape dans ce processus est de vous laisser inspirer. Comment? Rien ne vous aidera autant que de connaître ces gens ordinaires qui ont eux-mêmes exploité le potentiel de leur curiosité et de leur créativité, et qui ont réussi à améliorer leur environnement de façon stupéfiante. Et ces gens sont des Canadiens et des Canadiennes.

Nous avons réuni ces récits avec l'aide de nos amis et collègues qui œuvrent au sein de l'industrie, du gouvernement, des organisations communautaires, des universités et collèges, des institutions nationales et, évidemment, avec celle de nos parents et amis. Ce recueil est nécessairement restreint et assurément personnel. Bien conscients que notre ouvrage n'est pas exhaustif, nous n'avons ménagé aucun effort pour faire en sorte qu'il reflète la diversité et la profondeur des innovations que les Canadiens et les Canadiennes ont apportées au monde.

Une caractéristique importante de l'innovation est certainement le concept de simultanéité. Il arrive couramment qu'à différents endroits du monde des personnes aient la même idée, à peu près au même moment. En conséquence, plusieurs peuvent à juste titre revendiquer fièrement « d'y avoir pensé en premier ». Nous imaginons que ce livre mènera à un débat animé au sujet de « qui a fait quoi, quand et où exactement ». Et lorsque de telles conversations se produiront, l'innovation sera devenue un sujet habituel faisant partie intégrante de la vie quotidienne. C'est là notre souhait le plus cher.

Cet ouvrage fait partie d'une démarche collective et nationale qui vise à composer le tout premier recueil d'innovations canadiennes. Au moment de mettre sous presse, plus de 5 000 autres innovations étaient déjà prêtes à être découvertes sur le site www.innovationculture.ca. Nous espérons que vous contribuerez à faire croître ce chiffre rapidement. Connectez-vous ! Bonne navigation ! Et parlez-en autour de vous. Il est grand temps que le monde entier sache que les Canadiens et les Canadiennes ont rendu le monde plus intelligent, plus solidaire, plus bienveillant, plus sûr, plus sain, plus riche et plus heureux.

David Johnston et Tom Jenkins
Ottawa & Waterloo, Canada
Mars 2017

D'où vient la grande capacité d'innovation des Canadiens et des Canadiennes ?

Par définition, tout être humain est créatif. Toute communauté est inventive. L'histoire de l'être humain elle-même est un long récit d'innovations. De grandes idées voient le jour partout, de façon simultanée et, souvent, dans des lieux reculés de notre planète, donnant des ailes à notre imagination et nous permettant enfin de réaliser ce qui semblait impossible. Nous sommes tous capables d'avoir des idées nouvelles pour résoudre de très vieux problèmes. Cela étant, certains peuples paraissent particulièrement doués pour aborder les problèmes avec une disposition qui facilite l'imagination créative. Les Canadiens font partie de ces peuples. Pourquoi?

Au fur et à mesure que nous passons en revue les exemples contenus dans ce recueil modeste, mais représentatif, quelques réponses sautent naturellement aux yeux. La première est profondément enracinée dans l'histoire sociale de notre pays. Durant des milliers d'années, les Autochtones de la moitié septentrionale de l'Amérique du Nord ont exploré, cultivé et partagé la terre que nous appelons aujourd'hui le Canada. Ils ont connu, comme nous aujourd'hui, un vaste ensemble de topographies et de climats très diversifiés. Pour réussir à s'en sortir, ils ont innové en élaborant des systèmes de langage, de communauté, de chasse, d'agriculture, de transport, de fabrication, de défense, d'art, de commerce et même de spiritualité qui leur permettaient de faire face aux différents défis de leur environnement naturel. Ces innovations étaient si perfectionnées que, lorsque les Européens sont arrivés, ceux-ci ont adopté certaines innovations emblématiques, telles que le canot (p. 40) et le kayak (p. 42), les mocassins (p. 176) et la raquette (p. 43), le toboggan (p. 43) et le traîneau à chiens (p. 42). Les nouveaux arrivants ont embrassé ces découvertes, soit immédiatement, soit après les avoir testées et compris leur utilité et leur mérite. L'histoire de l'incursion européenne sur les terres autochtones au cours des 500 dernières années compte plusieurs chapitres honteux et regrettables. Et ce n'est pas sans une triste ironie que l'on constatera que le succès des nouveaux arrivants a reposé en grande partie sur l'adoption d'un vaste éventail d'innovations conçues par des générations de communautés des Premières Nations bien avant qu'un seul immigrant ou immigrante n'ait débarqué sur ces rives. En reprenant contact avec notre histoire comme Canadiens et Canadiennes, nous découvrirons et nous susciterons encore plus d'innovations, plus d'inventions inspirées du savoir-faire des civilisations autochtones que nous connaissons encore si mal. Tout comme le Canada est en constante évolution, un tel recueil présentant notre ingéniosité est aussi à réécrire continuellement. Notre histoire ne peut que s'améliorer. De nos jours, nous observons des signes encourageants d'un respect renouvelé envers la sagesse de nos hôtes indigènes en ce pays, et l'adoption d'innovations autochtones plus récentes en fait partie. L'application d'une justice réparatrice (p. 79) plutôt que punitive est directement inspirée des pratiques des Premières Nations, et elle est utilisée dans les systèmes de justice canadiens depuis plus de 40 ans. De nouvelles collectivités durables (p. 86), conçues pour faire face aux insuffisances graves en matière

de logement dans le nord, sont aujourd'hui fondées sur la prise en compte des compétences patrimoniales inuites quant aux changements climatiques et sur le respect des traditions uniques des communautés qui se développent sur leur territoire.

De plus, les nouvelles manifestations publiques de frustration, de colère, de regret et de perte liés à la disparition de milliers de femmes autochtones partout au Canada au cours des dernières décennies peuvent maintenant s'exprimer grâce à la création d'œuvres commémoratives (*p. 89*) qui permettent d'honorer ces revendications croissantes d'identité, de spiritualité, de militantisme et de sentiment de perte.

Le climat a été un autre facteur déterminant en matière d'innovation. Si une partie du pays a des étés chauds et connaît parfois même des périodes de canicule, les hivers canadiens sont un événement en soi. Les visiteurs de notre capitale nationale sont souvent étonnés de constater que les températures enregistrées à Ottawa varient entre +40 °C en été et -40 °C en hiver, la plus importante amplitude thermique de toutes les capitales du monde. Samuel de Champlain et son groupe ont tellement souffert dans la baie de Fundy au cours de l'hiver de 1603 qu'ils ont dû abandonner leur colonie insulaire d'origine et se déplacer à l'abri du vent, dans le seul espoir de survivre (*p. 176*). À Halifax, plusieurs des premiers colons sont morts de froid durant leur premier hiver, car ils n'avaient jamais imaginé, au cours de l'été, que la saison froide puisse être aussi rigoureuse. Les *habitants,* au Québec, ont rapidement appris à construire des toits en pente raide pour laisser les grandes quantités de neige glisser jusqu'au sol. Certaines années, il faisait si froid qu'il était impossible de cultiver pendant toute la période estivale. En juin 1816, d'importantes chutes de neige ont été signalées en Nouvelle-Écosse, au Nouveau-Brunswick, au Québec et en Ontario, avec des épisodes de givre

et de la neige légère jusqu'en juillet. Il n'est donc pas étonnant que les agriculteurs locaux aient été prompts à concevoir des produits agricoles plus robustes et à croissance plus rapide, comme le blé Marquis (*p. 148*) et la pomme McIntosh (*p. 177*). Le coupe-froid pour empêcher les courants d'air glaciaux (*p. 197*) et les fenêtres à vitrage isolant (*p. 188*) pour isoler sans obstruer la vue sont autant de réactions toutes canadiennes au climat. Pas étonnant non plus que les innovations canadiennes en matière de lutte contre le froid incluent le manteau de bison (*p. 174*) et la combinaison (*p. 72*), l'autoneige et toutes ses variations (*p. 58*), la souffleuse (*p. 102*), ainsi que tout un vocabulaire de termes aujourd'hui utilisés par la communauté scientifique internationale pour décrire les différents types de neige existants (*p. 23*).

De 1600 à 1900, une bonne partie des colons du Canada étaient des marins chevronnés qui ont emmené avec eux des gens et des marchandises, et ont ensuite maintenu ouvertes les voies maritimes de commerce et de communication. Les navigateurs sont innovateurs par la force des choses. Un navire en mer est un univers en soi, et les marins doivent devenir experts dans l'utilisation de ce qui est disponible sur le pont pour réparer ce qui est brisé ou encore améliorer ce qui ne répond pas aux besoins. Lorsque ces gens ont commencé à habiter les petites villes de nos provinces atlantiques, ils ont fait preuve d'autonomie pour faire face aux besoins sur la terre ferme en matière de transport, d'agriculture, de construction, de communication, etc. Parmi leurs contributions, mentionnons l'hélice marine (p. 44), la corne de brume (p. 94), le souper-spectacle (p. 176), et le kérosène (p. 95). Nos lecteurs, qui remarqueront la grande variété des innovations de la côte Est, auront raison de se souvenir des progrès considérables rendus possibles grâce au patrimoine du Canada maritime. Pendant ce temps, plus à l'ouest, les habitants des Prairies, le regard tourné vers de vastes horizons de terres arables, ont eu besoin de nouvelles machines pour rendre possible l'exploitation agricole à cette nouvelle échelle. Ceux qui étudient les innovations agricoles noteront que la moissonneuse-batteuse automotrice (p. 158), la moissonneuse-batteuse Roto Thresh (p. 127), le semoir pneumatique (p. 165), la sarcleuse à tiges (p. 156) et le basculeur de wagon rotatif (p. 20) sont autant d'innovations qui ont fait de la communauté de petites fermes autosuffisantes de l'Ouest canadien le grenier céréalier du monde.

Les premiers colons, issus de villes surpeuplées et de sociétés européennes hiérarchisées, se sont retrouvés dans de petits villages dispersés, à la fois éloignés et dépendants de leurs voisins, particuliè-rement pendant l'hiver. Cette situation a doublement stimulé les premiers habitants à innover. D'abord, ils ont dû concevoir des solutions pour faire face à leurs propres problèmes. Ainsi, dans de tels environnements isolés, toute idée pratique devenait acceptable. De plus, lorsque le savoir-faire leur faisait défaut, ils devaient le rechercher à proximité ou encore entreprendre une correspondance fructueuse avec ceux qui possédaient les connais-sances et échanger ainsi des idées novatrices, pour ensuite les améliorer. À la fin du 19e siècle, cette volonté de créer des liens intellectuels au-delà de la collectivité a elle-même mené à une innovation : l'équipe de recherche. En nette opposition avec le concept de l'inventeur solitaire, les innovateurs

canadiens de l'époque de la Confédération avaient compris qu'il était nécessaire de collaborer pour innover. Une des premières et des plus fructueuses expériences de mise sur pied d'un réseau de compétences a été celle de l'équipe de compagnons bricoleurs que Graham Bell avait réunis dans le domaine familial de Benn Breagh, près de Baddeck, au Cap-Breton, en Nouvelle-Écosse. Bien qu'extrê-mement créatif lui-même, Bell était un homme humble. (Il admettait souvent son ignorance des concepts de génie électrique, affirmant que son invention du téléphone [p. 48] provenait plutôt de sa connaissance de l'orthophonie.) Bell a donc constitué une équipe dans le but de raffiner ses idées et de trouver de meilleures solutions, chacun utilisant son propre savoir spécialisé.

Déjà à cette époque, cette préférence pour le travail d'équipe était un trait typiquement canadien. Reproduite partout dans le monde, cette notion a aujourd'hui évolué en un concept connu désormais comme le « pôle d'innovation ». Ce pôle est un point de liaison entre des équipes aux talents et aux ressources complémentaires désirant collaborer en vue d'un objectif commun. À Waterloo, en Ontario, cette liaison s'est révélée géographique. Au sein d'un même espace urbain, le secteur privé, les universités et les associations ont connu un succès incomparable en prenant une bonne idée, en la rendant exceptionnelle, en déterminant le produit ou le service qui la concrétisait le mieux, pour ensuite réunir les ressources financières afin d'en assurer la fabrication et l'emballage, lui donner

une marque de commerce, la commercialiser et la soutenir au fur et à mesure de sa progression. La messagerie bidirectionnelle (*p. 67*), le moteur de recherche Internet (*p. 206*) et le BlackBerry (*p. 31*) sont tous issus de ce même lieu, parce qu'il était possible d'y développer une idée géniale.

Une autre caractéristique typiquement canadienne en matière d'innovation est cette tendance nationale à rechercher la bonne entente. Les Canadiens, qui le reconnaissent en souriant, sont souvent l'objet de moqueries pour leur respect tranquille de l'autorité, leur politesse et, avouons-le, une tendance à s'excuser pour rien. L'humoriste britannique Jimmy Carr lançait récemment en boutade qu'il était plutôt désagréable d'être en représentation devant un public canadien. Il expliquait que ses spectacles reposent sur l'interaction avec un public de chahuteurs et que les Canadiens… ne chahutent pas. Selon Carr, ceux-ci se contentent de sourire quand il se moque d'eux! Nous savons que sous cette politesse se cache la conviction que les relations harmonieuses importent plus que tout. L'histoire du Canada a démontré que le travail en équipe produit inévitablement de meilleurs résultats que le travail individuel. Les grandes avancées réalisées dans le domaine de la protection contre les avalanches (*p. 106*), de la production de blé (*p. 148*), de la téléchirurgie (*p. 143*) et de l'exploration spatiale (*p. 28*) ne sont que quelques-unes des innovations qui ont vu le jour grâce à cette ouverture d'esprit et à la collaboration à long terme entre un grand nombre d'individus et d'organisations.

D'ailleurs, plusieurs d'entre eux n'ont jamais été reconnus et ne le seront peut-être jamais.

INVENTION OU INNOVATION ?

Durant l'année du centenaire du Canada, en 1967, un récit historique rigoureux des progrès technologiques a été publié sous le titre *Ideas in Exile : The History of Canadian Invention* (Des idées en exil : l'histoire de l'invention au Canada). Le titre de cet ouvrage suggère que la thèse principale de J. J. Brown réside dans la démonstration que si les Canadiens étaient ingénieux, ils l'étaient de façon isolée. Le sous-titre fait ressortir directement la racine du problème : ils recherchaient l'invention, pas l'innovation. La différence entre les deux concepts est minime, mais cruciale. L'invention (du latin *inventio,* qui signifie « découverte ») est en fait l'acte de découvrir, de savoir, que ce soit par accident ou à la suite d'une recherche et d'un effort. Le concept d'invention est passionnant, car il décrit la recherche audacieuse et individuelle de la vérité qui a débuté à la fin du 17e siècle et qui a mené au siècle des Lumières (18e siècle), donnant ensuite naissance à l'ensemble des sciences modernes. Cette époque coïncide avec la transformation du Canada en un véritable pays. Tout au long de cette période, ces grands génies solitaires ont réussi, grâce à leur curiosité, à rejeter des croyances établies et à concevoir un monde nouveau basé sur l'observation systématique, les mesures et l'expérience, et sur la formulation d'hypothèses qui pouvaient à leur tour être testées et affinées. Ces techniques, que nous désignons aujourd'hui simplement par l'expression « méthodes scientifiques », ont exigé la création de toutes nouvelles catégories d'instruments, de machines, de procédés et d'approches auxquelles nous nous référons encore comme étant des *inventions*, simplement en raison du contexte de leur découverte. Nombre d'entre elles sont d'origine canadienne et sont reconnues dans ces pages. Il s'agit notamment du roulement à rouleaux (*p. 12*), de la voiture à vapeur (*p. 47*), de la radio pour la transmission vocale (*p. 52*), du walkie-talkie (*p. 58*), du masque à gaz (*p. 101*), de la combinaison anti-g (*p. 125*) et du stimulateur cardiaque (*p. 129*). Nous aimons tous en apprendre au sujet des inventions. Mais notre attachement de longue date aux idées conçues par des génies solitaires, exilés, nous a peut-être conduits à supposer que les grandes avancées sont uniquement le fait de génies, solitaires. Ce n'est pas le cas.

C'est pourquoi le mot *innovation* est si utile. « Innover » (du latin *innovare*, qui signifie « renouveler » ou « transformer ») implique un changement délibéré dans la nature ou la manière d'une chose, justement pour la rendre plus utile à plus de gens. Pour l'innovateur, le succès se mesure à l'impact qu'aura sa création. L'innovation a de tout temps été bien plus courante et, jusqu'à récemment, l'objet de beaucoup moins d'attention que l'invention pure. Tout le monde peut innover. Nous sommes tous curieux. Nous sommes tous créatifs.

Mais lorsque nous partageons nos idées et affinons ensemble nos théories, nous acquérons tous et toutes le pouvoir de ces génies solitaires. Lorsque nous refusons d'agir de façon isolée, lorsque nous nous éloignons de l'hypothèse que les grandes idées naissent dans la solitude, alors nous devenons *ingénieux*, ce qui nous semble beaucoup plus approprié comme titre de livre à notre époque.

L'innovation est la combinaison ingénieuse de tout ce qui, une fois exécuté, donne quelque chose de meilleur. C'est ainsi qu'on ne dira pas que Robert Foulis (*p. 94*) a « inventé » la corne de brume lors de cette nuit de brouillard de 1853, en rentrant chez lui à pied à Saint John. Il a simplement entendu le son du piano dont jouait sa fille, alors qu'il s'approchait de la maison, et il a compris qu'il avait d'abord perçu les notes basses de l'instrument. Il n'était certainement pas le premier homme à observer que les sons de basse fréquence parcourent des distances plus grandes que les sons de haute fréquence. Mais grâce à sa formation, il a été en mesure de considérer les faits sous un angle nouveau. Foulis vivait dans une communauté de marins qui risquaient tous de s'échouer les soirs de brouillard, lorsque les lumières des phares n'étaient pas visibles. Alors, il a tiré des conclusions de ses observations. Si l'on avait la possibilité d'avertir les navires par des sons aussi bien que par la lumière, le brouillard ne serait pas aussi dangereux. Et si le signal pouvait être sonore, le son idéal serait à la fois fort et à basse fréquence, afin d'atteindre les bateaux lorsqu'ils seraient encore très loin du danger. Comment émettre un bruit sourd?, s'est-il demandé. Avec la puissance de la vapeur! Foulis n'avait pas non plus inventé le sifflet à vapeur, mais il savait que la vapeur permettait de produire des sons plus puissants que toutes les autres technologies. Mais attendez! Même si les marins pouvaient percevoir de très loin le bruit sourd, comment sauraient-ils de quel cap ou de quelle pointe de terre ce bruit provenait? Foulis n'avait pas inventé le code Morse non plus (ce moyen de communication existait depuis au moins une décennie), mais il savait que la combinaison de points et de tirets permettait de transmettre d'importantes quantités d'informations complexes. Il a donc affiné son idée, considérant qu'un sifflet à vapeur qui émettrait des sons codés à basse fréquence rendrait certainement la navigation plus sûre. Et il avait raison. Cette combinaison novatrice d'idées simples s'est enchaînée pour permettre la création de la corne de brume, qui est toujours utilisée partout dans le monde et continue de sauver d'innombrables vies chaque année. Une invention? Pas vraiment. Génial? Absolument. Bien sûr, pour avoir un impact, le projet de la corne de brume a nécessité une vaste collaboration d'ingénieurs, de constructeurs, de propriétaires fonciers, de cartographes, d'usines, de gouvernements et, bien entendu, de compagnies maritimes et de marins, qui ont tous travaillé d'arrache-pied pour en concrétiser l'utilisation pratique. Ce n'est qu'à partir de ce moment-là que la corne de brume a fait ses preuves et incité d'autres utilisateurs à l'adopter partout dans le monde.

Plus d'un siècle plus tard, en 1985, c'était au tour de Wendy Murphy (*p. 80*) de faire preuve d'innovation. Elle était chez elle à Toronto, lorsqu'elle s'est retrouvée extrêmement bouleversée par ce qu'elle voyait au journal télévisé. Un énorme tremblement de terre venait de dévaster la ville de Mexico,

et la secousse était d'une telle gravité que le bilan s'élèverait finalement à plus de 10 000 victimes. Wendy regardait son écran tandis que les équipes de secours retiraient les survivants des décombres, et elle constatait le grand nombre de bébés et d'enfants qui devaient être secourus un par un. Ce soir-là, elle s'est posé la première question que se posent la plupart des innovateurs: «N'y a-t-il pas une meilleure façon de faire les choses?» L'idée de Wendy était simple: créer un équipement qui permettrait aux secouristes de déplacer six bébés d'un seul coup. Elle imagina en fait une longue civière sur laquelle les équipes de sauveteurs pourraient attacher à l'aide d'une sangle jusqu'à six enfants que l'on réussirait à évacuer en même temps. L'engin, pliant, nommé WEEVAC (*wee*, de l'anglais «tout-petit», et *vac*, de l'anglais *evacuation*, évacuation) était novateur, et pourtant d'une grande simplicité. Mais pour transformer cette étincelle de créativité en outil de sauvetage couramment utilisé, il aura fallu la collaboration d'équipes de concepteurs et de dessinateurs, de spécialistes en tissus, de fabricants industriels, de spécialistes de marketing, de distributeurs et d'agences de premiers répondants partout dans le monde. Dans le cas de Wendy s'ensuivit la création d'une société qui fabriquerait et vendrait le produit, pour faire en sorte que la civière WEEVAC ait l'impact souhaité et permette de sauver des vies.

Le thème des améliorations constantes ressort clairement à la lecture de ce livre. Benjamin Tibbetts en est un bon exemple (*p. 11*). Il n'a pas inventé la machine à vapeur, mais en 1853 il a mis fin aux pertes colossales d'énergie de cet engin en construisant un deuxième cylindre qui était actionné par la vapeur, encore chaude, émise par le premier cylindre. Sa machine à vapeur à double détente a ensuite révolutionné l'industrie des transports. Sheila Watt-Cloutier (*p. 140*) n'a certainement pas inventé l'étude du climat, pas plus qu'elle n'a été la première à faire des liens entre les changements climatiques et la maladie. Elle n'était pas non plus la seule observatrice à attribuer les changements climatiques aux émissions industrielles. Elle a cependant été la première à combiner ces trois constatations dans une requête en justice contre les États-Unis, affirmant que le droit à un climat propre et stable avait été nié aux Inuits à cause de la négligence de ce gouvernement. Nyle Ludolph (*p. 80*) n'a pas inventé le processus de recyclage du verre, du plastique et du papier. Il n'a pas lancé la collecte à domicile. Et lui-même ignorait quelles couleurs de plastique étaient les plus résistantes au soleil. Mais en tant qu'éboueur il savait que le site d'enfouissement de sa ville avait atteint sa capacité maximale, et il soupçonnait que les collectivités partout au Canada devaient rencontrer le même défi. C'est pourquoi il a tout simplement suggéré qu'une partie des ordures domestiques soit ramassée à domicile pour être recyclée, plutôt qu'enfouie avec les autres déchets. Le recyclage dans la boîte bleue était né, un phénomène aujourd'hui planétaire. Et pendant qu'Elsie MacGill (*p. 23*) devenait effectivement la première femme au monde à obtenir des diplômes en génie électrique et aéronautique, et la première femme à concevoir un aéronef, elle n'était cependant pas la première personne à utiliser des moyens de production de masse pour construire des véhicules avec des contrôles de qualité rigoureux. L'innovation apportée par Elsie consistait plutôt à emprunter ces techniques à l'industrie automobile, qu'elle connaissait bien, et à les appliquer à l'industrie aéronautique, et ce, dès 1943. Cette innovation est rapidement devenue la norme partout dans le monde.

Les pages qui suivent vous feront découvrir des centaines d'innovations canadiennes, qui ont toutes

apporté des bénéfices à des gens aux prises avec des problèmes précis. Malgré le cadre limité imposé par le format livre, nous avons tout de même tenté de présenter un peu de l'étincelle initiale qui donne naissance à l'innovation. Ce n'est souvent qu'un événement mineur, une intuition ou un heureux hasard. Nous avons de plus essayé de révéler à quel point le travail d'équipe fait partie de la pensée d'origine, et *toujours* de la solution. Et nous avons organisé le livre en regroupant ces innovations en fonction de l'impact qu'elles ont eu sur le monde. Grâce au Canada, le monde est *plus intelligent, plus solidaire, plus respectueux, plus sûr, plus sain, plus riche et plus heureux.*

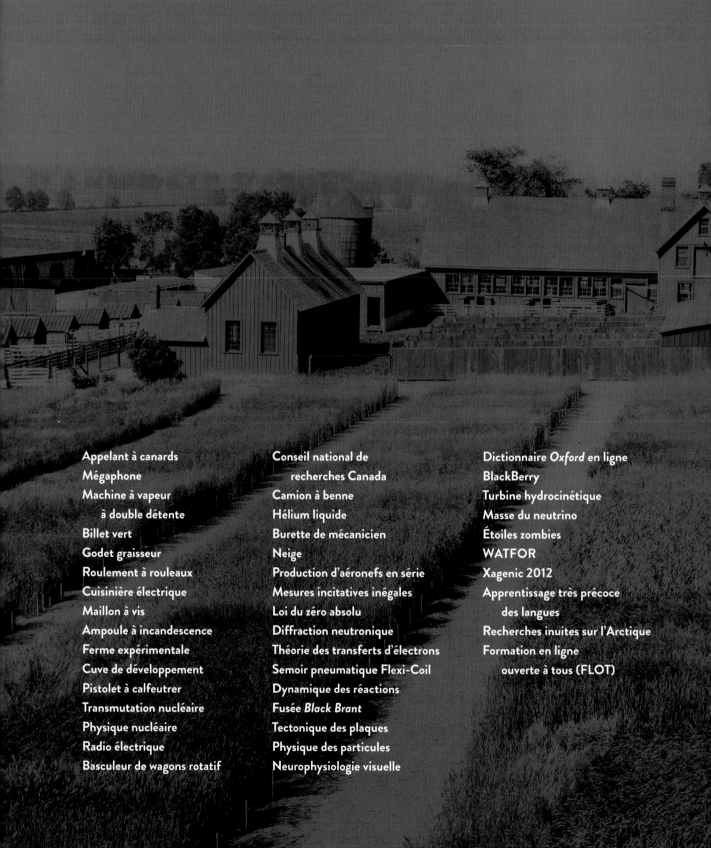

Appelant à canards
Mégaphone
Machine à vapeur
    à double détente
Billet vert
Godet graisseur
Roulement à rouleaux
Cuisinière électrique
Maillon à vis
Ampoule à incandescence
Ferme expérimentale
Cuve de développement
Pistolet à calfeutrer
Transmutation nucléaire
Physique nucléaire
Radio électrique
Basculeur de wagons rotatif

Conseil national de
    recherches Canada
Camion à benne
Hélium liquide
Burette de mécanicien
Neige
Production d'aéronefs en série
Mesures incitatives inégales
Loi du zéro absolu
Diffraction neutronique
Théorie des transferts d'électrons
Semoir pneumatique Flexi-Coil
Dynamique des réactions
Fusée *Black Brant*
Tectonique des plaques
Physique des particules
Neurophysiologie visuelle

Dictionnaire *Oxford* en ligne
BlackBerry
Turbine hydrocinétique
Masse du neutrino
Étoiles zombies
WATFOR
Xagenic 2012
Apprentissage très précoce
    des langues
Recherches inuites sur l'Arctique
Formation en ligne
    ouverte à tous (FLOT)

CHAPITRE 1

Plus...
intelligent
proche
bienveillant
sûr
sain
riche
heureux

La plupart des Canadiens associent l'ampoule allumée à une idée vraiment originale. Après tout, l'ampoule électrique est elle-même une innovation canadienne. Qu'il s'agisse de mettre au point des idées aussi simples que le camion à benne ou de traiter de questions aussi sérieuses que la physique nucléaire, des équipes d'innovateurs canadiens ont fait en sorte qu'il est aujourd'hui possible de transporter de la terre, produire de l'énergie, réduire la friction, développer des photographies, planter des graines, écouter la radio, chercher la signification des mots, lubrifier des machines, déboguer des codes, construire des aéronefs, observer la Terre, comprendre les étoiles, et même parler de météo plus intelligemment que jamais.

APPELANT À CANARDS
L'arme secrète du chasseur

La ruse est certainement l'arme la plus redoutable du chasseur. Les Cris et les Ojibwés de la région des Grands Lacs du Canada y ont eu recours pendant des milliers d'années. Ces chasseurs autochtones se sont servis de roseaux, de quenouilles, de joncs, de branches de mélèze et d'autres plantes pour fabriquer des appelants à oiseaux extrêmement ressemblants qui pouvaient flotter sur place, et ainsi attirer le gibier à plumes et le gibier d'eau vers des aires de perchage ou de rassemblement. Une fois appâté, le gibier était à la portée des filets, pièges, lances et flèches des chasseurs autochtones. Cette tactique, les colons européens puis des générations de chasseurs sportifs l'ont judicieusement reprise à leur compte. Cette méthode rusée, d'une simplicité trompeuse, est utilisée depuis des milliers d'années.

MÉGAPHONE
La meilleure façon d'appeler l'orignal

Pourquoi vouloir changer ce qui fonctionne parfaitement depuis si longtemps? Les chasseurs d'orignaux d'aujourd'hui n'ont en effet aucune raison d'adapter le mégaphone inventé par leurs prédécesseurs ojibwés et attikameks. L'instrument est fabriqué en écorce de bouleau, attaché avec des racines d'épinette et fixé avec des lanières de cuir. Il permet d'amplifier et de diriger le son de l'appel de l'orignal, pour attirer la bête en direction du chasseur. Si les modèles contemporains sont faits de divers matériaux (plastique et autres), le mégaphone autochtone continue d'être le meilleur moyen d'«appeler l'orignal».

MACHINE À VAPEUR À DOUBLE DÉTENTE
La génératrice la plus efficace

Innover n'est habituellement pas synonyme d'inventer. La mise au point de la machine à vapeur à double détente est l'exemple parfait du cheminement d'une idée qui mène à l'amélioration d'un appareil qui fonctionnait déjà bien. Dans ce cas précis, c'est à l'initiative de Benjamin Tibbets, de Fredericton, au Nouveau-Brunswick, que l'on doit l'idée d'améliorer le moteur à vapeur. Tibbets s'est intéressé à la perte de vapeur produite dans les moteurs. Avant que celui-ci ne s'attaque au problème, les moteurs à vapeur exigeaient des quantités importantes de combustibles carbonés afin de générer la vapeur nécessaire à la création rapide de l'énergie. Cette vapeur était ensuite expulsée dans l'atmosphère. En 1853, Tibbets construisit un nouveau type de moteur à vapeur, doté d'un réservoir et d'un deuxième cylindre. Grâce à ces deux caractéristiques, le moteur récupérait la vapeur évacuée du cylindre principal à haute pression pour une utilisation ultérieure, sous forme de vapeur à basse pression. Il en résultait une production d'énergie plus efficace, qui nécessitait beaucoup moins de combustible par unité d'énergie utilisable. Le concept, raffiné par d'autres, a par la suite été incorporé dans tous les moteurs à vapeur, avec des répercussions immédiates. Grâce à ce surplus d'énergie, on pouvait enfin envisager des progrès, tels que les voyages en train sur de longues distances.

BILLET VERT
Un dollar à l'épreuve des contrefaçons

Pourquoi le dollar américain est-il vert? C'est à l'Université McGill, à Montréal, en 1861, que se trouve la réponse. Cette année-là, en effet, le Congrès américain autorisa la production de 50 millions $ US en billets à demande, principalement pour couvrir les dépenses de guerre en pleine croissance. L'année suivante, Thomas Sterry Hunt, un chimiste américain employé par la Commission géologique du Canada à l'Université McGill, proposa d'utiliser du sesquioxyde de chrome comme encre pour l'impression des billets. Hunt avait découvert que le pigment vert du composé ne pouvait pas être décoloré par l'acide, ce qui rendait les billets extrêmement durables. Le pigment faisait aussi en sorte qu'ils ne pouvaient pas être photographiés, et conséquemment, il était impossible de les contrefaire. L'innovation de M. Hunt constituait un recours direct à la science pour résoudre un problème de tous les jours. Et grâce à cette innovation, le dollar américain à l'épreuve des contrefaçons, le fameux billet vert, était né. Au Canada.

GODET GRAISSEUR
Les outils de la liberté

Le godet graisseur, créé par Elijah McCoy, était un outil tellement efficace que les ingénieurs ferroviaires le désignaient du nom de son inventeur. Ce précieux instrument servait à huiler les moteurs à vapeur des locomotives et des bateaux. Lorsqu'Elijah McCoy, un ingénieur mécanique, conçut l'outil en 1872, le godet se révéla être une véritable bénédiction pour les cheminots du monde entier. Le dispositif alimentait automatiquement en huile de graissage les cylindres, les roulements et les supports des boîtes d'essieu des locomotives. Cette méthode augmenta la productivité en permettant aux trains de rouler plus vite et de façon plus efficace, car ceux-ci n'étaient plus obligés de s'arrêter en route pour le graissage du moteur. Au fil des ans, McCoy raffina son dispositif et en créa d'autres. Il existe en effet une cinquantaine de brevets à son nom pour des instruments de graissage. L'histoire de McCoy est particulièrement intéressante. Il était le fils d'esclaves américains qui s'étaient réfugiés au Canada grâce à un réseau illégal de routes secrètes, de points de rencontres et de sympathisants, connu sous le nom de « chemin de fer clandestin ». Ses parents s'étaient installés à Colchester, près de Windsor, en Ontario. On peut ainsi dire qu'il est venu du chemin de fer clandestin et a laissé, dans son pays de liberté, une contribution importante au chemin de fer canadien.

ROULEMENT À ROULEAUX
Pour réduire la friction

La plus importante contribution du Canada au développement des machines modernes est certainement le roulement à rouleaux. Conçu en 1879 par George Thomas, du comté de Digby, en Nouvelle-Écosse, le roulement permet de réduire, voire d'éliminer, la friction créée par le contact des pièces en mouvement avec des pièces fixes. Le dispositif fonctionne grâce à des roulettes ou des roulements à billes insérés dans une cage à rouleaux. Aujourd'hui, le roulement à rouleaux joue un rôle plus important que jamais. Il constitue un élément essentiel d'une grande variété d'appareils : des bicyclettes aux voitures, en passant par l'équipement agricole et la machinerie industrielle. Cette petite pièce réduit la friction et permet un fonctionnement en douceur des machines du monde.

CUISINIÈRE ÉLECTRIQUE
Mijoter à plein rendement

Thomas Ahearn, ingénieur électrique de profession, recevait à dîner des invités en cette soirée de 1882, à sa résidence d'Ottawa. Les convives, fort satisfaits, venaient de terminer le repas gastronomique servi par leur collègue. Toutefois, leur plaisir laissa instantanément place à l'horreur lorsque leur hôte leur confia avoir préparé ce festin en utilisant l'électricité. Ahearn avait mis au point sa cuisinière électrique en cachette, utilisant des bobines de résistance pour convertir l'électricité en chaleur. C'est seulement 10 ans après ce repas inaugural et magique que la première cuisinière électrique industrielle fut installée à l'hôtel Windsor d'Ottawa. L'appareil mit du temps à s'implanter ailleurs. Les villes et les villages durent être électrifiés avant que les maisons puissent être équipées des nouvelles cuisinières. Ainsi, ce n'est qu'en 1930 que les cuisinières électriques commencèrent à remplacer les modèles à gaz. Par la suite, le four à bois devint rapidement obsolète. Les Canadiens (et les Canadiennes!) se souviennent avec fierté que les appareils de cuisson électriques sont nés dans la cuisine de Thomas Ahearn, à Ottawa.

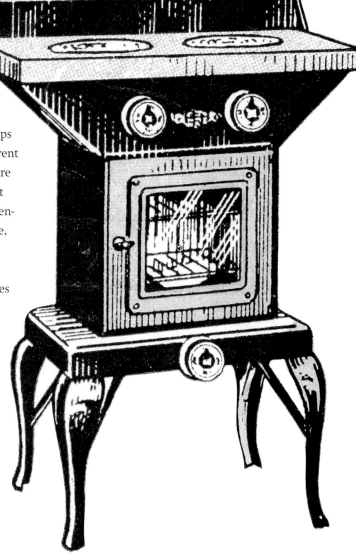

MAILLON À VIS
Une attache puissante

Une simple visite à la quincaillerie de votre quartier vous permettra de trouver une attache simple, qui continue d'être aussi utile et répandue aujourd'hui que le jour de sa création. Le maillon à vis est un dispositif de fixation simple et durable, mis au point en 1885 par Donald Munro, de Pictou, en Nouvelle-Écosse. Il s'agit d'un maillon rigide et ouvert en forme de C, avec un filetage extérieur à une extrémité et un filetage intérieur à l'autre, et d'une douille qui permet d'ouvrir et de fermer le maillon au besoin. Il suffit de tourner la douille dans une direction pour ouvrir le maillon, et dans l'autre pour le fermer. Le maillon à vis a grandement facilité la vie rurale en permettant aux agriculteurs d'arrimer de l'équipement lourd, sans se préoccuper des glissements ou des dérapages possibles. Simple et solide, cette puissante attache est toujours aussi résistante.

AMPOULE À INCANDESCENCE
Un brillant avenir

Thomas Edison n'a pas inventé l'ampoule électrique. Le mérite de cette brillante découverte revient en fait à un duo insolite de Toronto. En 1874, alors qu'ils se préparaient à un brillant avenir, Henry Woodward, étudiant en médecine, et Mathew Evans, concierge dans un hôtel, fabriquèrent une ampoule à partir d'un tube de verre contenant un gros morceau de charbon relié à deux fils électriques. En actionnant l'interrupteur, le courant se mettait à circuler et le charbon, à briller, mais brièvement. Les deux hommes remplirent ensuite leur ampoule d'azote inerte,

afin de prolonger la combustion. Après plusieurs essais fructueux, les deux Torontois brevetèrent leur invention, tant au Canada qu'aux États-Unis, puis décidèrent, confiants, de tenter d'obtenir le financement nécessaire pour commercialiser leur brillante idée. Comme ce fut souvent le cas au Canada, ils échouèrent. On leur répéta à maintes reprises que leur invention présentait tout simplement trop de risques. Sans les fonds nécessaires, ils essayèrent de trouver un acheteur pour les droits du brevet américain de l'ampoule, ainsi que pour le permis exclusif du brevet canadien. À l'époque, Edison était déjà un homme d'affaires chevronné et il conclut rapidement la transaction. Celui que l'on connaissait comme le « magicien de Menlo Park » améliora par la suite le concept de l'ampoule, puis dévoila sa propre invention miraculeuse dans le cadre d'une présentation spectaculaire, le 31 décembre 1879. Avec l'électrification qui suivit partout dans le monde, cette innovation canadienne devint l'une des contributions les plus importantes à la vie moderne. Au cœur des réjouissances, seuls deux Torontois restèrent dans l'ombre.

FERME EXPÉRIMENTALE
Un centre d'excellence de la science agricole

Pendant des générations, et particulièrement à ses débuts, le Canada était une terre d'agriculteurs dont le succès économique reposait sur le travail de ses gens, surtout dans l'ouest du pays. Afin de les appuyer, la ferme expérimentale centrale, située à Ottawa, fut établie en 1886 pour faire de la recherche agronomique et devenir un point de référence en vue du développement d'un système national de fermes spécialisées dans la recherche expérimentale. Rapidement, la création de la nouvelle ferme expérimentale eut des répercussions concrètes, comme la mise au point du blé Marquis, une variété de blé hâtive, mieux adaptée à la courte saison agricole de l'Ouest canadien. Depuis, les chercheurs de la ferme expérimentale travaillent sans relâche à l'amélioration de la vie agricole et, par conséquent, de tous les aspects de la vie au Canada. La ferme elle-même s'est aussi développée. D'abord située en périphérie de la ville, elle se retrouve maintenant en plein centre, véritable oasis composée de champs ondulants, de jardins ornementaux et d'un arborétum, jardin consacré aux arbres. C'est un pôle, tant pour la recherche que pour les loisirs. En effet, ses champs, sentiers et collines constituent un véritable terrain de jeu pour les skieurs, cyclistes et amateurs de luge. Le Canada n'est peut-être plus essentiellement un peuple de fermiers, mais cette avancée de la science agricole demeure novatrice.

CUVE DE DÉVELOPPEMENT
La chambre noire portative

Si l'on veut établir le moment où la photographie est devenue un véritable passe-temps populaire, il faut sans doute parler de 1899. Cette année-là, travaillant avec une équipe triée sur le volet, Arthur McCurdy, de Baddeck, en Nouvelle-Écosse, créa la cuve de développement. L'invention de cet ancien secrétaire particulier de Graham Bell permettait désormais de développer un film à la lumière du jour. La cuve fermée ne protégeait pas seulement le film des effets nocifs de la lumière, mais elle empêchait également les produits chimiques de se renverser lorsqu'on remuait le contenant. Grâce à la cuve, la photographie cessa ainsi d'être le domaine exclusif des professionnels et devint un hobby susceptible d'être exercé par quiconque avait envie de capter des images de son univers. Plusieurs autres innovations virent le jour à Baddeck, à l'époque de Bell, mais retenons celle-ci, celle qui se produisit le jour où les gens ordinaires se mirent à partager leur vision du monde d'une nouvelle manière.

PISTOLET À CALFEUTRER
Le calfeutrage à grande vitesse

Theodore Witte ne trouva pas uniquement du pain frais et des pâtisseries dans sa boulangerie de quartier. Cet inventeur de Chilliwack, en Colombie-Britannique, y découvrit également une source d'inspiration. En regardant le boulanger manier les poches et les douilles à pâtisserie pour décorer un gâteau, Theodore s'empara de l'idée et l'appliqua pour créer ce qu'il appela un « outil à mastic ». Son invention de 1894 est aujourd'hui connue sous le nom de « pistolet à calfeutrer ». C'est simple : placez d'abord un tube de mastic à calfeutrer dans le piston à cliquet du pistolet. Pressez ensuite le manche à gâchette, et observez tout simplement le piston pousser le mastic à travers l'embout fixé au tube. En traçant le contour d'une fenêtre avec le pistolet de Theodore, vous pourrez appliquer un scellant à l'épreuve des intempéries, avec précision et de façon uniforme. Assurez-vous simplement de ne pas laisser traîner votre appareil à mastic dans la cuisine.

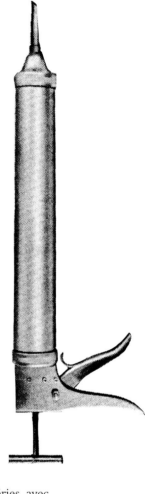

TRANSMUTATION NUCLÉAIRE
La vérité sur la désintégration radioactive

Vous n'avez probablement jamais entendu parler de Harriet Brooks, et c'est dommage. Première Canadienne à devenir physicienne nucléaire, elle posa les jalons de la science nucléaire. En 1901, alors étudiante de troisième cycle à l'Université McGill, elle mena une série d'expériences, sous la direction d'Ernest Rutherford, qui visaient à déterminer la nature des émissions radioactives produites par un élément chimique, le thorium. Ses recherches avant-gardistes lui permirent de découvrir le radon, un gaz radioactif rare, et de déterminer sa masse atomique. Elle découvrit également la transmutation nucléaire. Aussi connue sous le nom de «désintégration atomique», la transmutation est une sorte de désintégration nucléaire dans laquelle le noyau d'un atome émet une particule alpha et se transforme en un atome dont le nombre de masse diminue de quatre et le numéro atomique de deux. Malgré ces profondes observations en matière de radioactivité nucléaire et de transmutation, la carrière d'Harriet fut de courte durée. En effet, elle se maria en 1907 et abandonna l'étude de la physique, puisqu'à cette époque les femmes universitaires qui se mariaient étaient tenues de donner leur démission. Simple sexisme, voilà ce qui explique probablement le fait que vous n'avez jamais entendu parler de Harriet Brooks.

PHYSIQUE NUCLÉAIRE
La logique de l'atome

Ernest Rutherford est largement reconnu comme le père de la physique nucléaire. Sa principale réalisation survint en 1917, lorsqu'il réussit à scinder un atome dans une réaction nucléaire. Ce faisant, il découvrit et nomma le proton, propulsant notre monde dans l'ère atomique. Mais cette découverte révolutionnaire ne se produisit pas en vase clos. Rutherford mena la plus grande partie de ses premières recherches en physique nucléaire à l'Université McGill, à Montréal, de 1898 à 1905. C'est à cette époque qu'il élabora le concept de période radioactive et prouva que la radioactivité supposait la transformation nucléaire d'un élément chimique en un autre. Il identifia également les radiations alpha et bêta, et précisa les différences entre les deux. Ces réalisations lui valurent le prix Nobel de chimie en 1908. Mais, surtout, ses travaux ouvrirent la voie à des découvertes nucléaires encore plus révolutionnaires.

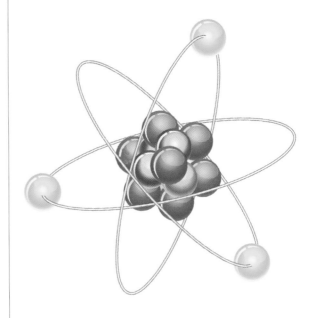

RADIO ÉLECTRIQUE
Se libérer des piles

Aujourd'hui, au Canada, «Rogers» est synonyme de communications. Si le nom est généralement associé à l'empire de câblodistribution et de téléphonie mobile, le «premier monsieur Rogers» était en fait un homme de radio. Et pas n'importe lequel. En 1925, Edward (Ted) Rogers père mettait au point, à Toronto, la première radio entièrement électrique et commercialement viable. L'infatigable inventeur créa également un ensemble d'adaptateurs permettant aux propriétaires des anciens systèmes de se débarrasser de leurs piles et de brancher leur radio dans la douille d'une ampoule. À l'époque, les piles de radio n'étaient pas petites et puissantes comme elles le sont aujourd'hui. Avant l'appareil électrique inventé par Ted, les radios étaient alimentées par des piles rechargeables encombrantes, dont les fuites d'acide tachaient tapis et planchers. Elles émettaient également un bourdonnement gênant, qui nuisait à la réception et à la qualité sonore. Le tube expérimental Rogers 15S (un tube à vide pour la radio) fut mis au point pour rehausser la qualité du son de la radio, en faisant un outil de communication fiable. Le nouveau média contribua largement à façonner l'avenir des communications, non seulement au Canada mais partout dans le monde. Et 10 ans après la création du premier modèle, la pile qui coulait n'était plus qu'un mauvais souvenir.

BASCULEUR DE WAGONS ROTATIF
L'hommage des chemins de fer à la gravité

Clarence Decatur Howe (C. D. Howe), qui fut un influent ministre fédéral durant plus de vingt ans, était surtout connu au Canada comme le « ministre de Tout ». Saviez-vous qu'il avait également été inventeur ? En 1914, le jeune Clarence vivait à Fort William, en Ontario (agglomération qui fait aujourd'hui partie de Thunder Bay), où il travaillait comme ingénieur en chef à la Commission canadienne des grains, l'organisation responsable de la réglementation de l'industrie de la manutention des céréales au Canada. En plus de superviser la construction de silos terminaux, l'ingénieur entreprenant conçut également le premier basculeur de wagons rotatif. Ce nouveau wagon de manutention des céréales misait sur la gravité, plutôt que sur la force pure, pour déverser son contenu. Avec le wagon de Howe, cette opération qui nécessitait les efforts d'une équipe de vingt hommes durant une heure, s'effectuait en seulement huit minutes. Le « ministre de Tout » n'était pas homme à perdre son temps, et l'ensemble du pays ne tarderait pas à l'apprendre.

CONSEIL NATIONAL DE RECHERCHES CANADA
Le temple de la science

C'est lorsque les hommes et les femmes travaillent ensemble, au-delà de leurs disciplines respectives et des cloisons administratives, que l'innovation est la plus susceptible de naître. Il va de soi que l'existence d'une organisation nationale visant à favoriser la collaboration au-delà des frontières est primordiale. Une telle institution est une véritable « organisation pour l'innovation ». Au Canada, c'est le Conseil national de recherches (CNRC) qui joue ce rôle. L'une des premières institutions en son genre au monde, le CNRC fut créé en 1916 pour promouvoir et coordonner la recherche en appui à l'effort de guerre du Canada. Situé à Ottawa, il devint rapidement un lieu essentiel pour les experts de nombreux domaines venus résoudre des problèmes très complexes. Le CNRC permet aussi d'exposer de nouvelles façons de penser et de repousser les frontières de l'intelligence humaine, dans des matières telles que la structure de l'atome et les principes directeurs du cosmos. Un visiteur étranger, conquis par ce qu'il y avait vu, a qualifié ce lieu de « véritable temple de la science ». Plus de cent ans après sa création, le CNRC continue d'être une organisation centrée sur l'innovation, qui se consacre au rapprochement des individus et des disciplines, et à la diffusion des découvertes. Mais, surtout, il continue de produire des idées géniales, des technologies commercialisables et des traitements efficaces. Ces avancées sont toutes énumérées dans de nombreux volumes de brevets populaires et ont été reconnues par d'innombrables prix et distinctions.

CAMION À BENNE
Pour un déversement rapide

Le bon vieux camion à benne est probablement l'outil qui permet à l'ouvrier moderne de gagner le plus de temps. Pensez-y. Au lieu d'utiliser l'énergie physique d'un groupe de vaillants travailleurs pour pelleter un gros chargement de terre, de gravier ou autre depuis la caisse d'un camion, le camion à benne décharge son contenu sans effort. Le mérite de la conception du premier de ces camions revient à Robert Mawhinney. En 1920, cet homme, originaire de Saint-Jean, au Nouveau-Brunswick, assembla un camion muni d'une benne spéciale à l'arrière. La benne était fixée grâce à un pylône, un câble et un treuil. Une simple manivelle permettait d'actionner le treuil, qui tirait sur le câble, soulevant ainsi l'avant de la benne suffisamment haut pour vider le contenu par l'ouverture arrière. Son idée connut un succès instantané. Une décennie plus tard, le camion à benne était devenu un équipement obligatoire partout où l'on déplaçait de la terre. Au repos, Messieurs! Rangez vos pelles!

SOYEZ PRÊT À INNOVER : VOICI COMMENT.

☐ Tenez pour acquis que tout le monde est créatif.

☐ Questionnez les gens à propos de leurs idées innovatrices et inspirez-vous de leurs commentaires.

☐ Notez dans un carnet vos idées innovatrices dans tous les domaines qui vous intéressent.

☐ Parlez aux gens de vos idées et laissez-vous guider par leurs commentaires.

☐ Bâtissez une équipe, sachant que les bonnes idées deviennent géniales quand les gens collaborent.

☐ Visez des résultats exceptionnels. Votre conviction que tout est possible est la voie assurée vers l'innovation.

☐ Soyez persévérant, sachant que toutes les innovations couronnées de succès sont le fruit de nombreux prototypes.

HÉLIUM LIQUIDE
Le secret des supraconducteurs

L'innovation survient parfois grâce à un coup de chance. Gordon Shrum était un vétéran de la bataille de Vimy, dont la scolarité avait été interrompue par la Première Guerre mondiale. De retour chez lui à Toronto en 1920, Gordon se promenait un jour près du département de physique de l'Université de Toronto, se demandant comment il pourrait reprendre ses études et obtenir un diplôme. Chemin faisant, il tomba sur un type sympathique qui était nul autre que John McLennan, le chef du département. À entendre les faits d'armes de Gordon à Vimy, McLennan lui offrit immédiatement un emploi. Et pas comme concierge ! McLennan voulait que Shrum liquéfie de l'hélium. Rien de moins. Ce type de travail nécessitait en effet un candidat qui n'aurait pas peur de se retrouver au cœur d'une explosion. Alors que l'équipe de McLennan avait pensé à un processus pour faire passer l'élément de l'état gazeux à l'état liquide, de puissantes éruptions étaient survenues durant leurs expériences. Aussi, ils avaient besoin de quelqu'un qui ne broncherait pas devant la violence des explosions. Trois ans et quelques explosions plus tard, Gordon avait rempli son mandat : l'équipe de l'université avait liquéfié de l'hélium. La découverte permit aux chercheurs d'étudier les propriétés des métaux à des températures extrêmement basses, ce qui conduisit notamment à l'avènement des aimants supraconducteurs, utilisés dans des procédés comme l'imagerie par résonance magnétique. Quelle chance pour Gordon ! Quelle chance pour nous !

BURETTE DE MÉCANICIEN
Un compte-gouttes pour graisser

Ernie Symons était un vrai bricoleur. Cet homme à tout faire de Rocanville, en Saskatchewan, réparait des machines brisées et construisait toutes sortes d'outils à partir de morceaux de ferraille. Ernie cherchait toujours de nouvelles façons d'améliorer les objets, quels qu'ils soient, et leur fonctionnement. Un jour, un voisin lui donna trois vieilles burettes à pompe. Ernie entreprit donc de faire ce qu'il faisait naturellement : les améliorer. Et il créa ainsi une nouvelle burette de mécanicien. La caractéristique principale de sa nouvelle burette était un long bec qui permettait d'huiler les machines plus facilement et, surtout, d'atteindre les endroits difficiles d'accès. Son appareil fonctionnait tellement bien qu'il présenta une requête pour un brevet, qu'il reçut en 1922. Il ouvrit ensuite une boutique et fabriqua plus de 3 500 burettes au cours des années suivantes. Ses affaires prirent réellement de l'expansion durant la Seconde Guerre mondiale : quelque 65 000 burettes furent vendues rien qu'en 1943. Des militaires canadiens de la Saskatchewan rapportèrent d'ailleurs avoir vu de ses graisseurs en Italie, en Allemagne et même en Birmanie.

Après la guerre, sa société, Symons Metalworkers, poursuivit ses opérations pendant six décennies, produisant non seulement les burettes classiques de la compagnie, mais aussi de nouveaux modèles spécialisés, conçus pour diverses industries.

NEIGE
Le lexique qui a bâti une science

De la neige, ce n'est que de la neige, n'est-ce pas? Détrompez-vous! Les propriétés physiques et mécaniques de la neige varient énormément, et ces différences ont des répercussions sur la façon qu'ont les gens de se déplacer dans la neige, d'y vivre et d'y travailler. Les premiers à comprendre ces principes de façon approfondie sont certainement les Inuits du Canada, qui ont élaboré un vaste vocabulaire permettant de distinguer les différents types de neige. Un certain George Klein, de Hamilton, en Ontario, s'appuya sur cette connaissance inuite et y ajouta la rigueur de la science moderne. Ce prolifique ingénieur mécanique canadien dirigea les premiers efforts visant à créer des outils et des techniques d'identification pour mesurer et décrire les caractéristiques de la neige, sa solidité, son épaisseur et sa surface. En 1948, Klein présenta les résultats de son travail en science de la neige à la Conférence d'Oslo sur la neige de l'Union géodésique et géophysique internationale. Trois ans plus tard, la classification internationale de la neige devint officielle. Utilisée encore aujourd'hui, cette classification offre une façon tangible et uniformisée d'améliorer la conception et la sécurité de toutes sortes d'infrastructures – depuis les ponts et les bâtiments jusqu'aux systèmes énergétiques, en passant par les réseaux de transports et de communication. Ce vocabulaire de la neige vit le jour grâce à l'apport des Inuits du Grand Nord canadien et se transforma en science. Avec un objectif: rendre notre monde plus sûr.

PRODUCTION D'AÉRONEFS EN SÉRIE
La reine des « ouragans »

La vie d'Elsie MacGill fut une longue succession de «premières». Elsie fut la première femme au Canada à obtenir un diplôme en génie électrique. Elle fut la première femme au monde à obtenir un diplôme en génie aéronautique. Elle fut également la première femme à concevoir un avion, la première à occuper le poste d'ingénieur aéronautique en chef dans une société d'aviation, ainsi que l'instigatrice du premier projet mondial de production industrielle d'un aéronef. En 1939, peu après le déclenchement de la Deuxième Guerre mondiale en Europe, l'entreprise d'Elsie, la Canadian Car and Foundry, située dans la municipalité que l'on appelle aujourd'hui Thunder Bay, en Ontario, fut mandatée par la Royal Air Force pour construire le *Hawker Hurricane*, un avion de combat. Elsie passa vite à l'action. Elle prit les commandes de la production, rationalisa les opérations pour fabriquer en série un nombre croissant d'aéronefs. Elle mit même en œuvre plusieurs modifications afin d'équiper les avions de combat pour qu'ils puissent voler par temps froid. En 1943, la société avait produit plus de 1 400 *Hurricane* (ouragan en français) et ses effectifs étaient passés de 500 à près de 4 500, dont plus de la moitié était des femmes. Pas étonnant que cette femme, qui avait connu tant de premières, ait été couronnée «reine des avions ouragans».

MESURES INCITATIVES INÉGALES
L'importance d'en savoir plus ou moins

Quand, en 1996, on lui demanda pourquoi il avait reçu le prix Nobel, William Vickrey ne sut quoi répondre. La mention accompagnant son prix indiquait que la distinction lui était décernée pour «sa contribution fondamentale à la théorie économique des incitatifs dans un contexte d'information asymétrique». Né à Victoria, en Colombie-Britannique, ce modeste économiste répliqua que tout ce qu'il avait tenté de faire au cours de sa vie professionnelle était de mener la théorie économique à sa conclusion logique. William Vickrey commença sa carrière en 1946 et passa 50 ans à poursuivre cet objectif: utiliser la théorie économique abstraite afin de découvrir des solutions aux problèmes quotidiens des gens. Ces efforts le menèrent à résoudre des questions aussi variées que la tarification du transport en commun et les péages routiers, les systèmes de taxation et les tarifs des services publics. Vous vous demandez pourquoi vous payez l'électricité moins cher en dehors des heures de pointe? C'est le résultat du travail de Vickrey. Pourquoi votre billet de train ou de métro est moins coûteux quand vous voyagez durant les périodes creuses? C'est aussi l'œuvre de Vickrey. Pourquoi, partout dans le monde, des villes songent à tarifer les déplacements urbains individuels, allégeant ainsi la circulation dans les centres-villes? C'est encore le fruit du labeur de Vickrey. Cet homme modeste, qui ignorait pourquoi il avait reçu le prix Nobel, a amélioré le quotidien de millions de travailleurs par ses idées géniales.

LOI DU ZÉRO ABSOLU
La nouvelle compréhension de la thermodynamique

Le troisième principe de la thermodynamique énonce que l'entropie (la non-disponibilité de l'énergie thermique d'un système en vue de sa conversion en énergie mécanique) d'un cristal parfait au zéro absolu est exactement égale à zéro. William Giauque, un scientifique originaire de Niagara Falls, en Ontario, décida un jour de prouver que ce principe était une loi fondamentale de la nature. En 1926, ses recherches le conduisirent à deux avancées importantes. Giauque est en effet responsable de la découverte des isotopes 17 et 18 de l'oxygène dans l'atmosphère de la Terre; cette constatation permit de révéler que les physiciens et les chimistes utilisaient à leur insu différentes échelles de poids atomique. Giauque réussit également à déterminer les entropies et les propriétés dynamiques de plusieurs gaz condensés et mit au point le processus de refroidissement par démagnétisation adiabatique. La connaissance de ce mécanisme de refroidissement magnétique lui permit de mieux comprendre et de s'approcher du zéro absolu plus que quiconque auparavant. Cette réalisation aida les scientifiques à mieux saisir les principes et les mécanismes de la conductivité électrique et thermique, à analyser les capacités thermiques et à effectuer des recherches sur le comportement des supraconducteurs à des températures extrêmement basses. Les travaux d'avant-garde de William Giauque sur le troisième principe de la thermodynamique lui valurent le prix Nobel de chimie en 1949. La plus haute distinction pour des travaux menés aux plus basses températures.

DIFFRACTION NEUTRONIQUE
La solution cristalline

Une des meilleures façons de découvrir comment un objet fonctionne est certainement de le casser et d'examiner les débris produits. Ce principe s'applique également à ce qu'il y a de plus petit dans l'univers : les atomes. Pour réaliser cette destruction délicate, Bertram Brockhouse, un physicien, créa le spectromètre à trois axes. Cet appareil mesure l'énergie des neutrons après leur diffusion en faisceau au travers d'un cristal, puis leur dispersion. La diffusion provoque la collision des neutrons avec les atomes de la matière cristal-line, puis leur déviation. Bertram Brockhouse donna au phénomène le nom de « diffraction neutronique ». La déviation déclenche des vibra-tions, et la fréquence de ces vibrations peut servir à calculer les forces entre les atomes contenus dans cette substance. Brockhouse réalisa la majeure partie de ses travaux révolutionnaires sur la diffraction des neutrons de 1950 à 1962, aux Laboratoires nucléaires d'Énergie atomique Canada, à Chalk River. Il utilisa le spectromètre à trois axes pour révéler les propriétés fondamentales de la structure et du comportement des atomes. Les connaissances qu'il a générées et l'outil qu'il a mis au point sont essentiels à notre compréhension de la physique des solides et de la chimie organique. La diffraction neutronique est utilisée encore aujourd'hui par les biologistes pour l'étude de la structure élémentaire des virus et des molécules d'ADN. Bertram Brockhouse reçut le prix Nobel de physique en 1994 pour la découverte de la diffrac-tion neutronique et de la spectroscopie des neu-trons. Une grande récompense pour un homme qui a permis de comprendre l'infiniment petit.

THÉORIE DES TRANSFERTS D'ÉLECTRONS
L'irrépressible envie de sauter

Le transfert d'électrons est la forme la plus simple et la plus élémentaire de réaction chimique. Il rend possible la respiration. Il est également l'essence même de la croissance des végétaux. Sans le transfert d'électrons, la vie serait tout simplement impossible. Dans ce processus, les électrons de la couche externe de l'atome sont échangés entre des substances de même nature atomique. C'est Rudolph Marcus, de Montréal, qui, en 1951, a été le premier au monde à enregistrer mathématiquement comment la modification de l'énergie globale dans un système de molécules en interaction induit le passage d'un électron d'une molécule à une autre. Sa découverte constituait un progrès déterminant pour la compréhension théorique des réactions chimiques. Ses travaux ont également encouragé les chercheurs de toutes les disciplines de la chimie à réaliser des avancées remarquables sur la corrosion, la photosynthèse, la conductivité électrique des polymères et plusieurs autres réactions chimiques complexes. Quiconque a déjà utilisé un instrument moderne en plastique ou en métal a bénéficié du travail de Marcus ; en effet, ces matériaux sont désormais plus résistants, plus flexibles et plus durables qu'avant grâce à ses découvertes. Pour ses réalisations dans l'avancement de la compréhension de cette « gymnastique » des électrons, Rudolph Marcus s'est vu accorder non pas une médaille d'or olympique, mais un prix Nobel.

LIBÉREZ VOTRE CRÉATIVITÉ : VOICI COMMENT.

☐ Participez à des activités en dehors de votre discipline.

☐ Faites une promenade, sachant que vos meilleures idées vous seront inspirées loin de l'ordinateur.

☐ Griffonnez. Créez un éparpillement et laissez votre esprit suivre le stylo ou le crayon.

☐ Notez vos idées à l'intérieur de cercles reliés par des lignes à d'autres idées apparentées.

☐ Faites rouler de grosses billes ou des cailloux dans votre main gauche pour stimuler votre cerveau droit créatif.

☐ Écrivez d'abord sur papier, et peaufinez votre formulation plus tard.

SEMOIR PNEUMATIQUE FLEXI-COIL
Pour semer tout en douceur

Emerson Summach fut frappé par l'inspiration alors qu'il observait son jeune fils jouer dans le jardin familial. Le petit garçon traînait un vieux ressort à boudin dans la terre, y laissant un motif en diagonale. Emerson se mit à réfléchir et se demanda s'il serait possible d'appliquer la technique de jeu de son fils pour ensemencer ses propres champs. Ce fermier d'Asquith, en Saskatchewan, eut l'idée de fabriquer un rouleau à spirale. Il décida de proposer son idée aux fabricants de gros équipements agricoles. Après avoir essuyé plusieurs refus, les manufacturiers prétextaient qu'ils n'avaient pas de machines permettant de produire les gros rouleaux qu'il avait imaginés, Emerson conçut sa propre machine. En 1952, Emerson et son frère Kenneth avaient monté leur entreprise. Cinq ans plus tard, ils avaient produit et vendu 4 000 semoirs pneumatiques. Le nouvel équipement devait sa popularité soudaine à ses nombreux avantages. Le semoir pouvait en effet être tiré par de l'équipement conventionnel sans devoir être muni de roues, et il n'avait pas de rayons qui risquaient de retenir les pierres ou la terre humide. Mais surtout, le semoir ne broyait pas la terre, épousant plutôt les contours du champ, dessinant un motif diagonal dans le sol, ce qui freinait l'érosion durant l'écoulement printanier ou les pluies abondantes. Plus de 60 ans plus tard, ce semoir, qui permet de travailler en douceur, est devenu un accessoire essentiel pour les agriculteurs du monde entier. Il a fait de leur labeur un véritable jeu d'enfant.

DYNAMIQUE DES RÉACTIONS
Une brillante intuition

Pour John Polanyi, la lumière se fit d'abord en 1952. Au travail, dans son laboratoire d'Ottawa en Ontario, le chercheur utilisa la spectroscopie (l'observation et la mesure de la lumière lorsque la matière interagit avec une radiation électromagnétique ou en émet) afin d'examiner la vibration et la rotation au sein des molécules d'iode. Pour John, tout devint plus lumineux en 1958. Alors qu'il travaillait à l'Université de Toronto, le chimiste fit la découverte de la chimiluminescence, soit la lumière émise par une molécule à la suite d'une réaction chimique. Cela se produisit au moment où il observait la réaction exothermique du chlore moléculaire avec l'hydrogène atomique. Tout devint plus clair encore au cours des années suivantes. À tel point qu'en 1986 John Polanyi avait mis au point la chimiluminescence infrarouge. Cette méthode mesure les faibles émissions infrarouges des molécules nouvellement formées, permettant d'examiner l'énergie libérée au cours des réactions chimiques. Pour avoir fait la lumière sur la dynamique des réactions chimiques au niveau moléculaire, le chercheur reçut le prix Nobel de chimie. Un autre Canadien dont le comité a reconnu le « brillant » travail.

FUSÉE *BLACK BRANT*
La fusée pleine d'atmosphère

Deux ans après la mise en orbite du satellite Spoutnik par les Soviétiques, des ingénieurs canadiens procédèrent, en 1959, au lancement d'une fusée-sonde qui visait bien plus haut. Baptisée «Black Brant», elle fut mise au point à Valcartier, au Québec, par un important consortium d'organisations, notamment l'Établissement de recherches et de perfectionnement de l'armement, le Conseil de recherches pour la défense et Bristol Aerospace. La fusée de recherche transportait une charge utile d'instruments utilisés pour la conduite d'expériences scientifiques et l'observation de la haute atmosphère terrestre. Les résultats de ces expériences et de ces observations étaient ensuite retransmis sur terre par télémétrie. Même la couleur de la fusée avait sa raison d'être ; en effet, elle était noire, afin que les chercheurs puissent suivre le roulis et le tangage de la fusée en vol. Après son vol inaugural, la *Black Brant* fut utilisée à plusieurs reprises par les agences spatiales canadienne et américaine. Plus de huit cents fusées *Black Brant* de divers types ont été lancées depuis, ce qui en fait la fusée-sonde la plus populaire et la mieux réussie à ce jour. Meilleure chance la prochaine fois, Spoutnik!

TECTONIQUE DES PLAQUES
Une théorie qui a secoué les idées reçues

Croire que l'écorce terrestre est formée d'une seule couche rocheuse externe, ce serait comme penser que la Terre est plate. Et pourtant, c'est relativement récemment que nous en sommes venus à comprendre que la dure couche externe de la Terre est morcelée et constituée de pièces en mouvement. Ce concept est connu aujourd'hui comme la «tectonique des plaques». L'homme à l'origine de cette notion est John Tuzo Wilson. Ce géologue canadien, qui a travaillé pendant de nombreuses années avec une équipe multidisciplinaire à l'Université de Toronto, a d'abord élaboré en 1962 une théorie selon laquelle la lithosphère, ou écorce terrestre (l'une des deux couches externes de la Terre), est constituée de plaques tectoniques séparées qui se déplacent sur l'asthénosphère (l'autre couche externe), plus fragile et fluide. Cette intuition révolutionnaire de Wilson a donné au monde une toute nouvelle compréhension de la nature même de notre planète, de ses volcans, des tremblements de terre et de la dérive des continents. Ses travaux ont également permis de comprendre que la masse des continents et de l'océan Pacifique est composée de sept plaques. Cette conception peut maintenant paraître aussi évidente que d'affirmer que la Terre est ronde, mais il s'agit en fait d'une vision qui a ébranlé les idées reçues. Cette connaissance scientifique a permis une réinterprétation complète des causes des tremblements de terre, volcans et tsunamis, et de sauver des milliers de vies grâce à la mise sur pied de meilleurs systèmes de prédiction des grands phénomènes sismiques.

PHYSIQUE DES PARTICULES
Sur la piste du quark

Et nous qui pensions que la matière ne pouvait pas être plus microscopique que microscopique! Nous savons que toute chose est composée d'atomes, lesquels possèdent un noyau de protons et de neutrons, entourés d'électrons. Au début des années 1960, le physicien canadien Richard Taylor et une équipe d'éminents collègues de l'Université Stanford, en Californie, ont entrepris une série d'expériences pour approfondir l'étude de la composition des atomes. Dans le cadre de ces expériences, ils provoquèrent des collisions entre des faisceaux d'électrons à haute énergie et des protons et des neutrons. Amusant, à première vue. Les résultats révélèrent que non seulement les électrons se dispersaient, mais que d'autres particules étaient produites. Quelles étaient donc ces particules? En 1967, Taylor et son équipe

allaient finalement le découvrir. Profitant d'un nouvel accélérateur de particules particulièrement puissant, l'équipe de scientifiques procéda à la pulvérisation de protons et de neutrons. Elle constata que les particules élémentaires que sont les protons et les neutrons sont en fait composées de quarks, confirmant ainsi l'hypothèse avancée trois ans plus tôt par le physicien américain Murray Gell-Mann. Cette preuve de l'existence de microparticules au sein des plus petites particules existantes est désormais considérée comme un aspect essentiel du modèle standard de la matière. Et le comité du prix Nobel approuva. En accordant en 1990 son prix Nobel de physique aux chercheurs Taylor, Friedman et Kendall, le comité indiqua que leur découverte constituait une «nouvelle étape dans l'histoire de la création».

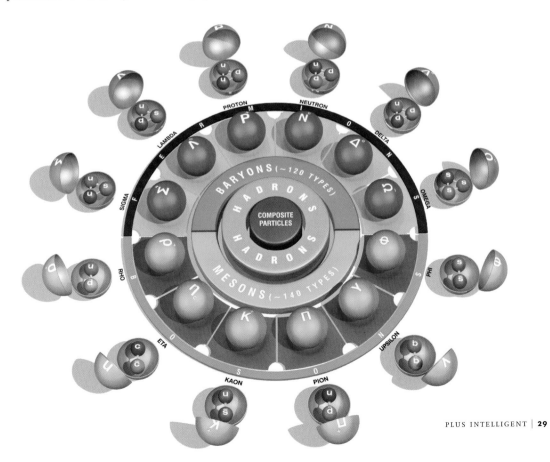

NEUROPHYSIOLOGIE VISUELLE
À l'assaut des cataractes

Des résultats stupéfiants sont possibles lorsque des spécialistes de différents pays unissent leurs efforts pour s'attaquer à des défis communs. Ainsi, notre compréhension actuelle du fonctionnement de la vision humaine peut être attribuée aux travaux d'une équipe de deux chercheurs : un Canadien, David Hubel, de Montréal ; et un Suédois, Torsten Wiesel, originaire d'Uppsala. Les premières grandes avancées scientifiques dans le domaine de la neurophysiologie visuelle reposent sur le partenariat entre ces deux hommes, qui prit naissance à l'Université Harvard et dura vingt ans. En 1978, leurs expériences d'avant-garde permirent de découvrir comment le cerveau utilise une grande variété de détecteurs – contour, mouvement, couleur et perception stéréoscopique de profondeur – pour traiter les signaux transmis par l'œil. Leurs recherches aidèrent entre autres à comprendre et à traiter les cataractes et le strabisme chez les enfants. Le duo de scientifiques est reconnu comme l'une des équipes de recherche les plus dévouées et brillantes de la neurophysiologie visuelle et des autres domaines scientifiques, comme l'atteste leur prix Nobel. Voilà une preuve que l'innovation se soucie peu des frontières.

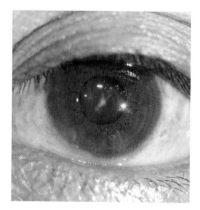

DICTIONNAIRE *OXFORD* EN LIGNE
Pour chaque mot, une définition

Un volume numérisé de plus de 600 000 mots dont on peut rechercher la signification en moins d'une seconde : voilà la définition de l'*Oxford English Dictionary* (*OED*) en ligne. Et au cœur de l'*OED* en ligne se trouve un moteur de recherche. Créé en 1989 par les scientifiques Frank Tompa, Gaston Gonnet et Tim Bray, de l'Université de Waterloo, en Ontario, cet instrument a rendu entièrement et immédiatement accessible une ressource essentielle. Il a également créé une société spécialisée, OpenText™, qui poursuivit le développement du moteur de recherche du dictionnaire en ligne et en fit l'un des premiers moteurs de recherche pour le Web dans le monde. Le moteur de recherche d'OpenText™ – le Web Index – était en mesure de rechercher, de trouver et de récupérer le contenu de n'importe quel document sur le Web, et pas uniquement des mots-clés ou des expressions dominantes, comme c'était le cas auparavant. OpenText™ est l'une des nombreuses entreprises qui ont fait de la ville de Waterloo un pôle d'innovation. Des spécialistes de plusieurs disciplines s'y réunissent encore pour partager et redéfinir des concepts, et pour trouver des réponses à des questions fascinantes et complexes. Vous voulez en savoir plus ? Tapez simplement « Waterloo » dans votre moteur de recherche. Et remercions Frank, Gaston et Tim, ainsi que la compagnie OpenText™ de cette possibilité !

BLACKBERRY
Un véritable élan vers l'avenir

L'année 1996 est considérée comme l'an zéro de notre ère de communications du « partout-et-tout-le-temps ». Cette année-là, Mike Lazaridis dévoila le prototype de son premier dispositif de communication sans fil. Certes, il y avait déjà, à cette époque, toutes sortes de téléphones cellulaires sur le marché. Mais si la plupart des entreprises de télécommunications et les opérateurs de téléphonie mobile concentraient leur énergie sur la transmission de la voix, cet entreprenant ingénieur de Waterloo, en Ontario, était convaincu pour sa part que les gens étaient tout aussi désireux de communiquer des données. L'année suivante, sa compagnie, Research in Motion, lançait le BlackBerry, le premier dispositif mobile à être synchronisé avec le compte courriel de son propriétaire. Ce n'est cependant qu'en 2002 que l'appareil de Lazaridis connut réellement un développement majeur. Élégant et coloré, le dernier modèle du BlackBerry permettait à son propriétaire de communiquer par courriel et par téléphone. Il disposait également du programme « BlackBerry Messenger », un service exclusif grâce auquel les usagers pouvaient échanger des messages textes par l'entremise d'un réseau spécifique, en toute confidentialité. L'appareil fut vite considéré comme une petite merveille et il devint, en quelques mois, un véritable phénomène culturel. On aurait dit que tout le monde tenait dans la main un BlackBerry, un appareil attrayant et sophistiqué. Cet outil réussissait à la fois à alimenter et à satisfaire l'éclosion d'une nouvelle dépendance : celle d'être connecté « partout-et-tout-le-temps ». On se souviendra longtemps du dispositif inventé par Mike Lazaridis, l'innovation canadienne qui a instauré l'ère de la communication numérique mobile.

TURBINE HYDROCINÉTIQUE
L'énergie amicale

Les cours d'eau coulent sans arrêt. C'est pourquoi ils représentent la source la plus fiable d'énergie. Plus fiable que le vent, le soleil, les marées. En 2005, cette constatation inspira un entrepreneur de Calgary nommé Clayton Bear à mettre au point sa turbine hydrocinétique. En deux mots, le dispositif consiste en une turbine verticale qui tourne, générant de l'électricité lorsque l'eau y circule. Suspendue entre deux points d'ancrage, la turbine portative peut être placée là où le courant d'une rivière ou d'un fleuve est le plus puissant. Nul besoin d'arrimer la turbine au fond, où le courant n'est peut-être pas aussi fort. Pas besoin non plus d'une imposante infrastructure de soutien, qui pourrait perturber ou endommager l'environnement naturel. Il est aussi important de noter que la turbine est compacte, légère et facile à assembler, ce qui la rend particulièrement utile dans les régions éloignées et difficiles d'accès, notamment dans les pays en développement.

Ainsi, les collectivités des régions les plus éloignées du globe ont désormais accès à de l'énergie abordable. Voilà peut-être la forme d'énergie renouvelable dont notre planète a tant besoin.

MASSE DU NEUTRINO
L'astronome de sous-sol

Une des découvertes les plus importantes sur la nature des particules élémentaires a été faite en 2001, à deux kilomètres sous terre, à l'Observatoire de neutrinos de Sudbury. Cette installation de détecteurs est située dans une mine, juste à l'extérieur de la ville de Sudbury, au nord de l'Ontario. Arthur McDonald, de l'Université Queens, à Kingston, en Ontario, et son équipe de physiciens réussirent à établir que les neutrinos provenant du Soleil oscillaient entre « muons » et « tauons ». Les neutrinos, présents sous la forme d'électrons, de muons et de tauons, sont des particules élémentaires issues de réactions nucléaires, comme celles qui surviennent sur le Soleil. En découvrant les oscillations des neutrinos, l'équipe canadienne a révélé que ces derniers ont une masse, ce qu'on croyait jusqu'alors inconcevable. Ces constatations expliquent également le nombre plus petit qu'escompté de neutrinos observés en provenance du Soleil. En effet, durant de longues années, les modèles théoriques indiquaient que le Soleil produisait des neutrinos en quantités stupéfiantes. Pourtant, les détecteurs en relevaient beaucoup moins, forçant certains physiciens à émettre l'hypothèse que les soi-disant neutrinos manquants auraient muté, ou oscillé, en muons ou en tauons, échappant jusqu'ici à la détection. Arthur McDonald a permis au monde scientifique de passer de la spéculation à la vérification, renforçant notre compréhension de la nature du Soleil, altérant le modèle standard de la physique élémentaire. Il a reçu le prix Nobel de physique en 2015.

ÉTOILES ZOMBIES
La nuit des morts (vivants)

Victoria Kaspi est la plus grande spécialiste au monde en matière de zombies. D'étoiles zombies, plus précisément. Cette chercheuse de l'Université McGill, à Montréal, se consacre en effet à l'étude de la physique extrême des étoiles à neutrons. Appelées « étoiles zombies », celles-ci se forment lorsqu'une immense étoile épuise son combustible et explose, passant à l'état de supernova, sans avoir encore fusionné pour devenir un trou noir. Pourquoi étudie-t-on les étoiles zombies – en plus d'être attirés par leur nom étrange ? Parce que leurs propriétés sont tout aussi étranges et permettent aux chercheurs d'évaluer des théories qui ne peuvent être testées sur la Terre. Par exemple, les étoiles zombies sont si denses qu'une cuillerée d'étoile pèserait un milliard de tonnes. C'est vraiment beaucoup de kilos… et de zéros. En 1999, Victoria Kaspi utilisa ses laboratoires célestes pour découvrir le pulsar à la rotation la plus rapide – un pulsar qui effectue 716 rotations à la seconde. On

croit en effet que les pulsars sont des étoiles à neutrons en rotation rapide. Victoria Kaspi a découvert le deuxième magnétar de notre galaxie. Un magnétar est une étoile à neutrons dotée d'un champ magnétique colossal. De plus, Victoria a utilisé les pulsars binaires (deux étoiles à neutrons en orbite l'une autour de l'autre) afin de tester la théorie générale de la relativité d'Einstein. Ses travaux ne sont pas que théoriques : les informations glanées dans ses études sur les étoiles zombies sont désormais utilisées dans la recherche de planètes habitables au-delà de la Terre. Pas étonnant, donc, qu'elle ait été reçue membre de la Société royale du Canada et qu'on lui ait octroyé le prix Marie-Victorin du gouvernement du Québec. Elle est également la première femme à être décorée de la médaille d'or Gerhard Herzberg en sciences et en génie du Canada.

WATFOR
Le compilateur intelligent

Ce fut une victoire d'équipe. À l'été de 1965, quatre étudiants de premier cycle de l'Université de Waterloo en Ontario, se disaient frustrés par la complexité de la programmation informatique en FORTRAN, chef de file, à l'époque, des langages de programmation. Ce qui les ennuyait le plus, c'était la qualité du processus de diagnostic d'erreurs, considéré comme lent et peu fiable. Sous la supervision des professeurs J. Wesley Graham et Peter Shantz, ces étudiants – Gus German, James Mitchell, Richard Shirley et Robert Zarnke – conçurent un compilateur FORTRAN amélioré pour l'ordinateur IBM 7040, qu'ils baptisèrent « WATFOR ». Leur objectif? Comme pour toutes les innovations, ils souhaitaient simplement améliorer les choses. Leur nouveau compilateur était plus rapide et plus précis pour le diagnostic des erreurs que le FORTRAN, et ce, aux deux étapes critiques de la programmation : la compilation et l'exécution. Commercialisé de façon brillante par leur collègue Sandra Bruce, le nouveau compilateur connut un succès retentissant et fut bientôt utilisé par des programmateurs dans plus de 75 institutions partout dans le monde.

```
*****DEBUG***** UNIVERSITY OF WATERLOO *****
        $JOB     WATFIV
     1           ISUM=0
     2           X=1
     3      5    ISUM=ISUM + X
     4           X=X+1
     5           IF(X.LE.1000)GOTO5
     6           PRINT,ISUM
     7           STOP
     8           END

        $ENTRY
     500500

CORE USAGE        OBJECT CODE=      328 BYTES,
DIAGNOSTICS       NUMBER OF ERRORS=          0
COMPILE TIME=     0.03 SEC,EXECUTION TIME=
```

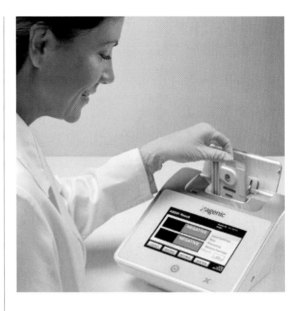

XAGENIC 2012
L'outil diagnostique instantané

Imaginez! Être en mesure de diagnostiquer un cancer ou toute autre maladie mortelle presque immédiatement! Un rêve, devenu réalité avec l'arrivée du Xagenic X1™. Conçu en 2012, le système de diagnostic utilise une technologie de détection des acides nucléiques pour réaliser des dosages moléculaires sur des patients. Un acide nucléique est une substance organique complexe présente dans les cellules vivantes, dont les molécules sont composées de plusieurs nucléotides reliés en une longue chaîne. Le dosage moléculaire est un procédé permettant de mesurer l'activité biochimique ou immunologique dans un échantillon moléculaire. Créé par Xagenic™, une société de Toronto dirigée par Shana Kelley, le dispositif permet aux médecins d'obtenir un diagnostic pour leurs patients en une vingtaine de minutes. Ils peuvent ainsi prendre immédiatement des décisions relatives à leur traitement. Résultat : on améliore la qualité des soins, on réduit les coûts de traitement et on sauve même des vies. Fantastique !

APPRENTISSAGE TRÈS PRÉCOCE DES LANGUES

Les premiers pas d'une science

Parler aux nourrissons bien avant qu'ils ne comprennent quoi que ce soit fait partie intégrante de l'apprentissage du langage. Apprendre deux langues de façon simultanée dès la naissance est aussi naturel que d'en apprendre une seule. Voilà deux conclusions auxquelles est parvenue Janet Werker dans le cadre de ses travaux de recherche. Ce faisant, la directrice du centre d'études sur la petite enfance de l'Université de Colombie-Britannique a innové et créé un nouveau domaine d'étude : l'apprentissage très précoce des langues. Honorée en 2015 par la médaille d'or du Conseil de recherches en sciences humaines du Canada, Janet Werker attribue modestement son succès au fait que de nombreux outils sophistiqués sont désormais accessibles aux chercheurs, ce qui non seulement lui a permis d'en arriver à des

conclusions révolutionnaires, mais l'a également habilitée à explorer des questions plus complexes et pointues. Certaines de ces questions portaient par exemple sur les effets de la dépression d'une mère sur la capacité et l'acquisition du langage de son enfant, de même que sur les effets bénéfiques d'un éventuel traitement de cette dépression. Pour formuler ses observations, Janet Werker a concentré ses efforts sur l'analyse de la façon dont les enfants regardent et écoutent effectivement leur mère. Cet examen attentif a produit plusieurs découvertes novatrices. Les travaux de Janet Werker se poursuivent, et l'une de ses ambitions est tout aussi profonde et réfléchie : comprendre l'essence de notre humanité et utiliser cette connaissance pour continuer de faire progresser la condition humaine.

RECHERCHES INUITES SUR L'ARCTIQUE
Le visible et l'invisible

La meilleure recherche scientifique conjugue le visible et l'invisible. Les pêcheurs inuits dans le nord du Canada travaillent étroitement avec les scientifiques du sud du pays pour mener à bien ce genre de recherches, en vue d'acquérir une compréhension approfondie de l'Arctique. Joey Angnatok, pêcheur de Nain, au Labrador, est l'un d'eux. Propriétaire du *What's Happening*, un navire côtier et de cabotage consacré à la recherche marine, il observe et enregistre les conséquences des changements de la glace de mer sur la flore et la faune, dans la vaste région comprise entre Goose Bay, à Terre-Neuve-et-Labrador, et Resolute, au Nunavut. Angnatok et son équipage ne se contentent pas de recueillir des données

permettant l'étude de la glace de mer, des estuaires, des fjords, ainsi que des polluants organiques persistants et des métaux trouvés dans les poissons et les phoques. Ils fournissent également aux scientifiques le savoir traditionnel et des connaissances directes au sujet de la Terre, du territoire régional, des voies navigables, de la faune et des changements environnementaux. Cet harmonieux mélange d'ancien et de nouveau, de visible et d'invisible, permet de nouvelles découvertes qui révèlent les effets souvent cachés de la pollution et des changements climatiques sur l'Arctique, de même que leurs répercussions sur la caractéristique la plus visible de la région : ses habitants.

FORMATION EN LIGNE
OUVERTE À TOUS (FLOT)
L'amphithéâtre illimité

Une FLOT pourrait bien être une créature imaginaire issue de l'univers de Lewis Carroll ou de J. R. R. Tolkien. C'est effectivement gros et puissant. Il ne s'agit cependant pas d'une méchante créature tapie dans un marais ou dissimulée sous votre lit. Une FLOT est une « formation en ligne ouverte à tous ». *Formation*, parce qu'elle répond aux exigences d'un programme d'études ou, mieux encore, elle permet aux professeurs et aux étudiants de partager, d'apprendre et d'en arriver ensemble à une meilleure compréhension. *En ligne*, parce qu'elle a lieu sur de nombreuses plateformes de communications et de services disponibles sur le Web. Et *ouverte à tous*, parce que pratiquement n'importe qui peut y participer. De toutes ces façons, la formation en ligne ouverte à tous contribue à redynamiser des idées pratiques mais quelque peu dépassées, comme la formation à distance, les cours par correspondance et les conférences en ligne. David Cormier est l'homme derrière cet étrange acronyme. Pédagogue et chercheur à l'Université de l'Île-du-Prince-Édouard, Cormier a inventé le terme en 2008 pour désigner un cours en ligne, ouvert à tous. Il s'agissait d'un cours sur le connectivisme. Bien qu'offerte par l'Université du Manitoba, la formation était donnée par des professeurs de deux autres établissements : George Siemens, de l'Université Athabasca, et Stephen Downes, du Conseil national de recherches Canada. Parmi les participants, on retrouvait 25 étudiants réguliers, qui avaient payé des frais de scolarité, et quelque 2 200 personnes en ligne, qui n'avaient rien payé. Aujourd'hui, il existe de nombreuses formations en ligne ouvertes à tous. Aujourd'hui, il existe de nombreuses FLOT au sein d'établissements pédagogiques, de sociétés privées et de divers réseaux. Et elles sont loin d'être des créatures menaçantes.

Canot

Traîneau à chiens

Kayak

Raquettes

Toboggan

Charrette de la rivière Rouge

Hélice marine

Odomètre

Écriture syllabique
autochtone du Canada

Oléoduc

Voiture à vapeur

Téléphone

Combiné

Heure normale

Chemin de fer transcontinental

Radio pour la transmission vocale

Atlas national

Silver Dart

Canuck de Curtiss

Baromètre du mont Logan

Film documentaire

Locomotive aérodynamique

Étoiles des amas globulaires

Avion sur skis

Autoneige

Émetteur-récepteur portatif

Ambulance aérienne

Beaver, De Havilland

Orenda

Satellite *Alouette*

Mât STEM

Motoneige

Euro

Études des médias

Avro Arrow

Commutateur
téléphonique numérique

Canadarm

Théorie du langage

Vision spatiale

Modem 56K

Java

Messagerie bidirectionnelle

CHAPITRE 2

Plus...

intelligent

proche

bienveillant

sûr

sain

riche

heureux

Il n'est pas étonnant que tant de moyens ingénieux visant à réduire la distance entre les gens aient été conçus d'abord au Canada, le deuxième plus grand pays au monde. Les transports constituent une obsession pour les Canadiens et les Canadiennes depuis l'époque où les canots et les kayaks parcouraient les fleuves et les rivières reliant nos communautés. L'hélice marine, le quadricycle à vapeur, la motoneige, le chemin de fer et l'ambulance aérienne ne sont que quelques-uns des innombrables exemples d'innovations qui contribuent à rapprocher les gens et à faire du monde un univers plus solidaire. Dans notre ère moderne, une autre spécialité canadienne a permis de redéfinir les distances : les communications. Le téléphone, le walkie-talkie, la radio pour transmission vocale, le téléavertisseur bidirectionnel, le commutateur téléphonique numérique et le BlackBerry ont tous été inventés au Canada, puis rapidement adaptés là où les gens souhaitaient se rapprocher.

CANOT
Un moyen de transport entièrement canadien

Existe-t-il un moyen de transport plus canadien qu'un canot ? À partir d'une embarcation ancienne, les peuples autochtones du pays ont conçu le véhicule idéal pour se déplacer sur un territoire parsemé de lacs et de rivières. Léger, rapide, silencieux, facile à construire avec les matériaux disponibles, adapté à des milliers d'usages, le canot canadien (selon l'appellation encore utilisée par la Fédération internationale de canoë) est une merveille de simplicité et de puissance, tout en légèreté. Quand les explorateurs et aventuriers européens se retrouvèrent sur les côtes canadiennes, leurs hôtes du Nouveau Monde leur enseignèrent l'art de la fabrication de canots, et ce sont ces embarcations rapides qui leur permirent d'esquisser les contours mêmes du pays à venir. En 1616, accompagné par ses guides autochtones,

Samuel de Champlain se rendit jusqu'à la baie Georgienne en canot. Alexander Mackenzie, le premier Européen à traverser l'Amérique du Nord, en 1793, réussit son exploit en canot. Meriwether Lewis et William Clark firent de même en 1804, tout comme David Thompson en 1811. Pendant 200 ans, des récits liés à cette astucieuse innovation suscitèrent le respect des Européens pour les prouesses d'ingénierie des Premières Nations du Canada, un respect qui est encore présent aujourd'hui.

TRAÎNEAU À CHIENS
Le moyen de transport parfait

À première vue, le traîneau à chiens, inventé par les Inuits il y a des milliers d'années, n'est pas le moyen de transport idéal – pas de moteur hybride, pas de freins antiblocage, pas de transmission à cinq vitesses. C'est ce que croyait la Gendarmerie royale du Canada. En 1948, la GRC fut appelée à étendre ses opérations dans le Grand Nord. Sachant qu'elle devrait compter sur les traîneaux à chiens, elle demanda au Conseil national de recherches Canada de procéder à des tests pour déterminer comment améliorer la conception et la fabrication de ce mode de transport ancien. Les chercheurs firent donc subir au véhicule de multiples tests. Leur conclusion : le traîneau à chiens est pratiquement sans défaut. Un seul inconvénient : le dessous en bois pouvait se coincer dans la neige épaisse et collante, provoquant l'arrêt du véhicule. Toutefois, la modification possible – remplacer le dessous de bois par un panneau de bakélite – s'avéra pire que le défaut potentiel. En effet, en cas de bris du panneau de bakélite sur un sentier glacé du nord, il devenait très difficile de trouver une pièce de rechange. On en conclut donc que, après des siècles de légères modifications, les Inuits avaient conçu le moyen de transport parfait pour leur environnement. Ça, les Inuits le savaient depuis toujours.

KAYAK
Le chasseur grande vitesse

De par son nom, le kayak est le « bateau du chasseur » ; c'est exactement ce que le mot signifie en inuktitut, la langue de ses créateurs. Le kayak est aussi le bateau du chasseur de par sa conception ; rapide et facile à manœuvrer, il démontre la même efficacité sur les rivières, les lacs intérieurs et les eaux côtières. Le kayak est très ancien. Les chasseurs inuits s'en servent depuis au moins 400 ans. Le modèle traditionnel est entièrement fabriqué à partir de matériaux naturels : peaux de phoque cousues ou peaux d'autres animaux tendues sur une armature de bois ou d'os de baleine. Le cockpit est recouvert d'une jupe de peau qui crée un joint étanche et retient le pagayeur s'il chavire en eaux vives. Chaque kayak est conçu spécialement pour son propriétaire. Si son concept est uniforme – une embarcation petite et étroite, avec un cockpit dans lequel le chasseur s'assoit, et manœuvrée à l'aide d'une pagaie à double pale –, chaque kayak était ajusté à la taille de la personne qui le manœuvrait. Chaque embarcation avait des mesures bien précises : pour la longueur, trois fois la distance entre les bras étendus du constructeur ; pour la largeur, ses hanches plus deux poings ; pour la profondeur, le poing plus le pouce étendu. Aujourd'hui, le kayak est largement utilisé par des hommes et des femmes à des fins diverses : pour les courses en eaux vives, pour surfer sur de grandes vagues, naviguer sur la houle, ou encore voguer en toute liberté. Ce chasseur grande vitesse a également été utilisé par les commandos britanniques et les forces spéciales de la marine américaine dans le cadre d'opérations secrètes. Souvent, il était parachuté sur les lieux de l'opération, en même temps que son pagayeur.

RAQUETTES
Les chaussures de neige

Observez le lièvre d'Amérique (en anglais, *snowshoe hare*, littéralement « lièvre à raquettes »). C'est sans aucun doute ce que les peuples autochtones du Canada ont fait quand ils ont conçu leurs premières raquettes. Tout comme cet animal se sert de la grande surface de ses pattes surdimensionnées pour se déplacer rapidement sur la neige épaisse, les Autochtones du Canada comptaient sur leurs chaussures plus grandes que la normale pour aller chasser en hiver. Cela ne veut pas dire que les raquettes sont toutes identiques. Les tailles et les styles diffèrent selon les conditions locales : les Inuits du Grand Nord avaient des raquettes circulaires adaptées à la neige poudreuse et profonde ; les Cris des Prairies ont conçu une version plus longue et étroite pour les plaines balayées par le vent ; et les Iroquois du Bouclier canadien en avaient de plus courtes, qui leur permettaient de se déplacer dans les forêts épaisses. À leur arrivée, les colons européens s'y sont mis eux aussi. Les raquettes étaient des pièces d'équipement essentielles pour les commerçants, les aventuriers, les trappeurs et les bûcherons. La raquette est vite devenue un loisir d'hiver à la mode, d'abord à Montréal puis dans le reste du pays. Aujourd'hui, elle est encore populaire, et les styles et les modèles sont de plus en plus sophistiqués et spécialisés.

TOBOGGAN
La première motoneige

Pendant des milliers d'années, les peuples inuits du Grand Nord canadien n'avaient besoin que de peu de choses pour vivre. Tout le nécessaire à leur survie pouvait être tiré – par une personne ou un traîneau à chiens – d'un endroit à un autre, sur une traîne sauvage, ou toboggan. Mesurant de deux à trois mètres de long et assez étroits pour glisser sur les pistes de traîneau et de raquettes, les toboggans étaient fabriqués en fixant deux ou plusieurs minces planches de mélèze ou de bouleau, à l'aide de barres transversales. Les planches étaient recourbées à l'avant ; on courbait le bois quand il était humide ou encore vert, puis on le maintenait en position jusqu'à ce qu'il soit sec. Lorsqu'ils arrivèrent dans le nord, les commerçants, chasseurs et trappeurs européens adoptèrent le toboggan. Dans différentes régions du pays, les colons comprirent rapidement qu'ils pouvaient aussi utiliser les toboggans pour s'amuser. Ils mirent sur pied des clubs de glissade, construisirent des pentes élaborées et inspirèrent même la création de nouveaux sports – la luge, le bobsleigh et le skeleton –, assez importants pour être présentés aux Jeux olympiques. Aujourd'hui, dans le Grand Nord canadien, on utilise souvent la traîne sauvage de pair avec la motoneige : deux générations de motoneige à l'œuvre ensemble.

CHARRETTE DE LA RIVIÈRE ROUGE
Le cargo longue distance

Comment maintenir ensemble les parties d'une voiture ou d'une charrette quand les clous en fer sont soit introuvables, soit trop coûteux ? Les peuples métis de ce qu'on appelle aujourd'hui l'Ouest canadien ont bâti leurs charrettes en n'utilisant aucune pièce de métal, uniquement du bois et des peaux d'animaux. Inspirées des charrettes à deux roues de la Nouvelle-France, celles de la rivière Rouge furent fabriquées à partir de 1801, en employant uniquement des matériaux locaux. Des tenons et des mortaises en bois maintenaient ensemble les rails, les panneaux arrière, les planches et les traverses de bois des charrettes. Une mortaise est un trou ou un renfoncement pratiqué dans le bois. Un tenon est la projection correspondante d'une autre pièce qui s'ajuste à la mortaise pour unir ou fixer les pièces. Des essieux de bois étaient fixés aux charrettes à l'aide de bandes de peaux de bison, appelées *shaganappi*, qui étaient attachées lorsqu'elles étaient mouillées. Les bandes rapetissaient ensuite et se resserraient en séchant. Cette conception entièrement naturelle permettait aux charrettes de flotter. Solides et robustes, elles pouvaient traverser des fleuves et des rivières. Tirées par des chevaux ou des bœufs, ces charrettes pouvaient transporter des cargaisons d'une demi-tonne. Et lorsqu'elles étaient brisées, elles étaient faciles à réparer, étant constituées uniquement de matériaux naturels. Il fallait simplement penser à se munir d'une réserve de bois et de *shaganappi* – l'équivalent d'un pneu de secours et d'un cric.

HÉLICE MARINE
La fin de la voile

Un événement important, sans doute le plus important de l'histoire nautique moderne, se produisit en 1833 à Yarmouth, en Nouvelle-Écosse. Ce jour-là, John Patch, marin et pêcheur, se servit d'une hélice bipale, en forme d'éventail, pour déplacer une chaloupe d'un côté à l'autre du port. Il venait ainsi de mettre fin à l'époque de la voile. Si le nom du capitaine Patch a été oublié par l'histoire, c'est en raison des règlements bizarres du bureau des brevets. La Nouvelle-Écosse ne disposait alors d'aucun mécanisme qui lui aurait permis d'obtenir un brevet pour son hélice. Patch n'avait pas les moyens de se rendre en Grande-Bretagne pour y déposer son invention, et seuls les citoyens américains pouvaient obtenir un brevet aux États-Unis. Qu'à cela ne tienne, tant que souffleront les vents, les Canadiens se souviendront que, bien avant l'apparition d'innovations semblables au Royaume-Uni et aux États-Unis, l'hélice de Patch avait mis fin à l'ère de la voile.

ODOMÈTRE
Des infos sur la distance

Les Canadiens, peut-être par nécessité, sont fascinés par les distances. Une obsession facile à comprendre dans un territoire aussi vaste, au relief si varié. Pas étonnant, donc, qu'un Canadien ait été le premier à concevoir l'odomètre moderne. Il s'agit de Samuel McKeen, de Mabou, en Nouvelle-Écosse. Son dispositif était constitué d'une série de plaques d'engrenage fixées sur le châssis d'une voiture à cheval. La plus petite de la série était en prise avec un pignon sur le moyeu de la roue de la charrette. À mesure que la roue tournait, elle s'engageait dans l'engrenage, suivie, au fil du déplacement du véhicule, des plaques de plus en plus grandes. Celles-ci tournaient en séquence, révélant dans leur mouvement une distance soigneusement calibrée. Une aiguille entourée d'un cadran exprimait les mouvements des plaques d'engrenage et, par conséquent, la distance parcourue par la voiture. L'odomètre permettait d'évaluer la distance que pouvait encore parcourir une voiture en fonction de l'essence restant dans son réservoir. À partir de ce moment, plus de raison de tomber en panne de carburant. Si, de nos jours, les odomètres arborent des afficheurs numériques lumineux, ils ne sont pas bien différents de l'original, construit sur l'île du Cap-Breton en 1854. Les voitures qui nous transportent aujourd'hui ont peut-être changé, mais notre façon de mesurer les distances est demeurée la même.

PENSEZ INNOVATION AVANT INVENTION : VOICI COMMENT.

☐ Considérez l'innovation comme une aventure de créativité sans fin, non pas comme une destination.

☐ Vérifiez pourquoi les choses sont faites ou utilisées *avant* d'imaginer comment les améliorer.

☐ Pensez à l'innovation comme à quelque chose à améliorer pour mieux convenir à un usage précis.

☐ Sachez que, pour avoir une réelle influence, toute innovation doit être constamment améliorée.

☐ Faites confiance aux gens pour accueillir le changement une fois qu'ils ont compris en quoi il bonifie les choses.

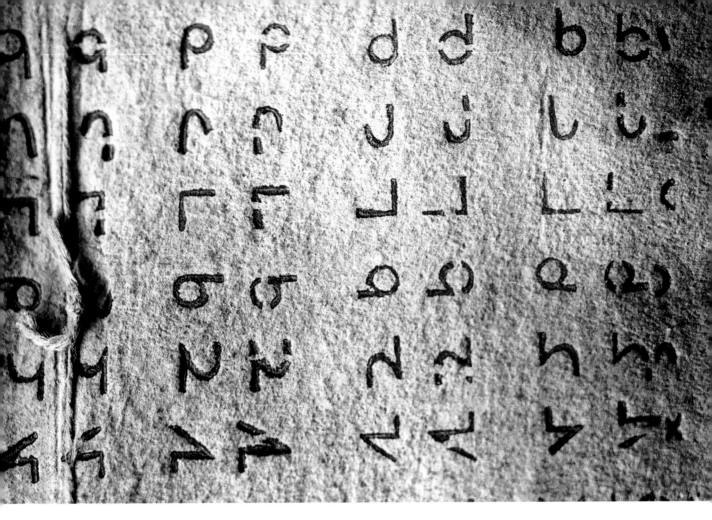

ÉCRITURE SYLLABIQUE AUTOCHTONE DU CANADA
Les indicateurs de sens

Inspirez-vous des meilleurs. Souvent, les avancées se produisent lorsque des gens n'hésitent pas à utiliser des méthodes éprouvées et à les mettre en œuvre pour relever de nouveaux défis. C'est exactement ce que fit James Evans lorsqu'il créa une nouvelle écriture pour une langue ancienne. Anglais, linguiste amateur et missionnaire, Evans vivait parmi les Cris, au nord du Manitoba. En 1840, il adapta le devanagari, une écriture utilisée en Inde britannique, et la sténographie anglaise dont il s'était servi, quand il était commerçant dans son pays, pour mettre au point une nouvelle langue

écrite reflétant les traditions orales des Cris. Les caractères latins traditionnels ne sont pas utiles à la plupart des langues autochtones, car celles-ci reposent sur de longs mots polysyllabiques. La nouvelle écriture d'Evans se révéla parfaite. Elle était si facile à apprendre que le taux d'alphabétisation chez les Cris s'avéra bientôt bien plus élevé que chez les Canadiens anglophones et francophones. La nouvelle écriture syllabique fut si rapidement incorporée à la culture crie et transmise à d'autres tribus que les nouveaux arrivants au pays supposèrent qu'elle était utilisée depuis des siècles. Dans les années qui ont suivi, d'autres groupes autochtones se sont servis de l'écriture d'Evans pour créer leurs propres versions. Eux aussi se sont inspirés des meilleurs.

OLÉODUC
La canalisation d'énergie liquide

En janvier 1862, Hugh Nixon Shaw creusa un puits près de Petrolia, en Ontario, à la recherche de pétrole. Il ne s'attendait pas à ce qui se produisit. Quand il atteignit 50 mètres de profondeur, on rapporte que M. Shaw heurta un puits de pétrole à jaillissement spontané qui s'écoula pendant une semaine, couvrant les terres avoisinantes d'une couche d'une trentaine de centimètres d'épaisseur. Le pétrole n'est utile à personne lorsqu'il s'écoule dans les champs, alors les citoyens de cette ville pétrolière de l'époque victorienne se mirent au travail. En quelques années, ils bâtirent un pipeline pour transporter le pétrole sur une distance de 25 kilomètres, de Petrolia à Sarnia, où il pouvait être raffiné. Pas n'importe quel pipeline : le premier au monde.

VOITURE À VAPEUR
La voiture sans cheval

Des décennies avant qu'Henry Ford entre en scène, un autre Henry travaillait dur. Henry Taylor, de Stanstead, au Québec, construisit la première automobile à passagers en Amérique du Nord, peut-être même au monde. Il dévoila son véhicule à la population de la ville pour la première fois en septembre 1868, en la conduisant jusqu'à la foire locale où se tenait le festival agricole annuel. La voiture sans cheval de Henry était à deux places, mais au lieu d'être tirée par un cheval, elle était équipée d'une chaudière au charbon à l'arrière et d'un moteur à vapeur en dessous. La voiture à vapeur de Taylor pesait 227 kilos et pouvait atteindre une vitesse de 24 kilomètres-heure. Pendant plusieurs années, Taylor parcourut la campagne à bord de sa voiture, la présentant dans diverses foires agricoles de la région. Il s'aventura même de l'autre côté de la frontière, au Vermont. Puis le véhicule disparut. Il semble qu'Henry se désintéressa de sa voiture à vapeur, la démonta et l'entreposa dans son grenier, où elle demeura intacte, oubliée pendant les 100 années qui suivirent.

TÉLÉPHONE
Le télégraphe parlant

Le télégraphe semble être aujourd'hui un appareil tellement ancien! Des messages encodés formés de points et de tirets, transmis par impulsion le long d'un fil… Et pourtant, dans les années 1870, il s'agissait de l'outil de communication le plus instantané, et les innovateurs redoublaient d'efforts pour découvrir une façon de presser encore plus de signaux dans le fil du télégraphe. La plupart abordèrent le défi en tentant de faire en sorte que l'électricité transporte une gamme de sons imitant le langage. Un homme considéra le problème autrement. Alexander Graham Bell entreprit de fabriquer un appareil électronique modelé sur la physiologie humaine, plus précisément sur l'oreille. Il voulait que sa création soit une extension de l'être humain, pas une simple amélioration d'un dispositif imparfait. Deux faits expliquaient ce raisonnement. Tout d'abord, Bell était orthophoniste et enseignait aux personnes sourdes, il avait donc une compréhension approfondie de la voix humaine. Il acquit une grande partie de ses connaissances alors qu'il habitait à Brantford, en Ontario, où il commença à étudier la voix humaine et à réaliser des expériences avec les sons, dans un atelier qu'il surnommait «mon lieu de rêve». Il tira aussi profit de l'examen de la structure complète d'une oreille humaine. (N'ayez crainte, il s'agissait d'un cadavre.) C'est alors seulement qu'il saisit vraiment la délicatesse de la construction de cet organe et la sensibilité de ses capacités. Après le dévoilement de son innovation, en 1874, Bell résuma lui-même son atout: «Si j'en avais su plus sur l'électricité et moins sur les sons, jamais je n'aurais inventé le téléphone.» Son télégraphe parlant demeure pertinent; grâce à lui, le monde d'aujourd'hui peut sans cesse réinventer ses façons de communiquer. Il a su traverser les années avec brio.

COMBINÉ
Le téléphone pratique

Alexander Graham Bell a peut-être inventé le téléphone, mais Cyrille Duquet en a fait un appareil pratique. En 1878, cet horloger, musicien et conseiller municipal créa le premier combiné téléphonique. Utilisé encore aujourd'hui partout dans le monde pour les téléphones fixes, le combiné joint l'émetteur et le récepteur dans une même unité portative. Pourtant, le nom de Cyrille est presque entièrement oublié de l'histoire. En effet, celui-ci vendit les droits sur sa création pour la somme de 2 100 $. Il dut s'y résoudre, désespéré, après avoir tenté en vain d'obtenir un prêt qui lui aurait permis de mettre son invention au point, ce qu'il espérait faire après avoir acquis de Bell les droits sur le téléphone dans la ville de Québec. Mais les banquiers considéraient que son combiné n'avait aucun avenir. Comme ils avaient tort! Son combiné est l'invention qui a fait du téléphone un appareil pratique. Malheureusement, le manque d'investissements est aujourd'hui encore la bête noire des innovateurs, au Canada et partout dans le monde.

HEURE NORMALE
La nouvelle horloge du monde

Sandford Fleming en avait assez de se présenter à la gare pour le train de 9 h et de constater que celui-ci était parti 10 ou 12 ou 15 minutes plus tôt. Aussi étrange que cela puisse paraître, il fut un temps où l'heure réelle du jour n'était pas vraiment précise. L'idée que M. Fleming se faisait de neuf heures n'était pas nécessairement la même que celle du chef de train. Dix heures dans une ville pouvaient bien être 10 h 15 ou 9 h 30 dans une autre. Fleming mit de l'ordre dans le chaos. Ce polymathe créa l'heure normale, qui permit de synchroniser les horloges dans une même région à une même heure, en utilisant la longitude pour séparer le monde en 24 régions ou fuseaux horaires. Il proposa cette idée en 1879, dans un article qu'il avait écrit à ce sujet et qui fut lu lors d'une rencontre du Royal Canadian Institute. Son idée joua un rôle déterminant dans la tenue de l'International Prime Meridian Conference à Washington, D.C., en 1883. À cette occasion, son système d'heure normale fut adopté et devint la nouvelle horloge du monde.

CHEMIN DE FER TRANSCONTINENTAL
Le lien d'acier

«Tout ce que je peux dire, c'est que le travail fut bien fait en tous points.» William Cornelius Van Horne faisait ainsi preuve de modestie. D'une extrême modestie. Quand il prononça ces mots en 1885, le directeur général du Chemin de fer Canadien Pacifique venait d'assister à la pose du dernier crampon du premier chemin de fer transcontinental du Canada. Une entreprise qui semblait impossible à plusieurs. Téméraire, même. Dix ans plus tôt, le premier ministre de l'époque, Alexander Mackenzie, avait affirmé qu'on ne pourrait construire en une décennie un lien entre le port de Montréal et la côte Pacifique «avec toute la puissance humaine et tout l'argent de l'empire». Et pourtant, cela fut accompli – plus de 4 000 kilomètres d'acier furent installés sur le territoire en cinq ans, soit en la moitié du temps prévu au contrat. Et pas n'importe quel territoire! La ligne traverse le Bouclier canadien et les plus anciens rochers du monde, parcourt les vastes plaines, et gravit, contourne et perce les montagnes Rocheuses. L'ingéniosité était une exigence de chaque jour – pour drainer des lacs et des marais, créer des sentiers à travers forêts et broussailles, construire des ponts au-dessus des rivières et des gorges, creuser des tunnels dans des montagnes. Le courage, aussi, de la part de chacun des 30 000 travailleurs du pays et d'ailleurs dans le monde – dont beaucoup donnèrent leur vie pour assurer la réussite de cette entreprise. L'effet combiné de cette ingéniosité et de ce courage ne fut pas seulement un chemin de fer, mais aussi une nation. Le Chemin de fer du Canadien Pacifique remplit une condition de l'adhésion de la Colombie-Britannique à la Confédération canadienne, en 1871. Le chemin de fer renforça également la revendication du pays sur les terres de l'Amérique du Nord britannique qui n'étaient pas encore constituées en provinces et en territoires du Canada. Il devenait ainsi un rempart d'acier contre toute expression des ambitions américaines au nord. Sir John A. Macdonald, premier ministre de l'époque, exprima la valeur historique de cette réalisation extraordinaire en matière d'innovation et de détermination: «Nous constituons un peuple uni par voie terrestre, par ce chemin de fer qui nous rassemble d'une manière qui nous permet de surmonter la plupart des coups du sort.»

RADIO POUR LA TRANSMISSION VOCALE
Le son omniprésent

C'est l'histoire d'une rencontre entre un homme reconnu comme le plus grand inventeur du monde et un garçon d'East Bolton, Reginald Fessenden, qui voulait lui ressembler. En 1876, l'oncle du garçon, professeur de physique, l'amena rencontrer Alexander Graham Bell, peu après que ce dernier eut inventé l'instrument qui fit sa renommée. Fessenden fut impressionné par le dispositif, mais se demanda pourquoi des fils étaient nécessaires pour connecter deux des appareils. Les voix ne pourraient-elles pas – ne devraient-elles pas – être en mesure de voyager dans l'air sans fil? Il répondit à sa question 24 ans plus tard. Fessenden réussit en effet la première diffusion de la voix le 23 décembre 1900, en transmettant sa propre voix au moyen du premier téléphone sans fil, depuis un site sur Cobb Island, au milieu du fleuve Potomac, près de Washington, D. C. C'était la radio, une onde de son continue, envoyée depuis une station émettrice. Et c'était une année complète avant la transmission transatlantique fragmentée de points et de tirets accomplie par Guglielmo Marconi. Le modeste Canadien persévéra. Six ans plus tard, il diffusa de la musique et de la voix à des navires qui sillonnaient l'Atlantique et réalisa une transmission bidirectionnelle de la voix entre le Massachusetts et l'Écosse. Et qu'est-ce que ce génie a obtenu pour ses créations extraordinaires? Pas la renommée – Marconi fut considéré comme le chouchou de la radio, même si ses réussites paraissent bien anodines comparées à celles de Fessenden. Pas la richesse – ses commanditaires saisirent ses brevets et l'écartèrent, l'obligeant à passer des années devant les tribunaux, et à dépenser des milliers de dollars pour faire valoir ses droits. Pas le respect – non seulement son pays natal, le Canada, ne lui offrit pas le soutien financier qui lui aurait permis de continuer ses recherches, mais il rejeta aussi sa demande de créer un réseau radiophonique, privilège qui fut plutôt accordé à Marconi. Malgré les déceptions et les revers, Fessenden poursuivit ses travaux. Et comment! Au cours de sa carrière, il réalisa plus d'une centaine d'inventions brevetables, y compris un appareil qu'il créa en 1929: le téléviseur. Ça vous dit quelque chose? Fessenden: son nom n'est peut-être pas bien connu de nos jours, mais ses idées sont omniprésentes.

ATLAS NATIONAL
Le premier livre de cartes d'un pays

Le Canada est l'un des pays les plus diversifiés du monde. Il mérite bien un livre qui mette en valeur cette diversité. D'abord publié en 1905 par le ministère de l'Intérieur du pays, l'*Atlas du Canada* est ce livre. Premier atlas national au monde, l'ouvrage était constitué d'une série de cartes thématiques décrivant la géologie, la population, les ressources naturelles, les communications et les activités économiques du pays. La sixième édition a été lancée sur Internet, devenant ainsi le premier atlas national numérique en ligne. Cette dernière version tire pleinement avantage du média, s'appuyant sur les ressources multimédias et les graphiques interactifs pour raconter l'histoire vivante d'une nation de plus en plus diversifiée. Il est toujours intéressant de savoir d'où l'on vient.

SILVER DART
Le premier aéronef construit en équipe

La Société d'expérimentation aéronautique regroupait des passionnés d'aviation, dont le père du téléphone, Alexander Graham Bell. Ce groupe a fait une expérimentation et pas n'importe laquelle. En 1909, ils ont fabriqué le premier avion motorisé à voler au Canada, plus précisément à Baddeck, en Nouvelle-Écosse. Ils le nommèrent le *Silver Dart*. L'aéronef, qui tirait son nom de l'entoilage caoutchouté argenté dont il était recouvert, réussit son envol à la deuxième tentative. Après un décollage sur la glace de la baie de Baddeck, il parcourut 800 mètres à une altitude de 9 mètres, à la vitesse de 65 kilomètres à l'heure. S'il ne s'agit pas du premier vol d'un aéronef à moteur, cet appareil est toutefois le premier à avoir été construit par une équipe, laquelle était dirigée par M. Bell. Glenn Curtis fournit le moteur, Thomas Baldwin, l'entoilage argenté, et Frederick Baldwin et John McCurdy, la conception. Le jeune McCurdy, âgé de 23 ans à l'époque, en fut aussi le pilote.

CANUCK DE CURTISS
Le choix des acrobates aériens

En 1917, le Canada avait besoin d'un avion pour la formation de ses pilotes du Royal Flying Corps. Le pays se tourna vers le *Curtiss* JN-4 américain. Celui-ci était un biplan, dont les ailes supérieures étaient munies d'un aileron – une surface articulée au bout de l'aile, pouvant être relevée ou abaissée pour permettre l'inclinaison et le roulis. Pour garantir que leur avion satisfit aux exigences très élevées de la formation des pilotes, les officiels canadiens modifièrent le biplan, équipant ses ailes inférieures et supérieures d'ailerons. Cet ajout conféra au *Canuck de Curtiss* un meilleur contrôle latéral que celui de son cousin américain et favorisa une production de masse de l'appareil pour répondre à la demande non seulement au Canada, mais également pour la formation des pilotes aux États-Unis. La modification fit aussi de cet avion le préféré de l'après-guerre pour des utilisations de tous types : relevés aériens, transport aéropostal, avion sur ski. Et même le plus prisé par les acrobates aériens (*Barnstormers*) ; bon nombre d'entre eux, ayant d'abord été pilotes au cours de la Première Guerre mondiale, étaient en effet revenus pour... boucler la boucle.

BAROMÈTRE DU MONT LOGAN
La hauteur du pragmatisme

Les nouvelles tâches exigent souvent de nouveaux outils. En 1925, le Club alpin du Canada organisa une expédition, composée des membres de trois pays, dans le but de gravir pour la première fois le mont Logan, au Yukon. Surnommé l'Everest d'Amérique du Nord, le mont Logan promettait une redoutable ascension. Cette montagne aurait la plus grande circonférence de la planète et son sommet est le plus haut du Canada. Si les hommes de l'expédition étaient prêts à affronter les conditions extrêmes, ils ne disposaient d'aucun baromètre. Alors, l'équipe de la Dominion Land Survey en créa un nouveau pour l'occasion. L'appareil installé au mont Logan, est un baromètre anéroïde. L'instrument détermine la pression atmosphérique à une altitude donnée en mesurant l'effet de la pression sur un anéroïde, une chambre métallique partiellement vide d'air. H.F. Lambert, de la Division des levés géodésiques du Canada, utilisa le baromètre du mont Logan jusqu'au sommet. Un nouveau dispositif pour atteindre un nouveau sommet.

FILM DOCUMENTAIRE
Le nouveau canevas du conteur

Près d'un siècle s'est écoulé depuis sa réalisation, et il demeure l'un des films les plus déterminants à avoir été produits – déterminant, parce qu'absolument nécessaire pour expliquer l'histoire de la cinématographie, et déterminant dans sa représentation de l'un des personnages les plus inoubliables à apparaître à l'écran. Il s'agit du film *Nanouk l'Esquimau*. Réalisé par Robert Flaherty – explorateur, prospecteur et nouveau cinéaste (comme tous les cinéastes de l'époque!) –, ce film est unanimement considéré comme le premier long-métrage documentaire. Sorti en 1922, il présente la vie d'un Inuit, appelé Nanouk, et de sa famille, alors qu'ils voyagent, commercent et chassent dans l'Arctique canadien. Certains critiquèrent le fait que plusieurs des scènes aient été montées par le réalisateur. D'autres vinrent à sa défense, affirmant que les moyens technologiques de l'époque rendaient inévitable le fait de devoir organiser des prises de vue. Flaherty lui-même soutenait que les cinéastes documentaristes – un nouveau terme pour une nouvelle forme d'art – devaient parfois déformer un fait ou un événement authentique dans le but d'en capturer le véritable esprit. Malgré la polémique, le public eut un coup de cœur pour l'histoire et pour le média. L'attrait du film reposait en partie sur sa présentation d'un peuple inconnu dont l'esprit d'innovation de de communauté, l'instinct de conservation, la sérénité et la débrouillardise revêtaient un grand intérêt pour la société occidentale, qui venait de traverser la guerre la plus violente de son histoire. Le récit sur Nanouk et les Inuits permettait d'espérer que tous les humains puissent être de meilleures personnes. Cent ans plus tard, nous faisons encore appel aux histoires – tant réelles que fictives – présentées dans des films pour mieux comprendre ce que l'esprit humain a de plus grand.

AMÉLIOREZ UNE PROCÉDURE : VOICI COMMENT.

☐ Identifiez toute la série d'opérations qui entrent dans la fabrication d'un produit de manière répétitive.

☐ Définissez clairement le *but ultime* de cette procédure.

☐ Décomposez la procédure en chacune de ses opérations et déterminez qui est responsable de chacune d'elles.

☐ Éliminez toute opération qui ne contribue pas au but ultime de la procédure.

☐ Ajoutez toute autre opération qui aidera à atteindre le but plus rapidement ou mieux.

☐ Confiez à d'autres toute opération qui pourrait être mieux exécutée par quelqu'un d'autre.

☐ Automatisez une procédure quand le résultat est parfaitement cohérent et avantageux, pas avant.

LOCOMOTIVE AÉRODYNAMIQUE
Le long-courrier sur rails

Les souffleries ne sont pas seulement utilisées pour les voitures et les avions. Il y a des décennies, des chercheurs canadiens s'en servirent pour concevoir des locomotives. En 1930, des ingénieurs du Conseil national de recherches Canada utilisèrent la nouvelle soufflerie de l'organisme pour tester les modèles existants de locomotives et en expérimenter de nouveaux. Leurs travaux menèrent au lancement de locomotives aérodynamiques. Non seulement ces véhicules élancés fendaient l'air, mais le champ de vision des conducteurs n'était plus obstrué par la fumée de charbon et de diesel. Bientôt, les compagnies de chemin de fer s'inspirèrent de ces résultats pour concevoir des locomotives plus élancées et élégantes. Une nouvelle ère de conception de véhicules était sur les rails.

ÉTOILES DES AMAS GLOBULAIRES
La nouvelle façon de voir l'univers

Helen Battles Sawyer Hogg est la plus grande bénévole involontaire de l'histoire de l'astronomie. Helen Hogg mena des recherches de pointe sur les amas globulaires et les étoiles variables. (Les amas globulaires sont des concentrations sphériques d'étoiles en orbite autour des noyaux des galaxies, comme les satellites. Les étoiles variables sont des étoiles dont l'éclat, vu de la Terre, varie.) Elle réalisa ses travaux révolutionnaires en tant qu'aide-bénévole de son mari, alors que celui-ci travaillait à l'Observatoire fédéral d'astrophysique à Victoria, en Colombie-Britannique, puis à l'observatoire David Dunlap de l'Université de Toronto. Aucun des deux organismes n'aurait embauché une femme – pas même détentrice d'un doctorat –, encore moins une femme mariée. À Victoria, Helen Hogg commença à prendre des photos d'étoiles variables, cataloguant les changements cycliques de leur luminosité. Ce faisant, elle en découvrit 132 nouvelles dans les amas globulaires de Messier. Elle poursuivit ses travaux à Toronto, recueillant des milliers de photographies d'amas globulaires, dont elle se servit pour identifier plusieurs centaines d'étoiles variables. En 1939, elle publia le premier de trois imposants catalogues d'étoiles variables dans les amas globulaires – publications encore largement utilisées de nos jours. Elle mit à profit sa profonde connaissance des étoiles variables pour parfaire notre compréhension de l'âge, de la taille et de la structure de la Voie lactée. Et pendant une trentaine d'années, Helen Hogg écrivit une chronique hebdomadaire d'astronomie pour le *Toronto Star*, partageant sa sagesse, sa passion et sa curiosité avec plus d'une génération de Canadiens. Somme toute, pas si mal pour une bénévole.

AVION SUR SKIS
Le tapis magique des Prairies

À vivre dans un territoire aussi vaste et aussi peu peuplé, les Canadiens ont toujours cherché des moyens de combler les grandes distances qui les séparent. S'il y a un endroit où celles-ci sont énormes, c'est bien entre les villages reculés des Prairies, surtout pendant les longs hivers canadiens. En 1935, Karl Lorch conçut une nouvelle façon de vaincre l'isolement. Ce résident de Spy Hill, en Saskatchewan, créa un avion sur skis. Il construisit la structure de la cabine de son appareil léger en utilisant des tubes d'anciens aéronefs recouverts de linges traités. Sa machine était propulsée par un vieux moteur d'avion à six cylindres. Il plaça le tout en équilibre sur trois skis. D'abord considéré comme une curiosité, l'avion de Karl devint une célébrité. Bientôt, il reçut des commandes de médecins, de chauffeurs de taxi, d'inspecteurs du gouvernement, de réparateurs de lignes électriques et d'installateurs de téléphone – en fait, de quiconque avait à se déplacer dans la neige. Même l'armée canadienne en acheta. Tous étaient attirés par la vitesse de l'avion sur skis de Lorch, et par sa supériorité sur la motoneige de piste quand il fallait se frayer un chemin dans la neige épaisse. L'appareil s'avéra un moyen fiable de vaincre l'isolement qui faisait partie intégrante de la vie dans les Prairies.

AUTONEIGE
L'autobus d'hiver

Joseph-Armand Bombardier était un réparateur ordinaire. Il habitait dans le petit village québécois de Valcourt, à l'est de Montréal, où il réparait des voitures, bricolait des machines et vendait de l'essence. Son monde bascula à jamais un soir de tempête, à l'hiver 1934. La plupart des rues et des chemins de la ville n'étaient pas déneigés à l'époque. Une tempête de neige faisant rage à Valcourt, Armand ne put conduire son fils, qui souffrait d'une crise d'appendicite, à l'hôpital. Le jeune garçon mourut. Cette tragédie familiale incita Armand à construire un véhicule qui pourrait se déplacer de façon rapide et fiable, même dans les conditions les plus difficiles, dans la neige et sur la glace. Il présenta sa première autoneige en 1937. Conçue pour transporter sept personnes, sa principale caractéristique était une roue dentée et un système d'entraînement à chenilles, donnant au véhicule une adhérence et une puissance lui permettant de parcourir les rues et les champs enneigés. L'autoneige devint immédiatement populaire auprès des professionnels – des prêtres aux facteurs en passant, ironiquement, par les ambulanciers. De la tragédie d'une famille, une légende canadienne des transports est née.

ÉMETTEUR-RÉCEPTEUR PORTATIF
La communication d'un point à un autre

Donald Hings était loin de se douter à quel point sa création deviendrait utile. En 1937, cet inventeur canadien fabriqua le premier émetteur-récepteur portable. Donald l'appela le « packset ». L'appareil gagna rapidement en popularité et fut utilisé à grande échelle sous le nom plus descriptif de « walkie-talkie ». Deux ans plus tard, la guerre éclata en Europe. Donald fut convoqué à Ottawa, où on lui demanda d'adapter son *packset* en vue d'une utilisation par les militaires. Bientôt, des milliers d'appareils solides et fiables se retrouvèrent entre les mains de fantassins alliés partout dans le monde. Les walkies-talkies devinrent encore plus populaires après la guerre. Les premiers répondants l'adoptèrent comme une partie essentielle de leur équipement. Les chauffeurs de camion s'en servirent pour signaler les urgences et rester en contact entre eux sur la route. On en donna même aux enfants, qui se promenaient dans leurs quartiers le jour et discutaient sous les couvertures la nuit, au lieu de dormir… 10-4. Terminé !

AMBULANCE AÉRIENNE
Les ailes du secours

Qu'est-ce que la Saskatchewan a donc de si particulier? Cette province semble être le lieu de naissance d'un nombre démesurément élevé d'avancées en matière de soins de santé. Ajoutons à cette liste le premier service civil d'ambulance aérienne exploité par un gouvernement. Le service fut lancé en 1946; le pilote, l'infirmière et l'ingénieur du service s'assuraient que les habitants des régions éloignées de la province qui étaient victimes d'accidents ou souffraient de maladies graves puissent recevoir des soins médicaux de qualité. En quelques années seulement, la flotte d'ambulances aériennes de la province transporta plus de 1 000 patients par an – plusieurs atteints de polio – vers les cliniques et les hôpitaux. L'ambulance aérienne est si courante aujourd'hui aux quatre coins du monde que l'idée semble aller de soi, celle des ailes du secours transportant les personnes en détresse vers les soins dont elles ont besoin.

BEAVER, DE HAVILLAND
La bête de somme du transport de brousse

Une grande partie du territoire canadien n'est accessible que par avion. Et pas n'importe lequel. Celui-ci doit pouvoir transporter de lourdes cargaisons, et être en mesure de décoller et d'atterrir sur de courtes étendues de terre ou d'eau. Le *Beaver* est fait pour évoluer dans ces conditions rudes et souvent inhospitalières. Conçu en 1949 par R. D. Hiscocks, de la compagnie De Havilland Aircraft, de Toronto, l'appareil est entièrement fabriqué en métal. Cette caractéristique ainsi que la configuration des ailes et des volets permettant des décollages et des atterrissages courts en font la bête de somme du Nord. Le *Beaver* n'avait pas que des attraits pour les habitants du Nord. Bientôt, des acheteurs de quelque 60 pays se manifestèrent. L'United States Air Force s'en servit pendant la guerre de Corée pour transporter des hommes et du matériel. Sir Edmund Hillary et son équipe utilisèrent le *Beaver* lors de leur mission au pôle Sud. Depuis les régions du Nord jusqu'au pôle Sud, le solide *Beaver* a tout vu et tout fait.

ORENDA
Le réacteur le plus puissant

À mesure que la Seconde Guerre mondiale prenait de l'ampleur, dans les deux camps, on cherchait à mettre au point des technologies qui feraient pencher la balance. Le moteur à réaction est l'une d'entre elles. En 1942, des chercheurs canadiens mirent sur pied une installation permettant de tester des versions antérieures du moteur et d'établir leur rendement par temps froid, une importante préoccupation au Canada. Ces travaux leur permirent de concevoir et de mettre au point de nombreuses technologies de réacteurs. En 1949, trois chercheurs – K. F. Tupper, Paul Dilworth et Winnett Boyd – avaient créé leur propre usine à Malton, au nord de Toronto. Celle-ci était la plaque tournante d'une nouvelle compagnie, Avro Canada, et le lieu de naissance de ce qui était le moteur à réaction le plus puissant et le plus fiable de l'époque. On l'appelait « Orenda ». L'entreprise fabriqua quelque 4 000 moteurs Orenda, les fournissant aux forces aériennes de divers pays, dont celles de l'Allemagne de l'Ouest. Le pays qui avait incité le Canada à déployer les efforts visant à construire le meilleur moteur à réaction en devint ainsi l'un des bénéficiaires.

SATELLITE *ALOUETTE*
La merveille atmosphérique

Alouette 1 fut construit pour une mission qui devait durer un an. Dix ans après son lancement, en 1962, le premier satellite du Canada était toujours à l'œuvre, prenant et transmettant plus d'un million d'images de l'ionosphère terrestre. Cette couche de l'atmosphère de la Terre, qui s'étend sur 80 à 1 000 kilomètres au-dessus de sa surface, contient d'importantes concentrations d'ions et d'électrons libres, et peut réfléchir les ondes radio. Ce sont des ingénieurs qui travaillaient pour le Centre de recherches sur les télécommunications de la défense du Canada, tout juste à côté d'Ottawa, qui construisirent *Alouette 1*. Le satellite était une bête de somme en orbite – composée d'un sondeur ionosphérique, d'un récepteur VLF (très basse fréquence) et d'un détecteur de particules énergétiques –, qui offrait au monde une première compréhension descendante de l'ionosphère. Au cours du processus, la merveille d'un an, qui dura une décennie, nous apporta de nouvelles connaissances sur la composition de l'atmosphère de notre planète, suscitant de nombreuses améliorations dans nos façons de communiquer ici-bas.

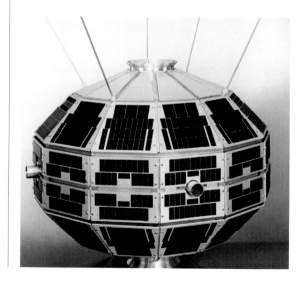

MÂT STEM
Le grand bond

Réussir à explorer de nouvelles frontières représente le plus grand test d'ingéniosité qui soit. George Klein a démontré qu'il était prêt à relever le défi de l'ultime frontière. En 1952, on demanda à cet ingénieur mécanique du Conseil national de recherches Canada de créer une antenne pour les premiers satellites canadiens. On préparait les satellites *Alouette 1* et 2 pour qu'ils étudient l'ionosphère en faisant rebondir, d'en haut, des signaux radio sur cette couche chargée de l'atmosphère terrestre. Pour réussir ce grand bond, le satellite aurait besoin non seulement de plusieurs antennes, mais aussi d'antennes suffisamment solides et compactes pour résister aux effets éprouvants du voyage dans l'espace. En collaboration avec une vaste équipe de spécialistes, Klein produisit donc l'antenne STEM. Son nom est l'acronyme de *storable tubular extendible member*, qui signifie « mât tubulaire télescopique transportable ». L'antenne ressemble à un rouleau de fil d'acier ou à un grand ruban à mesurer. Un petit moteur permet d'étendre l'antenne jusqu'à lui donner la forme d'un tube rigide. Les premières versions mesuraient six mètres de long ; on les allongea au fil du temps, jusqu'à 45 mètres, une longueur impressionnante. Le dispositif pouvait également être adapté à des applications variées : servir de pattes à un instrument de géodésie ou déplacer des équipements à l'intérieur de centrales nucléaires. Peu importe la taille, peu importe la tâche, le mât STEM faisait le travail, et il devint un dispositif de choix à bord des célèbres missions Mercury, Gemini et Apollo.

MOTONEIGE
La coquille qui devint un sport

La fin de la Seconde Guerre mondiale constitua un double coup dur pour l'entreprise d'autoneiges d'Armand Bombardier. Le premier était évident et attendu : les contrats d'approvisionnement des gouvernements alliés en véhicules spécialisés prirent fin abruptement. Le second n'avait pas été prévu : les gouvernements du Québec, tant provincial que municipaux, commencèrent à déneiger les routes en hiver. Les voies étant désormais dégagées, les professionnels qui comptaient jusque-là sur l'autoneige pour se déplacer pouvaient utiliser leur voiture tout au long de l'année. Avec deux marchés sûrs qui venaient de disparaître presque instantanément, Armand entreprit d'en créer un nouveau. Dès 1950, sa compagnie commença à construire des versions plus petites de son autoneige, conçues pour un ou deux passagers et dans un seul but : avoir du plaisir. Ainsi naquit la motoneige. Armand voulait donner à ces nouveaux véhicules récréatifs le nom de « Ski-Dog ». Une coquille dans le texte publicitaire fit en sorte qu'il fut imprimé « Ski-Doo ». Armand préféra le mot mal orthographié, tout comme bien des gens de la province et du pays, qui aimaient s'amuser. Au milieu des années 1960, quelque 8 500 motoneiges étaient vendues chaque année. Construisez-la, ils la conduiront.

EURO
La monnaie régionale

Parfois, la voie la plus rapide vers l'innovation est le rejet des hypothèses qui ont fait leur temps. Robert Mundell, de Kingston, en Ontario, était du genre à écarter les façons de penser périmées pour arriver à quelque chose de neuf: si les États au sein d'un même pays pouvaient avoir une monnaie commune, pensait-il, qu'est-ce qui empêchait des pays au sein d'une même région de faire de même? Certains croient que sa proposition a été inspirée par le fait qu'il soit originaire du Canada – un pays non seulement composé de régions très disparates, mais aussi une nation dont le bien-être économique a pendant des générations été lié aux fortunes de nations plus puissantes. La prémisse libératrice de l'économiste l'a conduit à élaborer, en 1961, le premier concept de monnaie régionale. Son idée est devenue encore plus d'actualité au moment où le monde d'après-guerre connut une croissance rapide du commerce international et des mouvements de capitaux. Robert Mundell estimait qu'une monnaie commune, particulièrement dans ce nouveau type de monde, permettrait aux pays au sein des régions de renforcer leur efficacité économique. Sa notion soigneusement articulée a ouvert la voie à l'adoption de l'euro par les 14 membres fondateurs de la zone euro le 1er janvier 1999, année où le prix Nobel d'économie fut décerné à Mundell. Quelque 40 ans après que Mundell eut énoncé l'idée pour la première fois, la monnaie régionale était devenue réalité.

ÉTUDES DES MÉDIAS
L'esprit de Marshall McLuhan

Il fut un temps où l'on n'accordait pas ou peu d'importance à des technologies de communication, on se contentait de faire des études sur le lieu et la fréquence de leur utilisation. Marshall McLuhan a changé tout cela. Dans les années 1960, ce professeur d'anglais à l'Université de Toronto a montré au monde à quel point, tout au long de l'histoire de l'humanité, chacune des technologies a façonné les sociétés, les cultures et les peuples eux-mêmes. McLuhan est abondamment cité, même par des gens qui n'ont probablement jamais entendu son nom. En Occident, ses phrases reviennent constamment dans le langage populaire. Il a parlé de notre monde comme d'un «village planétaire», rendu toujours plus petit par la circulation rapide de l'information. Il a affirmé que «le média est le message», parce que le moyen par lequel un message est transmis détermine l'ampleur et la forme de l'action humaine. Et il a dit: «Nous façonnons nos outils, puis nos outils nous façonnent», constatant que les technologies de l'information sont des extensions de nous-mêmes, pas des éléments séparés. Les intuitions derrière ces quelques phrases ont donné naissance à la discipline internationale de l'étude des médias, un domaine qui revêt un intérêt immédiat au moment où nous composons avec les caractéristiques uniques de notre propre époque, celle du numérique.

AVRO ARROW
Le rejeton de la soufflerie

La réponse du Canada à la menace des bombardiers nucléaires soviétiques fut… une flèche (en anglais, *arrow*). Mais pas n'importe quelle flèche. L'*Avro Arrow*, un avion conçu et mis au point par A. V. Roe Canada, était en avance sur son temps sur le plan technologique. Cette merveille d'ingénierie était un avion biréacteur supersonique d'interception, muni d'un système de contrôle informatisé permettant aux pilotes de contrôler l'aéronef électroniquement plutôt que manuellement. Bien qu'il ait été avant-gardiste dans sa conception, l'*Arrow* prit rapidement du retard sur le plan stratégique. En 1958, l'année où il prit son envol, les missiles soviétiques avaient remplacé les bombardiers soviétiques, rendant obsolètes les avions d'interception presque du jour au lendemain. Un an plus tard, l'*Arrow* fut cloué au sol à jamais.

COMMUTATEUR TÉLÉPHONIQUE NUMÉRIQUE
Le nouveau poste central

Le Numérique universel (*Digital World*). Voici un nom tout à fait approprié pour désigner la première gamme de produits de télécommunications entièrement numériques. Mis au point en 1975 par des ingénieurs de Nortel Networks à Mississauga, en Ontario, le Numérique universel présenta le DMS-100, un commutateur téléphonique de bureau numérique, qui pouvait servir jusqu'à 10 000 lignes. Contrairement à tous les commutateurs précédents, le *DMS-100* était entièrement numérique, et donc assez rapide pour supporter (et peut-être susciter) une croissance exponentielle du trafic téléphonique. La percée était absolument indispensable, et donc tombait à pic. Rapidement, le DMS-100 devint la base des systèmes téléphoniques dans le monde entier et prépara le terrain pour la première application commerciale de la commutation par paquets, la base d'Internet. Grâce à une équipe canadienne d'ingénieurs électriques, le central téléphonique était désormais numérique.

CANADARM
La poignée de mains canadiennes

Quoi de mieux qu'un Canadarm? La réponse ne peut être que «deux». Mis au point pour la NASA par une équipe d'ingénieurs de la compagnie canadienne SPAR Aerospace, le premier Canadarm était une merveille d'ingénierie répondant à de rigoureux critères en matière de poids, de polyvalence, de sécurité, de fiabilité et de précision du mouvement. Déployé dans l'espace en 1981, il s'avéra, pendant 30 ans, une composante essentielle du programme américain de la navette spatiale.

Les astronautes l'utilisaient pour entretenir l'équipement, déployer et saisir des satellites, ainsi que pour déplacer toutes sortes de marchandises et de charges utiles – et même leurs collègues astronautes. Le programme finit par compter sur cinq versions du Canadarm original. Le deuxième est maintenant à l'œuvre dans la Station spatiale internationale, faisant sensiblement ce que son prédécesseur faisait pour la navette. En tandem, les deux bras canadiens ont collaboré à la construction de la station. Dans un mouvement qu'on a rapidement surnommé «la poignée de mains canadiennes», le Canadarm à bord de la navette remettait au bras de la station des pièces de celle-ci à assembler. Le Canadarm, ainsi que le génie d'ingénierie sur lequel il repose, est aussi à l'œuvre au pays. On compte sur la technologie spatiale canadienne pour aider à créer divers outils qui permettront de rendre les chirurgies plus sécuritaires, plus précises et moins invasives. La poignée de mains canadiennes perdure.

THÉORIE DU LANGAGE
L'instinct grammatical

Les êtres humains ont une disposition naturelle à parler. Selon Steven Pinker, le langage est un comportement propre aux êtres humains, façonné par la sélection naturelle, visant à résoudre le problème de communication inhérent à notre espèce de chasseurs-cueilleurs. Il nous est aussi instinctif que la construction de barrages l'est au castor et le tissage d'une toile, à l'araignée. C'est là la thèse révolutionnaire exposée par Pinker, un spécialiste de psychologie expérimentale né à Montréal, dans son livre *L'instinct du langage*, publié en anglais en 1989 (1994 pour la traduction française). Pour en arriver à cette science du langage, Pinker combina pour la première fois la science cognitive, la génétique comportementale et la psychologie évolutionniste. En plus d'établir cette nouvelle compréhension, les intuitions de Steven Pinker renversent de nombreuses croyances largement répandues au sujet du langage – à savoir qu'il doit être enseigné, que la grammaire des gens se détériore avec l'émergence de nouvelles façons de parler, qu'il limite la pensée et que les autres grands singes peuvent apprendre eux aussi des langages. Les êtres humains possèdent l'instinct du langage qui, pour le meilleur ou pour le pire, est unique à notre espèce.

VISION SPATIALE
Le secret des points noirs

L'inspiration peut surgir des lieux les plus improbables. L'idée de vision spatiale est venue à l'esprit de Lloyd Pinkney pendant qu'il regardait un film. En 1992, cet ingénieur du Conseil national de recherches Canada aperçut un personnage courir le long d'un mur, et ça le frappa : il serait capable de mesurer précisément le mouvement du personnage s'il lui ajoutait des points fixes. La révélation de Pinkney est basée sur le principe que notre cerveau arrive à mieux juger de l'emplacement, de l'orientation et de la vitesse d'objets lorsque leur position est établie par rapport à autre chose. Mais il est difficile de le faire dans le vide pratiquement noir de l'espace, où il n'y a que peu de points de référence. De retour dans son laboratoire, Pinkney collabora avec une équipe de collègues pour concevoir un système de vision spatiale dans lequel des points noirs seraient apposés aux articles de la charge utile de la navette spatiale. Des caméras fixées au Canadarm captureraient des images séquentielles de chaque article toutes les 33 millisecondes. En se servant des points comme éléments de référence, le système de vision spatiale calculerait l'emplacement, l'orientation et la vitesse à laquelle un article de la charge utile se déplacerait par rapport au bras géant. Les astronautes de la navette qui contrôlent le bras canadien se serviraient alors de ces données pour approcher, saisir et assembler des articles de la charge utile de façon sécuritaire et fiable. Le système de vision spatiale devint bientôt un équipement essentiel des vols de la navette. Il joua un rôle important pour permettre aux astronautes de connecter les deux premiers éléments de la Station spatiale internationale en 1998. Le système fut mis à jour en 2003 pour effectuer des inspections en orbite de la navette elle-même. Le secret continue d'être dévoilé.

MODEM 56K
L'appareil à composition directe

Brent Townshend essayait simplement de trouver une meilleure façon de télécharger de la musique. En 1993, alors qu'il fabriquait un système appelé «Music Fax», cet audiophile de Toronto découvrit que les vitesses de téléchargement de serveurs connectés au réseau téléphonique par des liens numériques pouvaient atteindre 56 kilobits par seconde. En effet, les fichiers téléchargés n'avaient alors pas besoin d'être convertis au format numérique à partir du format analogique. Il s'empressa de breveter cette technologie, faisant du modem 56 K la norme de l'industrie pour l'accès à Internet au moyen d'une ligne téléphonique analogique. Adieu, *Music Fax*. Salut, le monde.

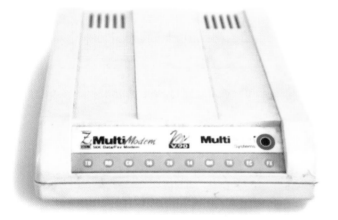

JAVA
Le langage de programmation

«Écrivez une application qui fonctionnera partout.» Cette mission ne semble pas impossible à réaliser de nos jours, mais il y a 25 ans, il s'agissait d'une incitation à la révolution. Et c'est précisément le défi que James Gosling, de Calgary, et son équipe d'ingénieurs de Sun Microsystems entreprirent de relever. En 1995, Gosling présenta leur réponse: Java. Avant Java, les langages de programmation étaient complexes, fastidieux et principalement limités aux ordinateurs de bureau et centraux; les appareils portables et intégrés étaient encore des rêves impossibles. Java était conçu de façon à ce que son code compilé puisse fonctionner sur toutes les plateformes sans devoir être recompilé. Munis de Java, les programmeurs étaient enfin libres d'imaginer toutes sortes de nouveaux dispositifs, surtout des appareils plus petits et plus spécialisés. Notamment, Java permit aux programmeurs informatiques de tirer profit de la nouvelle ère du Web, rendant l'expérience des utilisateurs indépendante des plateformes, tout en accélérant son développement. Aujourd'hui, Java demeure le principal langage pour le développement et l'offre de contenu sur le Web. C'est cette vive intelligence qui donne vie à 10 milliards d'appareils numériques. Un quart de siècle après cette innovation, le *Java* de Gosling est *le* langage de programmation.

MESSAGERIE BIDIRECTIONNELLE
La conversation en paquets

Sortez des sentiers battus. Voici un exemple de mise en application de cette règle classique de l'innovateur. Dans les années 1990, plusieurs entreprises de haute technologie avaient mis au point des prototypes d'appareils de messagerie bidirectionnelle. Pourtant, aucune n'avait réussi à résoudre le problème majeur qui se posait : comment transmettre des données de façon efficace, économique et sécuritaire sur un réseau sans fil? Mike Lazaridis trouva la réponse en regardant dans une tout autre direction. D'abord, cet ingénieur de Waterloo et ses collègues de Research In Motion comprimèrent et séparèrent leurs données en paquets. Ils créèrent ensuite des logiciels pour faire en sorte que ces informations puissent être reçues et comprises par des ordinateurs. Grâce à cette approche de la communication numérique par paquets, en 1996,

les gens purent enfin utiliser leurs appareils mobiles pour accéder à leurs courriels contenus dans leurs ordinateurs de bureau. Ensuite, même s'ils avaient découvert comment envoyer les données de façon efficace, les coûts d'utilisation des réseaux cellulaires pour cette transmission étaient exhorbitants. Lazaridis réagit en glissant sa nouvelle technologie dans le réseau de téléavertisseurs, une portion moins utilisée et beaucoup moins coûteuse du spectre des ondes radio mis aux enchères par les gouvernements nationaux et acheté par les opérateurs. Et ça fonctionna. Le réseau était économique et sécuritaire. Research In Motion utilisa finalement ce même média pour son service de messagerie BlackBerry. Sur l'ancien réseau… c'était bel et bien hors des sentiers battus.

CHAPITRE 3

Plus...
intelligent
proche
bienveillant
sûr
sain
riche
heureux

Être équitable, c'est quelque chose d'important pour les Canadiens. Ceux-ci parlent ouvertement de leur désir de bâtir un pays à la fois averti et bienveillant. Dans leur volonté de trouver de meilleurs moyens de se comporter les uns envers les autres, les Canadiens et les Canadiennes ont conçu des innovations qui ont progressivement rendu le monde plus bienveillant. Ils ont conçu des manières novatrices de distribuer la richesse, de maintenir la paix, de réparer les torts, d'aider les personnes avec un handicap, de susciter la fierté, de mettre les victimes à l'abri et de protéger les droits de la personne. Il est bon d'être bienveillant.

POTLATCH
Le système de partage

Chez les peuples autochtones de la côte Pacifique du Canada, le statut social n'a jamais été lié à l'accumulation des richesses. Au contraire, pendant des milliers d'années, ils gagnaient le respect de la communauté en donnant des biens, en tenant de grandes cérémonies où l'on mangeait et dansait, et au cours desquelles on faisait des dons. Le plus souvent, ce type de rassemblement, qu'on appelait « potlatch », avait lieu pendant les mois d'hiver et coïncidait habituellement avec les naissances, les décès, les mariages et les autres événements importants. Le potlatch, qui rassemblait les membres d'une même communauté ou réunissait deux communautés, répondait à plusieurs objectifs essentiels. C'était d'abord un outil économique qui permettait aux familles dans le besoin de se procurer des biens, comme des aliments et des peaux d'animaux, qu'elles rapportaient ensuite chez elles et partageaient avec leurs amis et leurs voisins. C'était aussi un rituel au cours duquel les titres et les rôles politiques, religieux et de filiation, étaient transférés entre les personnes, conférant un statut plus élevé aux bénéficiaires. Et il s'agissait d'une occasion pour les dirigeants de la communauté d'exposer manifestement et simplement leur richesse et leur importance au moyen de dons. En 1884, dans une tentative visant à accélérer l'assimilation des peuples autochtones du pays, le gouvernement canadien – à sa plus grande honte – interdit les potlatchs. Ces cérémonies étaient considérées comme « contraires aux valeurs occidentales d'accumulation des biens ». Au « contraire », toutes les cultures d'alors et d'aujourd'hui ont beaucoup à apprendre de ce système de partage traditionnel.

MAISON LONGUE
La communauté chaleureuse

La vie communautaire connaît une renaissance dans bien des régions du monde développé. Non pas dans des immeubles résidentiels ou dans des tours en copropriété, mais dans des espaces communs qui accueillent des familles élargies et exploitent au maximum l'espace disponible. Les peuples iroquois et hurons du Canada et du nord des États-Unis avaient déjà pensé à ce style de vie il y a des milliers d'années.

La maison longue était le lieu de vie central dans les collectivités autochtones, spécialement chez les peuples iroquois de ce qui est aujourd'hui le Québec. D'une structure particulière, elle avait une longueur pouvant aller de neuf mètres à près d'une centaine. Elle faisait habituellement 60 mètres de long, 6 mètres de large et 6 mètres de haut. Divisée en sections, un couloir parcourait le centre de la construction, d'un bout à l'autre. Deux familles vivaient dans chacune des sections, et tout le monde dormait dans des lits superposés, une autre invention iroquoise aujourd'hui utilisée partout dans le monde. Le toit et les extrémités étaient habituellement arrondis – pas de coins, donc peu d'espace perdu. Et ces extrémités pouvaient être allongées pour faire place aux familles grandissantes. Les maisons longues étaient bien plus qu'un simple logement, elles étaient l'expression structurelle du profond esprit communautaire des Iroquois, des Hurons et d'autres peuples autochtones. Leurs habitations témoignent de leur mode de vie. La communauté chaleureuse de la maison longue n'était pas seulement agréable; il s'agissait d'un mode de vie et de survie.

ÉCHELLE À POISSONS
Au secours des saumons

La civilisation humaine, en ne s'arrêtant que très brièvement pour réfléchir aux impacts de ses méthodes et actions sur le monde naturel, a transformé l'habitat d'innombrables espèces. Il existe au moins un exemple notable de nos efforts pour réparer les torts causés à l'environnement. Tout a commencé en 1937 quand Richard McFarlan, propriétaire d'un moulin à Bathurst, au Nouveau-Brunswick, construisit un barrage pour exploiter la puissance du courant dans le but d'alimenter sa scierie en énergie. Pour aider les saumons à retourner vers leur zone de frai, Richard conçut une échelle à poissons. Cette structure, composée d'une série d'étangs en forme de marches reliés par des passages sous l'eau, permettait aux saumons de remonter graduellement le courant en contournant le barrage. À mesure qu'on édifia des barrages et d'autres constructions de plus grande envergure, les échelles à poissons devinrent elles aussi plus grandes et plus perfectionnées. Mais l'idée de base demeura fidèle à celle que McFarlan avait conçue pour prêter secours aux saumons.

COMBINAISON
Chaleur et confort pour tous

Il existait autrefois un seul type de sous-vêtements chauds : une seule pièce qui couvrait la personne du cou aux chevilles. Et pourtant, deux problèmes se posaient. Ça faisait beaucoup de tissu à laver, alors que seulement une partie aurait pu être lavée. De plus, deux personnes de la même taille n'ayant pas forcément les jambes et le tronc de la même longueur, le sous-vêtement d'une seule pièce ne convenait pas à tous. Puis arriva Frank Stanfield. Celui-ci faisait partie du célèbre empire du sous-vêtement des frères Stanfield. En 1915, Frank présenta la combinaison ajustable. Son innovation était très simple : il suffisait d'ajuster le haut et le bas à l'aide de boutons pour obtenir un sous-vêtement à sa taille. Communément appelés « long johns », les nouveaux sous-vêtements de Frank assuraient aux gens de toute taille à la fois chaleur et confort. Chaleur et confort… une combinaison qui convient à tous.

VOITURE ALIMENTÉE À LA PAILLE
Le remède à la pénurie d'essence en temps de guerre

Souvent, la rareté est le moteur de l'innovation. Elle a assurément été le moteur de la voiture alimentée à la paille. En 1917, un professeur de chimie de l'Université de la Saskatchewan, R. D. MacLaurin, et son collègue ingénieur, A. R. Greig, cherchaient une façon de composer avec la pénurie d'essence causée par la Première Guerre mondiale. Comme il y avait abondance de paille, ils cherchèrent comment utiliser la vapeur produite par la combustion de celle-ci comme combustible pour les moteurs. Ils commencèrent par chauffer de la paille en balles dans une cornue, un grand contenant en verre avec un long col. Ils captèrent ainsi le gaz produit, principalement du méthane, et l'utilisèrent pour alimenter un moteur. Pour transférer leur création du laboratoire à la route, les deux inventeurs bricolèrent un grand ballon rempli du gaz produit par la paille et l'installèrent sur le châssis d'une voiture. Un tuyau reliait le ballon au carburateur du véhicule. En ajustant une simple valve, le conducteur pouvait au besoin passer de l'essence à la paille, et inversement. La fin de la guerre signa la fin de cette voiture à l'allure étrange. Et pourtant, cette vieille idée pourrait bien reprendre du service. En effet, d'audacieux innovateurs dans le monde entier explorent aujourd'hui la possibilité d'utiliser des sources alternatives de carburant pour alimenter les véhicules. Cent ans plus tard, qui sait ? La paille nous entraînera peut-être encore sur de nouveaux chemins.

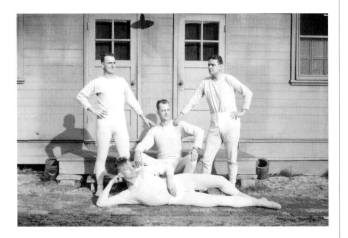

MÉDECINE LÉGALE
La Sherlock de la Saskatchewan

Les méthodes d'enquête modernes sur les scènes de crime ne sont pas apparues pour la première fois à Miami, à New York ou à Las Vegas, ni même à Scotland Yard. La créatrice de la médecine légale est une femme remarquable qui a travaillé dans les Prairies. Frances McGill est la première personne au monde à avoir fait de cette science une partie intégrante des enquêtes policières. Nommée pathologiste en chef de la Saskatchewan en 1920, elle se déplaçait par tous les moyens nécessaires, y compris en traîneau à chiens et en hydravion, à travers la vaste province pour enquêter sur des morts suspectes. Surnommée la « Sherlock Holmes de la Saskatchewan », elle mit à profit sa formation médicale pour étudier des scènes de crime, protéger les éléments de preuve et les préserver. Et elle le fit, comme cela n'avait jamais été fait. Elle était aussi réputée pour ses apparitions en cour, où ses témoignages à la fois fascinants et rigoureux, ancrés dans la science médicale, permettaient de disculper les innocents et de condamner les coupables. De plus, elle enseignait ce qu'elle savait et avait appris – par exemple, comment distinguer le sang humain du sang animal – aux étudiants de l'académie de police de Regina. Aujourd'hui, ses connaissances et ses méthodes sont encore employées ou en ont inspiré d'autres, et sont utilisées par des corps de police partout au Canada et ailleurs dans le monde. Même à Miami.

RÉFRIGÉRATEUR MONITOR TOP
La glacière tout-en-un

Le livreur de glace ne fait plus sa tournée. Le premier réfrigérateur à intégrer une unité de réfrigération et un espace de rangement a été mis au point par General Electric à Toronto, en 1927. L'unité de refroidissement, un compresseur à air froid, était très visible, montée sur le dessus du réfrigérateur. On la surnommait le « Monitor », parce que le compresseur ressemblait à la tourelle du USS *Monitor*, un navire de guerre lancé au cours de la guerre civile américaine. Le réfrigérateur Monitor Top représentait une avancée décisive en matière d'appareils ménagers, donnant aux familles une solution de rechange aux légendaires glacières remplies de sciure de bois. Malgré cela, l'innovation canadienne ne gagna en popularité qu'après la Seconde Guerre mondiale, avec le développement à grande échelle de l'électrification et avec l'augmentation des salaires et la réduction des prix, qui rendirent ces appareils plus abordables pour la plupart des familles.

ROULEAU À PEINTURE
Une bénédiction pour le bricoleur

Bricoleurs de partout dans le monde, prenez un moment de silence pour honorer la mémoire de Norman Breakey. En 1939, cet homme créa le premier rouleau à peinture. Une excellente idée. Celui-ci permettait d'appliquer de la peinture de façon uniforme, et donc de peindre plus rapidement que jamais. Et pourtant, ce Torontois visionnaire ne fit pas breveter son innovation – ni le cylindre recouvert de tissu, ni la longue perche en forme de sept, ni le bac strié en fer blanc. Grave erreur. Bientôt des imitations apparurent et d'autres « bricoleurs » obtinrent des brevets lucratifs en apportant des modifications mineures à l'idée originale de Norman. Et qu'en est-il de Norman lui-même? On ne sait pas grand-chose, sinon rien, de ce qu'il est devenu. Alors, avant de peindre tel mur ou tel plafond, prenez un moment pour vous souvenir de lui. Personne d'autre ne le fera.

AUTOBUS ACCESSIBLE
Le grand facilitateur

Il est bien de dire que tous et toutes doivent avoir des chances égales, mais que faisons-nous pour garantir que c'est effectivement le cas? Walter Callow, lui, a fait quelque chose. En 1947, ce Néo-Écossais mit sur pied un service de transport pour personnes en fauteuil roulant destiné aux anciens combattants handicapés. Il lança ce service en faisant construire sur mesure deux autobus dans la communauté avoisinante de Pubnico. Il réussit ensuite à convaincre les dirigeants de Ford et de General Motors de fabriquer les autobus accessibles aux fauteuils roulants sur leurs chaînes de montage. Aujourd'hui, partout dans le monde, les parcs de véhicules des systèmes de transport municipaux comprennent des autobus accessibles. Tristement, le seul trajet que Walter, quadriplégique et aveugle, parcourut à bord de l'un de ses véhicules, ce fut entre son lieu de résidence et celui de ses funérailles. Celles-ci furent célébrées avec tous les honneurs militaires, en hommage à un homme qui s'avéra un grand facilitateur pour des milliers d'anciens combattants.

DÉCLARATION DES DROITS DE LA PERSONNE
Le précurseur de la paix dans le monde

John Humphrey, professeur de droit à l'Université McGill, estimait que « la paix régnerait enfin sur la terre lorsque les droits de tous seraient respectés ». Il appuya cette noble et profonde affirmation en faisant l'une des meilleures tentatives à ce jour pour établir les droits inaliénables de toute personne. La réalisation du professeur Humphrey est la *Déclaration universelle des droits de l'homme*, composée d'un préambule et de 30 brèves clauses qui résument les droits dont dispose chaque être humain. Il rédigea la Déclaration à titre de premier directeur de la Division des droits de la personne des Nations Unies. L'organisation internationale, qui en était alors à ses débuts, adopta l'œuvre morale et intellectuelle du Canadien en 1948. Près de sept décennies plus tard, la déclaration officielle rédigée par Humphrey au nom de l'ensemble du monde demeure la plus grande contribution canadienne au droit international, et le prélude à la paix dans le monde.

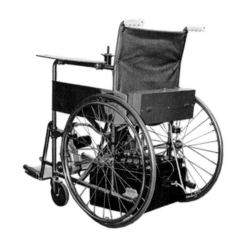

SAC À ORDURES
La poubelle améliorée

C'était le meilleur et le pire des produits ; c'était le siècle du sac à ordures. Pardon, M. Dickens, mais cette variante de votre célèbre phrase résume bien la vie du sac-poubelle en plastique. C'était la création de Harry Wasylyk, qui en réalisa la première version en 1950 dans sa cuisine de Winnipeg. Pratique, propre et étonnamment résistant, le sac à ordures représentait une amélioration notable par rapport au seau métallique, qui était massif, sale et nauséabond. Harry concentra ses ventes sur les grands établissements commerciaux, et son premier acheteur fut l'Hôpital général de Winnipeg. Mais les ventes prirent réellement leur envol lorsque Union Carbide acheta l'invention et vendit la création de Harry sous le nom de « sacs à ordures Glad ». Des variations du sac furent intégrées aux foyers partout dans le monde. Il y a pourtant un revers à la médaille : dans les années 1970, des millions – peut-être même des milliards – de sacs-poubelle pratiquement indestructibles engorgeaient les sites d'enfouissement aux quatre coins de la planète. C'est alors que James Guillet entra en scène. Ce scientifique canadien inventa un plastique destructible qui se décomposait au soleil. Un meilleur plastique pour une meilleure poubelle.

FAUTEUIL ROULANT ÉLECTRIQUE
Les nouvelles jambes des anciens combattants

La guerre a souvent des conséquences inattendues. Par exemple, la pénicilline, médicament miracle, permit à des milliers de soldats grièvement blessés pendant la Seconde Guerre mondiale de survivre à leurs blessures. Mais nombre de ces anciens combattants, qui auraient autrement été condamnés, rentrèrent au pays paraplégiques et quadriplégiques. Les fauteuils roulants n'avaient que peu d'utilité pour ces hommes, dont la force manuelle et la dextérité étaient amoindries, voire anéanties. George Klein releva ce nouveau défi. En 1953, cet ingénieur du Conseil national de recherches Canada mit au point le premier fauteuil roulant électrique au monde. Trois caractéristiques le distinguaient de tout ce qui avait précédé : la tension du moteur lui permettait de gravir des pentes très abruptes ; son bloc d'alimentation était assez puissant pour permettre une utilisation à l'intérieur comme à l'extérieur, pendant de longues périodes ; et des dispositifs d'entraînement indépendants aux roues facilitaient les virages serrés et les déplacements dans des espaces restreints. Le bouton de commande de ce fauteuil roulant maniable ressemblait à la manette des consoles de jeu actuelles. George travailla étroitement avec des patients pour adapter le fauteuil à leurs besoins particuliers, créant même un modèle commandé par la pression de la joue. Avec ces améliorations, il contribua à enrichir la vie de nombreux anciens combattants de la Deuxième Guerre mondiale. Cela constitue une œuvre et un héritage uniques et louables. Mais sa découverte accomplit encore plus : elle est à l'origine du domaine des techniques de la réadaptation, discipline dont les spécialistes aident des hommes et des femmes dans le monde entier à mener une vie plus mobile, et donc plus satisfaisante.

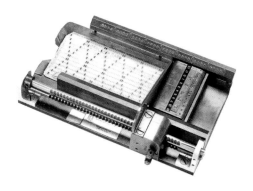

AIDES POUR LES AVEUGLES
L'ère de l'indépendance

Pendant des générations, les personnes aveugles ou ayant une vision très réduite étaient souvent confinées à des institutions et vivaient en marge de la société. Jim Swail contribua à changer tout cela. Lui-même aveugle, cet ingénieur canadien dirigea en 1963 une équipe de physiciens, de chercheurs scientifiques, de dessinateurs industriels et de responsables du marketing qui s'efforcèrent de mettre au point des centaines de moyens novateurs pour permettre aux personnes malvoyantes de mener une vie plus productive et gratifiante. Ces méthodes – dont des capteurs pour détecter les sources de lumière, des balises acoustiques indiquant où se trouvent les objets, une canne blanche démontable améliorée, un synthétiseur de parole pour le téléphone, une jauge spécialisée pour les cuves de développement de photos, ainsi que des thermomètres électroniques tactiles ou sonores – permirent d'améliorer la vie de nombreuses personnes et conduisirent à des technologies avancées de localisation, qui sont aujourd'hui utilisées dans divers appareils modernes. Mais le mieux, c'est que Jim a sensibilisé les gens aux besoins des personnes malvoyantes et a permis de changer l'attitude du public à l'égard de la cécité à l'échelle mondiale. Voilà un homme qui a aidé le monde entier à y voir plus clair.

BRAILLE INFORMATISÉ
La bibliothèque palpable

Il arrive que ceux qui ne voient pas aient les plus grandes visions. Même si sa vision était limitée à cinq pour cent, Roland Galarneau envisagea un moyen qui permettrait aux aveugles d'avoir un bien meilleur accès aux textes écrits. En 1972, cet ingénieur électrique de Gatineau, au Québec, conçut et assembla un appareil qu'il appela le « Converto-Braille ». Celui-ci numérisait et traduisait du texte en braille à la vitesse de 100 mots par minute, alors qu'auparavant, le processus était long et cher. Peu après son invention, non seulement le nombre de livres en braille augmenta en flèche, mais l'entreprise de Roland signa un contrat avec le ministère de l'Éducation du Québec et reçut une subvention pour informatiser le processus. Aujourd'hui, un logiciel de traduction en braille convertit des textes divers en plusieurs langues, ouvrant aux aveugles un tout nouveau monde. Certaines personnes choisissent de voir plus loin.

CONFÉDÉRATION DES SYNDICATS CANADIENS
Le défenseur des droits des femmes

Madeleine Parent estimait que les syndicats devaient favoriser non seulement la compréhension des besoins des travailleurs, mais aussi des femmes, et plus particulièrement de celles qui travaillent. Figure de proue du mouvement syndical canadien pendant quelque 70 ans, elle contribua à la fondation de la Confédération des syndicats canadiens en 1969. Le groupe avait deux objectifs principaux : rapatrier les syndicats canadiens dominés par leurs entités mères américaines et promouvoir le droit des femmes à la justice et à l'équité, au travail et ailleurs. Ce deuxième objectif était particulièrement novateur. À cette époque, et depuis des générations, les syndicats étaient dominés par les hommes et par leurs propres intérêts. Madeleine Parent lutta pour que les choses changent, en plaçant l'idée d'un salaire égal pour un travail d'une valeur égale à l'avant-plan du débat national au Canada et en défendant les besoins particuliers des femmes autochtones et des femmes immigrantes. Les syndicats existaient depuis des décennies, Madeleine Parent leur permit de se recentrer pour remplir une nouvelle mission essentielle.

JUSTICE RÉPARATRICE
La nouvelle ère de la sagesse autochtone

Depuis des siècles, les hommes et les femmes recherchent la justice. Deux innovateurs d'Elmira, en Ontario, estimaient qu'il ne fallait pas se contenter d'emprisonner les coupables, mais bien de tenir compte des besoins particuliers des victimes, des délinquants, de leurs familles et de leurs communautés. Ils savaient, grâce à leurs collègues des Premières Nations, qu'il existait une meilleure façon de faire ; la justice réparatrice traditionnelle mettait l'accent non pas sur la punition, mais bien sur la façon de redresser la situation. En 1974, Mark Yantzi, agent de probation, et Dave Worth, intervenant spécialisé auprès de détenus, appliquèrent cette manière de penser lorsqu'ils durent traiter le cas de deux jeunes qui avaient vandalisé 22 propriétés dans leur collectivité. À la recherche d'une justice véritable, Mark et Dave demandèrent la permission de la Cour pour organiser une rencontre entre les deux jeunes délinquants et leurs victimes, espérant qu'il puisse y avoir réparation pour les torts commis. Ayant obtenu l'accord du juge, les deux hommes eurent la sagesse de faire appel aux chefs locaux des Premières Nations pour mieux comprendre les mécanismes et les leçons de la justice réparatrice, pratiquée par de multiples générations de peuples autochtones au Canada. Dans ce cas et dans bien d'autres qui suivirent, l'application moderne de l'expérience des Premières Nations remporta un succès retentissant. Des torts furent redressés, des blessures furent guéries, et elle regagna la faveur des gens, ouvrant la voie à une reconnaissance juridique plus officielle des pratiques de justice réparatrice traditionnelle dans les communautés autochtones ou aborigènes au Canada, aux États-Unis, en Europe, en Australie et en Nouvelle-Zélande. La vraie justice se trouve parfois là où la sagesse autochtone rencontre les pratiques modernes.

BOÎTES BLEUES DE RECYCLAGE
Une meilleure façon de faire

Les idées révolutionnaires ne sont pas réservées aux détenteurs d'un doctorat. Tout le monde peut innover. Il suffit de regarder autour de soi et de se demander : « N'existe-t-il pas un meilleur moyen de faire ça ? » Nyle Ludolph se posa la question. Cet éboueur de Kitchener, en Ontario, était préoccupé par les importantes quantités de déchets qu'il voyait chaque jour lors de ses collectes quotidiennes. Il savait en effet que les sites d'enfouissement de sa ville étaient pleins à craquer. Sa réponse se concrétisa sous la forme d'une simple boîte bleue. En 1983, Nyle défendit le premier programme municipal de recyclage à la source. Les contenants qu'il proposait étaient d'une couleur distinctive, qui les rendait visibles tant sur la pelouse que sur la neige. De plus, le bleu est plus résistant aux effets nuisibles des rayons ultraviolets du soleil. Son idée toute simple, mais profonde se répandit aux quatre coins du Canada, en Amérique du Nord et partout dans le monde, transformant ce qui aurait pu devenir d'innombrables tonnes de déchets en de nouveaux produits, modifiant les comportements et les attitudes de millions de personnes. Il s'avère qu'il existait bel et bien un meilleur moyen de faire les choses.

WEEVAC
La civière pour les petits

Il se trouve que la plus simple des questions produit parfois les résultats les plus déterminants. L'interrogation de Wendy Murphy surgit alors qu'elle regardait la télévision, un soir de 1985. Un important tremblement de terre venait de se produire à Mexico. Sur l'écran, la Torontoise fut témoin des efforts du personnel de secours qui tentait d'extirper les victimes des décombres pour les transporter dans les cliniques et hôpitaux avoisinants. Nombre de ces victimes étaient de jeunes enfants, des bébés même. Wendy se demanda : « Pourquoi n'existe-t-il pas de dispositif d'évacuation spécialement conçu pour eux ? » Relevant le défi qu'elle s'était elle-même lancé, Wendy passa les deux années suivantes à mettre au point une civière pour les bébés et les très jeunes enfants. Fait d'aluminium léger et de matériaux ignifuges, son dispositif s'appela WEEVAC (*wee*, de l'anglais « tout-petit », et *vac*, de l'anglais *evacuation*, soit « évacuation »). Des établissements et des instances partout dans le monde intégrèrent la civière brevetée à leurs plans d'évacuation d'urgence. Mais Wendy n'avait pas fini. Elle fonda une entreprise qui, aujourd'hui, conçoit et produit d'autres modèles adaptés à diverses utilisations et à divers types de personnes, en particulier les tout-petits.

ROND-POINT DE L'ITINÉRANCE
Pour qu'il n'y ait plus de sans-abri

Le logement n'est pas un produit de base, c'est un droit humain. Ce principe anime le travail de Stephen Gaetz. Ce professeur d'éducation à l'Université York, de Toronto, dirige l'Observatoire canadien sur l'itinérance et est le fondateur du Rond-point de l'itinérance, le premier centre d'information sur le Web, complet et interdisciplinaire, rassemblant en un même site les recherches et les données sur le sujet. Celui-ci est utilisé par les gouvernements au Canada et partout dans le monde pour élaborer des politiques et des pratiques qui ne se contentent pas de gérer l'itinérance, mais la préviennent, la réduisent et y mettent fin une fois pour toutes – parce que tout le monde a droit à un foyer.

MIEL SOLIDE
Une inspiration sucrée

Douce mésaventure. En 1990, au cours d'une randonnée au pays des ours en Colombie-Britannique, John Rowe glissa et brisa le pot de miel qu'il transportait dans son sac à dos. Problème. Mais son malheur fit le régal des amateurs de miel. Ce natif de l'Île-du-Prince-Édouard fut tellement ébranlé par sa chute qu'il mit au point une forme de miel facilement transportable et entièrement naturel, avec l'apparence et le goût de l'original. Mais il ne travailla pas seul. Après avoir bricolé pendant une décennie, John retourna dans sa province natale et sollicita l'aide du PEI Food Technology Centre, un noyau d'expertise lié aux travaux en laboratoire, tests, création de modèles d'affaires et marketing. Grâce à la participation de ce centre, John réussit à perfectionner un procédé visant à éliminer toute l'eau du miel sans en changer la nature. Ensemble, ils menèrent des essais commerciaux, jusqu'à ce qu'ils aient l'assurance que le nouveau produit et la nouvelle entreprise seraient une réussite. Cette collaboration connut un grand succès. Bientôt, la compagnie de John, Island Abbey Foods, fabriqua des centaines de produits à partir du miel, les expédiant dans plus de 20 pays partout dans le monde. Une bonne idée sucrée.

AMÉLIOREZ UN PRODUIT : VOICI COMMENT.

☐ Trouvez un produit ou un objet qui nécessite une amélioration.

☐ Identifiez les caractéristiques des produits concurrents et faites une liste des améliorations souhaitables.

☐ Soyez honnête quant aux améliorations dont vos clients ont besoin et pour lesquelles ils seront prêts à payer.

☐ Calculez les ressources en argent, en personnel et en temps dont vous aurez besoin pour faire des améliorations de première qualité. Commencez seulement le travail quand ces ressources seront disponibles.

☐ Fabriquez plusieurs prototypes en notant le comment et le pourquoi des échecs, et en partageant vos conclusions avec votre équipe.

COOPÉRATIVES D'HUILE D'ARGAN
L'entreprise pleine de ressources

Les femmes représentent la plus grande ressource inexploitée dans le monde qui permettrait un développement pacifique, prospère et durable. Voilà l'inspiration qui sous-tend les coopératives d'huile d'argan. Mis sur pied en 1997 par le Centre de recherches pour le développement international du Canada (CRDI), le groupe est composé de plus d'une centaine de femmes marocaines qui recueillent les noyaux des fruits de l'arganier – un arbre qui a longtemps été une autre ressource sous-exploitée – et en produisent une huile. Ces femmes vendent ensuite l'huile d'argan, qui est comestible, à des consommateurs dans le monde entier. Le profit des ventes leur permettent de faire vivre leurs familles et de renforcer leurs communautés. Les femmes s'emploient également à préserver la santé à long terme des arbres. L'argan constitue non seulement un gagne-pain pour les femmes, mais il sert aussi de rempart contre la désertification croissante, la plus grande menace naturelle au développement pacifique, prospère et durable de cette région.

DÉJEUNER POUR BIEN APPRENDRE
La nutrition à l'école

Les aliments nourrissent non seulement le corps, mais aussi l'esprit. Les enfants qui prennent un bon déjeuner sont prêts à relever les défis d'apprentissage que leur réserve leur journée à l'école. Tandis que ceux qui arrivent le ventre vide ne pensent qu'à une chose : à quel point ils ont faim. Créé à Toronto en 1992, « Déjeuner pour bien apprendre » est le premier programme national au monde ayant pour but d'aider les écoles à faire en sorte que les enfants reçoivent les déjeuners et les dîners nutritifs dont ils ont besoin. Depuis le début, cette initiative a connu un succès retentissant, établissant des partenariats avec quelque 1 600 écoles de partout au Canada pour servir près de 600 millions de repas à environ 4 millions de jeunes élèves. Déjeuner pour bien apprendre illustre à quel point les écoles ont un rôle à jouer non seulement pour instruire les élèves, mais aussi pour leur donner les moyens d'apprendre. Il s'agit d'enseigner au monde que le chemin de l'apprentissage passe par un ventre bien rempli.

CRADLEBOARD
Traverser les frontières

«Qui suis-je et les autres pensent que je suis qui?»
Cette question est au cœur de Cradleboard. Élaboré
en 1996 par l'enseignante et artiste Buffy Sainte-
Marie, Cradleboard est une série de trois programmes d'enseignement pour les enfants du
niveau élémentaire, intermédiaire et secondaire,
composés de cours de musique, d'histoire, de
sciences, de géographie et de sciences sociales. Les
trois unités donnent aux élèves – tant autochtones
que non autochtones – une perspective autochtone
sur chacun des sujets. Ce point de vue, largement
négligé dans les programmes conventionnels, favorise
l'estime de soi des apprenants autochtones et suscite
l'empathie et la compréhension chez les élèves non
autochtones. Il n'y a rien d'étonnant à ce que Buffy
Sainte-Marie soit l'esprit à l'œuvre dans Cradleboard.
Interprète de renommée internationale, elle sait
par expérience qu'en traversant les frontières on
découvre de nouveaux points de vue et on obtient
une meilleure compréhension du monde. Aujourd'hui,
Cradleboard dépasse ses propres frontières et fait
désormais partie des programmes de conseils scolaires
en Saskatchewan et dans 11 États américains.

NUNAVUT
La nouvelle façon de gouverner

Comment un pays peut-il reconnaître les droits historiques d'un peuple autochtone sur ses terres et ses eaux traditionnelles, tout en maintenant son engagement envers un gouvernement pluraliste au sein duquel tous les citoyens ont une voix égale ? Le Nunavut constitue une réponse du Canada à cette question. Le mot *Nunavut* signifie « notre terre » en inuktitut. Ce troisième et plus vaste territoire du Canada a été créé en 1999, en vertu d'une loi du Parlement canadien et d'une entente entre le gouvernement fédéral et des représentants du peuple inuit. La loi du Parlement définit un territoire disposant de son propre gouvernement démocratique au sein de la fédération canadienne. L'entente fait cohabiter le gouvernement et l'accord sur les revendications territoriales du Nunavut. La création du Nunavut, tout comme la création du Canada lui-même, était une innovation visant à soutenir les droits et à répondre aux espoirs de tous. Une façon nouvelle de gouverner un territoire.

ABEEGO
L'emballage en cire d'abeille

Changer la façon dont les gens conservent leurs aliments. Toute une ambition, n'est-ce pas? C'est celle qui est à la base de l'emballage Abeego, conçu par Toni Desrosiers, une nutritionniste et entrepreneure de Calgary. Elle créa en 2008 cet emballage entièrement naturel – une combinaison de chanvre et de coton, enduite de cire d'abeille et de résine d'arbre –, le moyen le plus durable pour préserver les aliments. Pourquoi Abeego? Depuis toujours, les gens conservent les aliments et, de nos jours, nous nous servons le plus souvent d'une pellicule plastique. Or celle-ci est parfois difficile à utiliser, elle ne convient pas toujours et, pire encore, elle produit des quantités énormes de déchets. L'emballage Abeego est tout le contraire: il adhère naturellement; il est antibactérien, antimicrobien, et permet à la nourriture enveloppée de respirer correctement et de garder sa fraîcheur; de plus, il est totalement réutilisable et biodégradable. Il s'agit de la première solution entièrement naturelle au problème de la pellicule plastique.

ME TO WE (DU MOI AU NOUS)
La première entreprise sociale

Les principes commerciaux froids et rigoureux peuvent-ils servir à atteindre des objectifs de développement international à la fois humains et ouverts? La réponse est oui, et «ME to WE» en est la preuve. ME to WE est née en 1999 sous la forme d'une entreprise à but lucratif qui offrait des camps de formation pour des leaders de demain et organisait des voyages humanitaires dans des pays en développement. Les profits de ces activités étaient utilisés par Enfants Entraide – une organisation de développement international basée au Canada – pour assurer à des jeunes et à leurs familles, partout dans le monde, une vie plus sûre, plus saine et plus heureuse. Enfants Entraide et ME to WE ont été fondées par Craig et Marc Kielburger, deux Canadiens qui consacrent leur vie à aider les autres. Aujourd'hui, la première entreprise sociale du monde propose une gamme de produits, de ressources éducatives et d'expériences d'apprentissage. Tous les profits sont encore versés à Enfants Entraide. Le travail de ME to WE est célébré chaque année lors de la journée Unis pour l'action (We Day). Ce qui fut d'abord un événement ponctuel s'est tranformé en des célébrations partout au Canada, aux États-Unis et au Royaume-Uni. La journée Unis pour l'action rassemble au total quelque 200 000 jeunes bénévoles et vise à célébrer leurs réalisations, à inspirer les jeunes, et à montrer que les principes commerciaux peuvent servir à créer des entreprises sociales… et à faire la différence.

PROJET SAKKIJÂNGINNATUK NUNALIK
La maison conçue pour le Nord

Dans presque toutes les collectivités nordiques au Canada, le logement est le besoin le plus urgent. Le problème découle d'un manque d'habitations sécuritaires, saines et écoénergétiques, conçues et bâties par les Inuits pour les Inuits. Cela est en train de changer. SakKijânginnatuk Nunalik, qui en inuktitut signifie « collectivités durables », met à profit des connaissances inuites millénaires et les meilleures pratiques modernes afin de créer pour le Nord le premier immeuble résidentiel à logements multiples durable. En jumelant la sagesse immémoriale et les meilleures méthodes actuelles, ces structures répondront aux préférences des Autochtones, elles tiendront compte des changements climatiques dans la région et combleront un besoin des plus pressants.

PROGRAMME MILK CARTON 2.0
La meilleure façon de retrouver des enfants

La campagne de photos sur les cartons de lait pour retrouver des enfants disparus a fonctionné pour les générations précédentes, parce qu'elle était centrée sur un objet que pratiquement tout le monde tenait dans ses mains à un moment ou l'autre de la journée : un carton de lait. Aujourd'hui, nous tenons un autre objet entre les mains, pas seulement une ou deux fois par jour, mais presque constamment : un téléphone intelligent. Le programme de recherche de la Missing Children Society of Canada est le premier programme social numérique au monde visant à retrouver des enfants disparus. Créée en 2014, l'application (surnommée « Milk Carton 2.0 ») implique les gens, les sociétés et les médias au moyen de ses trois composantes : *Most Valuable Network* (réseau le plus utile) utilise la puissance virale des médias sociaux pour alerter le public de la disparition d'un enfant ; *CodeSearch*™ tire profit des alertes géographiquement ciblées et des fils de presse qui diffusent de l'information en temps réel pour inviter les partenaires corporatifs et leurs employés à collaborer avec la police dans la recherche active des enfants disparus ; et *Marketwired* transmet des notifications poussées à des milliers de médias traditionnels et numériques du pays. Il y a plusieurs générations, les cartons de lait étaient le meilleur moyen de retrouver les enfants disparus. Aujourd'hui, notre carton de lait est numérique, social et mobile.

Programme Milk Carton 2.0™

Force de l'ordre

+

Société canadienne des enfants disparus

+

Technologies sociale et mobile

=

Retrouver les enfants disparus

RIGHT TO PLAY
La classe naturelle

Le jeu est bien plus qu'une simple activité amusante. C'est un moyen instinctif et essentiel qui aide les enfants à grandir sur le plan physique, cognitif et affectif. On peut aussi s'en servir dans des pays en développement pour transmettre aux enfants certaines leçons qui leur permettront d'améliorer leur condition de vie. Voilà la philosophie de Right To Play, un organisme de développement international fondé en 2000 à Toronto par Johann Olav Koss. La méthode pédagogique de Right To Play utilise l'instinct de l'enfant pour le jeu et le canalise pour lui permettre de réfléchir à l'expérience de jeu qu'il vient de vivre, de faire des liens entre celle-ci et une expérience semblable dans sa propre vie, et d'explorer comment il peut appliquer ce qu'il a appris à un domaine de sa vie quotidienne. Ce faisant, le programme de Right To Play enseigne aux enfants des compétences de vie qui peuvent les aider à surmonter les conséquences de la pauvreté, du conflit et de la maladie. L'organisme applique sa méthode dans des pays en développement, permettant ainsi à un million d'enfants de faire une expérience déterminante et pleine de joie, en leur donnant le droit de jouer.

VÉRITÉ ET RÉCONCILIATION
Vers la guérison

Transformer quelque chose de douloureux en quelque chose qui est porteur d'espoir constitue une part vitale du mystère humain. La Commission de vérité et réconciliation (CVR) a été établie au Canada en 2008 pour reconnaître les préjudices causés aux enfants autochtones qui furent envoyés dans des pensionnats. Les conditions qui régnaient dans ces écoles étaient effroyables. Les enfants y subissaient de façon constante des privations et des blessures sur le plan culturel, physique et spirituel. Nombre d'entre eux furent victimes d'abus sexuels. Beaucoup sont morts. C'est là une vérité sur leur pays que les Canadiens ont de la difficulté à accepter. Et pourtant, le juge Murray Sinclair et les membres de la Commission ont en quelque sorte réussi, grâce à un extraordinaire mélange de clarté, de patience, de compassion et de bonne humeur, à mobiliser l'attention des Canadiens et des

Canadiennes en faveur d'une démarche de réconciliation et de partenariat renouvelé. Sur une période de six ans, ils ont parlé avec plus de 9 000 survivants, au cours de 238 jours d'audiences dans 77 collectivités du Canada et à l'occasion de nombreux rassemblements nationaux. L'exercice a été extrêmement exigeant, tant physiquement que psychologiquement, pour toutes les personnes concernées. Il a néanmoins abouti à une vaste gamme de recommandations visant à corriger le déséquilibre de longue date entre l'ensemble de la population canadienne et les Premières Nations qui en font partie. Prenant le relais de la Commission royale sur les peuples autochtones, la CVR a réussi en 2015 à susciter ce qui s'avérera probablement un tournant décisif pour le pays dans sa capacité à canaliser l'ingéniosité qui repose sur son patrimoine autochtone.

L'ART COMME INNOVATION
La mémoire vivante

L'art peut à la fois évoquer puissamment l'écho d'une perte et l'affirmation forte d'une présence. Par son travail à titre d'artiste, de militante et d'inspiratrice de l'autodétermination autochtone, Christi Belcourt est l'une des voix autochtones les plus marquantes au pays. Ses œuvres sont grandement appréciées et admirées pour leur beauté et leur façon de représenter les visions du monde autochtone. Convaincantes et diversifiées, elles nous parlent de la relation des Autochtones avec la terre, les traditions et la vie. L'engagement de Christi Belcourt auprès des communautés et son travail au sein du collectif Onaman mobilisent de façon puissante et bouleversante la renaissance autochtone, affirmant, réaffirmant et manifestant fortement la présence et la place des Autochtones dans ce pays. Christi fut l'une des premières lauréates du Prix du Gouverneur général pour l'innovation, présenté en 2016.

INTRODUISEZ UN CHANGEMENT SOCIAL : VOICI COMMENT.*

☐ Formez une équipe avec des gestionnaires du changement de tous les secteurs et de tous les niveaux de la collectivité ou de l'organisation.

☐ Présentez une vision claire des choses telles qu'elles apparaîtront une fois les changements effectués, et suscitez un sentiment d'urgence.

☐ Autorisez les autres à poser des gestes qui aident à concrétiser cette vision, mais laissez-les choisir la façon de le faire. Laissez-les communiquer leur point de vue partout.

☐ Définissez, planifiez et évaluez le succès à court terme.

☐ Intégrez les améliorations et créez toujours plus de changement.

☐ Intégrez les nouvelles approches dans la culture communautaire. Faites-en l'éloge et répétez-les.

* Adapté du livre *Leading Change* de John P. Kotter, 1990.

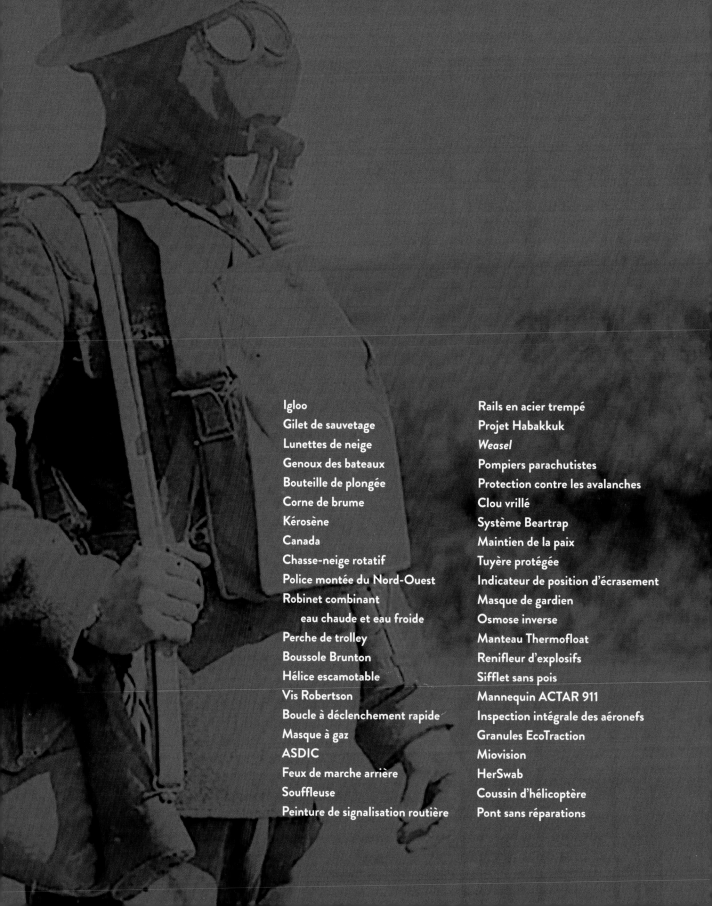

Igloo

Gilet de sauvetage

Lunettes de neige

Genoux des bateaux

Bouteille de plongée

Corne de brume

Kérosène

Canada

Chasse-neige rotatif

Police montée du Nord-Ouest

Robinet combinant
    eau chaude et eau froide

Perche de trolley

Boussole Brunton

Hélice escamotable

Vis Robertson

Boucle à déclenchement rapide

Masque à gaz

ASDIC

Feux de marche arrière

Souffleuse

Peinture de signalisation routière

Rails en acier trempé

Projet Habakkuk

Weasel

Pompiers parachutistes

Protection contre les avalanches

Clou vrillé

Système Beartrap

Maintien de la paix

Tuyère protégée

Indicateur de position d'écrasement

Masque de gardien

Osmose inverse

Manteau Thermofloat

Renifleur d'explosifs

Sifflet sans pois

Mannequin ACTAR 911

Inspection intégrale des aéronefs

Granules EcoTraction

Miovision

HerSwab

Coussin d'hélicoptère

Pont sans réparations

CHAPITRE 4

Plus...
intelligent
proche
bienveillant
sûr
sain
riche
heureux

La vie est une entreprise risquée. Chacun des lieux où nous vivons, chacune de nos interactions menace quotidiennement notre confort, notre santé et, en fin de compte, notre vie. En matière de sécurité, les Canadiens et les Canadiennes ont créé de nouveaux moyens de réduire les risques dans leur vie quotidienne. Leurs contributions ont donné au monde des moyens efficaces pour prévenir la noyade, les brûlures, le gel, les écrasements, l'asphyxie, le dérapage, les collisions, la glissade, l'empoisonnement, le naufrage, ou encore pour éviter de mourir dans l'explosion de sa voiture ou tué par balle. Bon, ça suffit !

IGLOO
La structure ingénieuse

Peu de structures ont autant intrigué les ingénieurs et les architectes que la maison traditionnelle des peuples inuits du Canada. Aussi ancien que la civilisation humaine elle-même, l'igloo est l'habitation idéale, et ce, pour plusieurs raisons. Parfait sur le plan de sa composition, il est entièrement fait de la substance la plus abondante dans le Nord canadien : la neige. Sa structure est formée de neige durcie coupée en briques – 90 cm sur 60 cm, sur 10 cm d'épaisseur. Une fois la première rangée placée, on coupe plusieurs autres blocs pour former une surface inclinée. On place ensuite une deuxième rangée sur la première, puis les blocs sont édifiés en une spirale continue, jusqu'au dernier, posé au sommet de la structure. La neige agit en guise de mortier pour sceller toutes les fentes, empêchant l'air froid d'entrer et l'air chaud de s'échapper. Parfait sur le plan de la conception, l'igloo a la forme arrondie d'une ruche – aussi appelée «caténoïde» –, dépourvue de coins, donc sans perte d'espace. Cette forme presque circulaire, avec une légère inclinaison vers l'intérieur qui s'accentue vers le haut du mur, permet à la structure non seulement de supporter d'énormes quantités de neige, mais également de se solidifier à mesure qu'on y applique plus de poids. Parfait sur le plan de l'adaptabilité, l'igloo peut être une structure permanente ou temporaire pour un ou plusieurs habitants. Les personnes présentes à l'intérieur le réchauffent avec la chaleur de leur corps. Une petite ouverture dans le toit permet de faire sortir l'air expiré par les occupants, alors qu'une autre permet l'entrée d'air frais. Parfait sur le plan de l'efficacité, un igloo peut être assemblé par deux personnes en moins d'une heure. Cette tâche n'exige qu'un outil, un long couteau en os ou en ivoire. Pas étonnant que l'igloo existe depuis des millénaires.

GILET DE SAUVETAGE
L'assurance des pêcheurs inuits

Lorsque l'on tombe dans les eaux glaciales du Canada, tant côtières qu'intérieures, on risque plus de mourir d'hypothermie que de noyade. Les pêcheurs de baleines inuits connaissaient cette vérité. En cousant ensemble des peaux ou des boyaux de phoque, ils ont conçu un genre de veste étanche qu'ils portaient sur le torse. Ces ancêtres des gilets de sauvetage ont évolué avec le temps, gagnant tant sur le plan de l'isolation que de la flottabilité, jusqu'à devenir la planche de salut des marins d'aujourd'hui.

LUNETTES DE NEIGE
La réponse du monde alentour

Celui ou celle qui a déjà traversé un champ enneigé par une journée ensoleillée peut témoigner des reflets aveuglants des rayons du soleil. Aujourd'hui, il nous suffit d'enfiler nos lunettes Ray-Ban ou Oakley. Les Inuits du Nord canadien ne disposaient pas d'un tel luxe. Pour contrer la cécité des neiges, ils observèrent le monde qui les entourait. Saisissant un morceau de bois ou d'os de caribou, ils y sculptèrent une longue fente, suffisamment large pour permettre de voir à travers, mais assez étroite pour bloquer en grande partie les rayons ultraviolets intenses et néfastes. Pour que les lunettes soient efficaces, il fallait qu'elles ne laissent entrer que la lumière provenant de cette fente. Ils courbèrent donc les lunettes et les adaptèrent au contour du visage, taillèrent un morceau au centre pour accueillir le nez et les attachèrent solidement derrière la tête à l'aide d'une corde faite à partir d'un tendon de caribou. Une autre solution provenant de l'environnement immédiat.

GENOUX DES BATEAUX
La police d'assurance du marin

L'isolement conduit souvent à l'innovation. À des milliers de kilomètres de leur mère patrie, les colons de la Nouvelle-France construisaient leurs propres navires. En 1748, alors que les constructeurs de bateaux dans le port de Québec utilisaient encore des pièces courbées ou «genoux» de bois coupé pour fixer les poutres de la coque des navires à des angles inusités, un forgeron eut une idée. Pourquoi ne pas améliorer ces genoux de navires, grandement sollicités, en les fabriquant en fer? En travaillant à partir de différents prototypes soudés, son équipe mit au point un premier test de contrôle de la qualité. Si l'on pouvait laisser tomber un genou soudé d'une hauteur de 15 mètres dans le baril d'un canon en fer sans qu'il se brise, la pièce serait considérée comme prête à être utilisée en mer. Si l'histoire n'a pas retenu le nom de ce forgeron innovateur, sa découverte s'avéra si efficace qu'elle devint pratique courante dans la fabrication des navires, bien au-delà des terres isolées de la Nouvelle-France. On lui doit la transformation de l'industrie de la construction navale partout en Amérique du Nord.

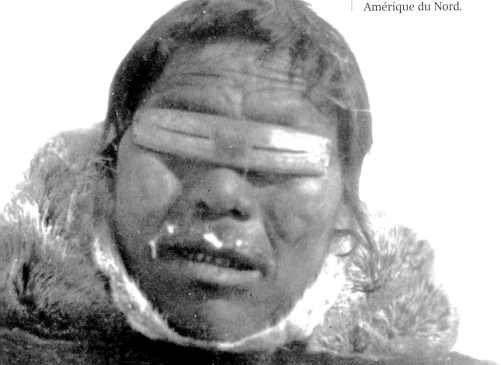

BOUTEILLE DE PLONGÉE
Le précurseur du scaphandre autonome

Ils l'avaient appelée « réservoir d'oxygène pour les plongeurs ». James Elliott et Alexander McAvity, deux hommes de Saint-Jean, au Nouveau-Brunswick, créèrent en 1839 ce qui serait reconnu comme la première bouteille de plongée. Leur équipement était composé d'un récipient en cuivre contenant de l'oxygène condensé, d'un tuyau reliant le récipient à l'intérieur d'une combinaison de plongée, ainsi que d'une valve d'arrêt pour contrôler le débit d'oxygène. Réservoir, tube et régulateur : le précurseur du scaphandre autonome.

CORNE DE BRUME
La voix codée du danger

Plus la fréquence d'une note de musique est basse, plus cette note pourra être entendue à une grande distance. Simple règle de physique. Robert Foulis prit lui-même conscience de ce fait un soir de brouillard, chez lui à Saint-Jean, au Nouveau-Brunswick, en 1853. En marchant vers sa maison, il entendit sa fille jouer du piano. Alors que les notes traversaient l'air nocturne, il remarqua qu'il pouvait distinguer plus clairement les plus basses. Bien conscient des dangers que représentait le brouillard pour la navigation, Foulis fit bon usage de cette constatation personnelle. Sachant que dans certaines conditions les faisceaux lumineux ne pouvaient être vus par les marins, il mit au point la corne de brume à vapeur, un mégaphone conçu pour faire retentir un ensemble codé de notes à basse fréquence et mettre ainsi en garde les marins contre les dangers près du rivage. Foulis présenta son innovation aux législateurs provinciaux. Peu après, la première corne de brume fut installée près de chez lui au phare de l'île Partridge, d'où la voix codée du danger retentit pendant près de 150 ans. Bien qu'il n'ait jamais fait breveter son innovation, aujourd'hui encore, les marins pris dans le brouillard tendent l'oreille, à l'affût du son accueillant conçu par Foulis pour leur sécurité.

KÉROSÈNE
Le gaz pour un éclairage sécuritaire

Pendant de longues années, le charbon a permis de s'éclairer dans l'obscurité. Le charbon était abondant et relativement facile à atteindre, mais le gaz qu'il générait était salissant et dangereux. Sa flamme produisait une fumée, qui s'enflammait facilement. Dans son cabinet de Parrsboro, le médecin néo-écossais Abraham Gesner avait traité les horribles brûlures de parents et d'enfants dont la maison avait été incendiée à cause des gaz de charbon. Gesner était aussi géologue, et il combina ses deux disciplines pour trouver une solution. En 1846, il fit une démonstration publique pour présenter une innovation fascinante. Il fit chauffer du charbon et en distilla un liquide clair qui pouvait servir de combustible dans des lampes. Il appela le liquide « kérosène ». Quand on le faisait brûler, celui-ci était beaucoup plus propre que le gaz de charbon. Il était aussi beaucoup plus stable et donc plus sécuritaire, n'étant pas susceptible de s'enflammer comme son cousin gazeux. Huit ans plus tard, Gesner fit breveter le processus de fabrication du kérosène ; le gaz d'éclairage sécuritaire était sur le point d'éclairer la nuit. Il prit toutefois grand soin de ne pas s'attribuer tous les mérites : « La progression de la découverte, dans ce cas comme dans d'autres, a été lente et graduelle. Elle a été menée à bien grâce au travail non pas d'un seul esprit mais de plusieurs, de sorte qu'il est difficile de découvrir à qui revient le plus grand mérite. » Le kérosène n'est que l'une des nombreuses idées originales de Gesner. Alors qu'il était résident de la province voisine, le Nouveau-Brunswick, il créa le Gesner's Museum of Natural History, le premier musée public au Canada. L'établissement est connu aujourd'hui sous le nom de « Musée du Nouveau-Brunswick ».

CRÉEZ UN ÉCOSYSTÈME D'INNOVATION : VOICI COMMENT.

☐ Faites du réseautage avec des organisations et des gens qui croient profondément que l'innovation est nécessaire et bénéfique.

☐ Trouvez des partenaires qui partagent vos valeurs et qui progresseront à travers leur relation avec vous.

☐ Formez des groupes de partenaires au sein de votre propre région (p. ex., Waterloo, Ontario), plateforme (p. ex., iOS) ou industrie (p. ex., restauration rapide).

☐ Trouvez des fournisseurs qui peuvent vous assurer un approvisionnement régulier de pièces et d'équipements à des prix compétitifs, même quand vous êtes en expansion.

☐ Testez votre écosystème avec un petit projet qui fait intervenir chaque partenaire, et notez toutes les tâches qui vous manquent ou qui sont répétées.

☐ Ne soyez pas insatiable. Assurez-vous que, dans tous vos projets conjoints, chaque participant de l'écosystème bénéficie du succès obtenu.

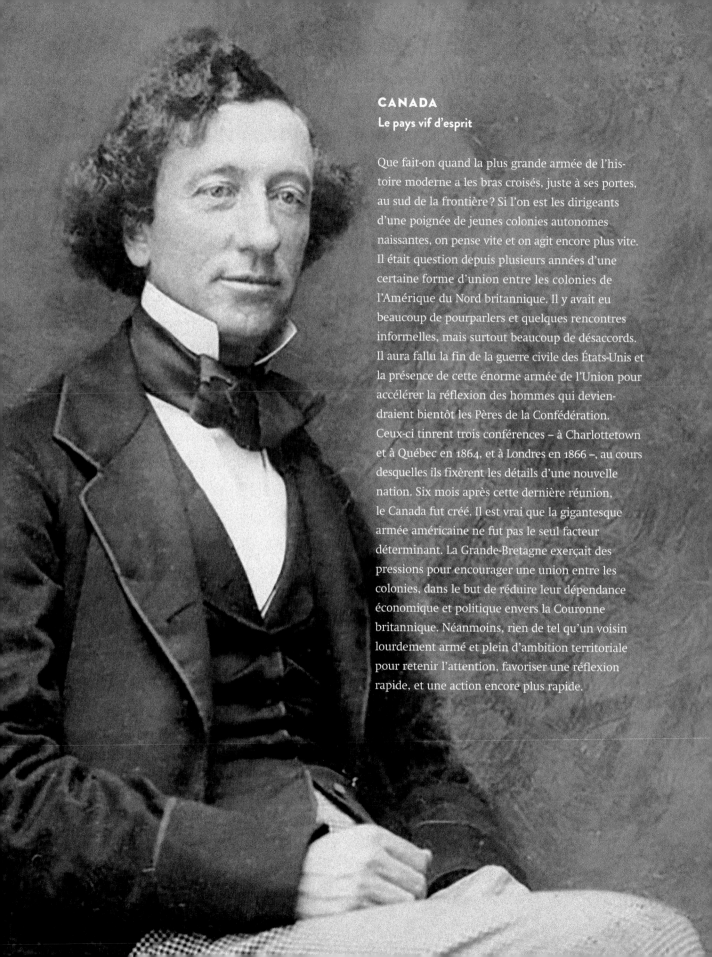

CANADA
Le pays vif d'esprit

Que fait-on quand la plus grande armée de l'histoire moderne a les bras croisés, juste à ses portes, au sud de la frontière ? Si l'on est les dirigeants d'une poignée de jeunes colonies autonomes naissantes, on pense vite et on agit encore plus vite. Il était question depuis plusieurs années d'une certaine forme d'union entre les colonies de l'Amérique du Nord britannique. Il y avait eu beaucoup de pourparlers et quelques rencontres informelles, mais surtout beaucoup de désaccords. Il aura fallu la fin de la guerre civile des États-Unis et la présence de cette énorme armée de l'Union pour accélérer la réflexion des hommes qui deviendraient bientôt les Pères de la Confédération. Ceux-ci tinrent trois conférences – à Charlottetown et à Québec en 1864, et à Londres en 1866 –, au cours desquelles ils fixèrent les détails d'une nouvelle nation. Six mois après cette dernière réunion, le Canada fut créé. Il est vrai que la gigantesque armée américaine ne fut pas le seul facteur déterminant. La Grande-Bretagne exerçait des pressions pour encourager une union entre les colonies, dans le but de réduire leur dépendance économique et politique envers la Couronne britannique. Néanmoins, rien de tel qu'un voisin lourdement armé et plein d'ambition territoriale pour retenir l'attention, favoriser une réflexion rapide, et une action encore plus rapide.

CHASSE-NEIGE ROTATIF
La merveille hivernale

Personne ne sera surpris d'apprendre que le premier chasse-neige de chemin de fer a été conçu au Canada. En 1870, J. W. Elliott mit au point un dispositif servant à déneiger les voies ferrées. La charrue de cet Ontarien était munie d'un collecteur en acier qui dirigeait la neige vers les plaques d'un ventilateur à la périphérie d'une roue. Celle-ci, alimentée par un moteur rotatif, projetait la neige du haut de l'enveloppe de la roue, loin de la voie ferrée. Un autre innovateur ontarien, Orange Jull, apporta des améliorations au mécanisme d'Elliott, en disposant une lame tranchante devant les plaques du ventilateur. Montée sur le même arbre et tournant dans le sens contraire, la lame découpait la neige, facilitant le travail du ventilateur. Vingt ans plus tard, le chasse-neige rotatif était largement utilisé sur les lignes ferroviaires canadiennes. En 1911, on avait approuvé un modèle muni d'une lame de 12 tonnes, qui pouvait trancher n'importe quelle épaisseur de neige, de même que les roches et les arbres qui y étaient mélangés. Une version de ce chasse-neige est utilisée encore aujourd'hui par les chemins de fer du Canada et des États-Unis.

POLICE MONTÉE DU NORD-OUEST
Le Far West pacifique

Bien des frontières ont été des terrains propices à l'anarchie et à la violence qui peuvent rapidement éclater en l'absence d'autorité. Ce ne fut pas le cas du Nord-Ouest canadien. Le calme qui y régnait, on le devait à la Police montée du Nord-Ouest. Quelques années seulement après la Confédération, le premier ministre John A. Macdonald suivit la recommandation de conseillers militaires et établit une nouvelle force, un mélange novateur entre un régiment de cavalerie et une force constabulaire. Son objectif ultime étant la protection d'une société pacifique, la Police à cheval devait préserver un équilibre fragile : maintenir l'ordre, affirmer la souveraineté canadienne sur les vastes Territoires du Nord-Ouest, mettre en œuvre les ententes existantes avec les Premières Nations de la région et arrêter les marchands de whisky américains. Élément essentiel à l'exécution de leur mandat : ces tâches devaient être menées sans qu'il y ait usage d'une force excessive. Le nouveau groupe fut créé en 1874 à Fort Dufferin, au Manitoba, sous la forme d'une unité composée de 22 officiers et de 287 hommes et garçons âgés de 14 ans et plus. La force se révéla capable et équitable, et gagna rapidement le respect des gens. Sa présence dans la région comportait une foule d'avantages, dont l'établissement de relations pacifiques entre la Couronne et les Premières Nations, ainsi que l'aménagement de colonies dans des collectivités le long de la trajectoire proposée pour le chemin de fer transcontinental. L'Ouest canadien a ainsi été conquis.par une force distinctive vêtue d'une tunique rouge et non par le fusil.

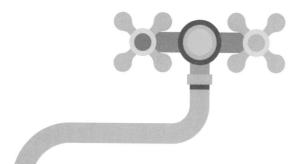

ROBINET COMBINANT
EAU CHAUDE ET EAU FROIDE
La source d'eau tiède

Tant d'aspects de la vie moderne sont tenus pour acquis! On actionne un interrupteur, et la lumière éclaire une pièce. On ajuste un cadran, et des éléments brûlants font cuire un repas. On tourne un robinet, et un flot ininterrompu d'eau tiède se met à couler. Ce dernier aspect a une histoire étonnamment longue. Le premier robinet combiné d'eau chaude et d'eau froide fut créé en 1880. L'homme derrière cette avancée est Thomas Campbell, de Saint-Jean, au Nouveau-Brunswick. Pour le concevoir, il dut relever un défi fondamental: surmonter la contre-pression. Si le robinet n'était pas en mesure de déverser l'eau chaude et l'eau froide suffisamment rapidement, la contre-pression au bec ferait en sorte qu'il ne pourrait en sortir qu'un mince filet d'eau. Thomas régla ce problème en s'assurant que l'unique embout du robinet avait une capacité supérieure à la quantité d'eau déversée par les valves, eau chaude et froide combinée. Problème résolu. La source d'eau tiède était née.

PERCHE DE TROLLEY
La puissance venue d'en haut

Les chemins de fer urbains, ou tramways, étaient une excellente façon de se déplacer, mais seulement lors des journées ensoleillées. L'électricité qui alimentait le moteur de ces alliés du beau temps était transmise par un troisième rail, enterré sous la surface pavée. De fortes pluies causaient une mise à la terre du câble souterrain, provoquant l'arrêt des tramways. En 1883, James J. Wright, opérateur d'un tramway à Toronto, déplaça le courant situé sous le sol et le fit circuler au-dessus des voitures. Cette transformation fut rendue possible grâce à la perche de trolley de Wright. Fixée au toit de la voiture, elle acheminait l'électricité aux tramways à partir des fils électriques suspendus au-dessus de la voie. Chaque perche était munie d'une roue permettant de réduire la friction entre celle-ci et le fil, lorsque la voiture circulait sur les rails. Wright présenta son système lors de l'Exposition nationale canadienne, cet été-là. Pendant deux semaines, les tramways circulèrent – beau temps, mauvais temps – sans interruption. Rapidement, les fils aériens et les perches de trolleys devinrent l'équipement de base de ce moyen de transport dans les villes.

BOUSSOLE BRUNTON
Le nouveau sens de l'orientation

L'innovation consiste souvent à prendre une pièce d'équipement indispensable et à la rendre plus petite et plus simple, sans rien perdre de l'efficacité de l'original. C'est cette action élémentaire de l'innovation que David Brunton a mise en œuvre. En 1894, ce géologue et ingénieur minier canadien créa la boussole Brunton. Aussi connue sous le nom de « Brunton Pocket Transit », ou simplement « Brunton », cet instrument de précision est une version compacte de l'imposant matériel d'arpentage que les ingénieurs devaient apporter sur le terrain pour s'orienter et prendre des mesures précises. La Brunton, qui utilise l'induction magnétique plutôt qu'un fluide pour amortir l'oscillation de l'aiguille, demeure la boussole la plus populaire chez les géologues. Elle fait également partie de l'équipement des arpenteurs, des ingénieurs, des archéologues, ainsi que des simples amateurs de plein air… bref, de tous ceux et celles qui cherchent à aller dans la bonne direction.

HÉLICE ESCAMOTABLE
Un atout pour le plaisancier

Le Canada est entouré de trois océans et possède le plus long littoral du monde. Mais ce qui est encore plus impressionnant, c'est le nombre et la diversité des lacs et des rivières de ce pays. En se retirant, les glaciers de la période glaciaire y ont laissé un paradis pour les plaisanciers. En 1900, Harold Wilson a fait de cet éden pour marins de fin de semaine un endroit encore plus attirant, en créant l'hélice escamotable. En utilisant un levier situé près de la barre à roue, le capitaine d'un petit bateau pouvait relever l'hélice et l'arbre porte-hélice dans une cavité de la coque. Ainsi équipée, une embarcation pouvait désormais naviguer sur des eaux parsemées de hauts-fonds et de récifs, comme il y en a tant dans les lacs près de Gravenhurst, en Ontario, où vivait Harold. Finies les hélices abîmées. Finis les sites de pêche inaccessibles. Un plus pour les marins d'eau douce.

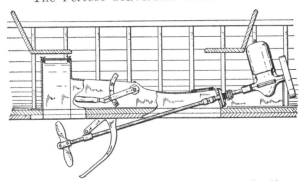

The Perfect Convertible Boat at Last.

Disappearing Propeller Device, Cross Section

VIS ROBERTSON
La vis et le tournevis antidérapants

Peter Robertson, de Milton, en Ontario, s'est coupé la main... et a transformé une industrie. La mésaventure se produisit en 1908 à Montréal, alors que ce vendeur pour une compagnie d'outils de Philadelphie utilisait un tournevis à ressorts pour serrer des vis à tête fendues. Ces vis, plus communément appelées du nom de leur créateur, Henry Phillips, avaient deux défauts majeurs : elles retenaient mal le tournevis en mouvement, qui glissait souvent, et leur tête avait tendance à s'abîmer quand on les vissait et dévissait. Une fois sa blessure à la main guérie, Peter se mit au travail. Il conçut un dispositif révolutionnaire, la vis avec entraînement intérieur carré. Grâce aux bords chanfreinés, aux côtés qui se rétrécissaient et au fond pyramidal, la nouvelle vis pouvait être fixée plus rapidement, plus facilement et plus solidement. Elle remporta un succès immédiat. Henry Ford, entre autres, insista pour l'adopter quand il apprit que ses chaînes de montage mettraient deux heures de moins pour assembler chaque voiture en les utilisant. Tout le monde voulait prendre part à ce nouveau succès, mais Peter n'était pas prêt à en céder le contrôle. En conséquence, la vis Robertson ne devint jamais le phénomène universel qu'elle aurait mérité de devenir. Cela dit, plus d'un siècle plus tard, la compagnie qui porte son nom produit toujours les vis brevetées de qualité supérieure pour tous ceux et celles qui souhaitent des fixations plus sécuritaires, plus faciles et plus solides.

BOUCLE À DÉCLENCHEMENT RAPIDE
Rapidement en selle

La plupart des technologies liées aux voitures tirées par des chevaux ont été balayées par l'avènement et l'adoption à grande échelle de l'automobile. Mais la boucle à déclenchement rapide a survécu. En fait, sa popularité ne cesse d'augmenter. Arthur Davy, de New Glasgow, en Nouvelle-Écosse, créa ce dispositif en 1911 pour attacher les bouts de deux rênes de façon rapide et sécuritaire – et pour les détacher aussi rapidement et efficacement. Pour remplacer la boucle conventionnelle, la version de Davy présentait une partie munie d'une paire d'agrafes actionnées par des ressorts, qui s'adaptaient et se fixaient aux fentes de la seconde partie. Clic! Ce son nous est plus familier que jamais alors que nous attachons des vêtements ajustés, des sièges d'auto, des porte-documents, des sacs à dos – tout ce qui nécessite une fermeture rapide et sécuritaire.

MASQUE À GAZ
Un nouveau casque pour survivre à l'enfer

L'ingéniosité surgit parfois de l'horreur. La Première Guerre mondiale en a produit plus que sa part. Le gaz toxique figure en tête de liste. L'armée allemande utilisa ce gaz pour la première fois en 1915, à Ypres, en Belgique, contre les soldats canadiens et les troupes coloniales françaises. Agissant rapidement pour répondre à un besoin évident, le Dr Cluny MacPherson confectionna un masque pour protéger les soldats alliés contre toute autre attaque menée avec le gaz mortel. Sa création s'avéra un amalgame de matériaux qu'il avait sous la main : un casque confisqué à un soldat allemand, avec une cagoule de toile comprenant une lunette et un tube pour respirer. L'ensemble avait été enduit de produits chimiques absorbant le chlore, l'élément mortel du gaz. Ce dispositif, créé par le principal médecin militaire de la brigade de l'Ambulance Saint-Jean du Royal Newfoundland Regiment, s'avéra l'outil de protection le plus important de ce cataclysme mondial, qui dura quatre ans. Protégeant d'innombrables hommes, les empêchant d'être tués, défigurés ou atteints d'une maladie permanente, ce masque constitua une bénédiction canadienne au beau milieu de l'enfer de la guerre.

ASDIC
Le chasseur de sous-marins

On pourrait appeler ça l'ironie de l'innovation. Un Canadien fut à l'origine de l'une des plus importantes avancées technologiques de la Première Guerre mondiale, et pourtant son nom et son rôle dans la création de ce qui est aujourd'hui appelé le « sonar » ont pratiquement sombré dans l'oubli. En 1917, participant à l'effort britannique pour combattre les sous-marins (U-boot) allemands, le physicien Robert William Boyle combina des transducteurs faits de quartz (un matériau particulièrement efficace pour le rayonnement sonore à haute fréquence) avec des amplificateurs mis au point par des chercheurs français pour créer le premier dispositif d'écholocalisation à haute fréquence au monde. Le sonar envoie des ondes sonores dans l'eau et quand elles heurtent un objet, elles reviennent en écho. On mesure la distance à laquelle se trouve l'objet en calculant le temps entre l'envoi du signal et la réception de l'écho. L'appareil peut aussi déterminer la portée, la position et la vitesse d'un véhicule sous-marin. La descente de M. Boyle dans un trou noir de l'histoire est liée au secret militaire. Le nom du projet-ASDIC (pour *Anti-Submarine Detection Investigation Committee*) – visait à ne pas révéler l'utilisation du son et du quartz. Et Boyle, natif de Terre-Neuve, ne fit jamais breveter son invention, ne publia aucun article à ce sujet et ne reçut aucune reconnaissance officielle pour sa découverte. Le chasseur de sous-marins opérait en mode furtif.

FEUX DE MARCHE ARRIÈRE
Une vision arrière plus sécuritaire

James Ross a eu une idée brillante. Littéralement. En 1919, cet amateur d'automobiles de Halifax fixa une lampe à l'arrière de son véhicule et la relia à un interrupteur à la base du levier de vitesses. Quand il passait en marche arrière, la lumière s'allumait. La conduite de nuit était ainsi plus sûre pour lui et pour ceux autour de lui. Et c'est toujours le cas. Son idée illumine nos routes la nuit. Brillamment.

SOUFFLEUSE
De retour sur les routes hivernales

De tous les efforts canadiens visant à surmonter les rigueurs de l'hiver, l'innovation d'Arthur Sicard, de Saint-Léonard-de-Port-Maurice, au Québec, est probablement celle qui a eu le plus d'impact. Sicard eut une idée en 1894, alors qu'il avait seulement 18 ans, mais ce n'est qu'à presque 50 ans qu'il trouva le temps de produire un prototype. Il l'appela la «déneigeuse et souffleuse à neige Sicard». Le véhicule combinait le châssis d'un camion à quatre roues motrices, un moteur de camion, une pelle à neige et une souffleuse munie de deux chutes ajustables et d'un moteur distinct. Il s'agissait du premier appareil de déneigement de classe commerciale au monde. Il pouvait projeter la neige à près de 30 mètres de distance, ou encore directement derrière le camion dans les lieux plus restreints. La déneigeuse remporta un succès immédiat. Dès 1927, les véhicules de Sicard déneigeaient les chemins d'Outremont, une banlieue de Montréal.

PEINTURE DE SIGNALISATION ROUTIÈRE
La fin du chaos sur les routes

On pourrait penser que les lignes de séparation sur les routes existent depuis aussi longtemps que les routes pavées elles-mêmes. Or, ce n'est pas le cas. C'est seulement en 1930 qu'une ligne fut peinte sur une route pour la première fois. Le ruban d'asphalte en question était une section de l'autoroute près de la frontière entre l'Ontario et le Québec. L'homme à qui l'on doit la bande blanche est John Millar, un ingénieur du ministère des Transports de l'Ontario. Sans surprise, l'innovation se répandit très rapidement et, bientôt, les lignes de séparation firent partie des routes partout en Amérique du Nord. Avec le temps, on ajouta des lignes discontinues, jaunes, doubles, et diverses autres marques visant non pas simplement à séparer les voies sur la route, mais à communiquer avec les conducteurs. Des marques parlantes sur la chaussée – une innovation née d'une autre innovation.

RAILS EN ACIER TREMPÉ
La voie ferrée plus sécuritaire

Il fallait ralentir le refroidissement. En 1932, Irwin Mackie, de la Dominion Steel and Coal Corporation de Sydney, en Nouvelle-Écosse, mit au point un procédé permettant de prévenir l'apparition de fentes dans les rails d'acier des voies ferrées. La méthode de Mackie visait à réduire la vitesse de refroidissement des rails fraîchement moulés, en s'assurant que leur température et la durée du processus demeurent dans des plages déterminées. En 10 ans, la plupart des producteurs de rails du monde utilisaient la méthode du métallurgiste de Sydney. Un refroidissement plus lent… qui se propagea rapidement.

PROJET HABAKKUK
La piste d'atterrissage en mer

Toutes les tentatives d'innovation ne sont pas couronnées de succès, et pourtant, il arrive que leur intuition et leur intention méritent d'être célébrées. Le projet Habakkuk est l'un de ces nobles échecs. L'idée fut lancée en 1940 par le Quartier général des opérations combinées britannique, qui souhaitait faire découper des terrains d'aviation flottants dans d'épaisses plaques de glace. Ces pistes serviraient aux avions de chasse alliés qui protégeaient les navires de ravitaillement qui traversaient l'Atlantique des attaques des sous-marins allemands. Les chasseurs et les bombardiers utiliseraient aussi ces terrains d'aviation pour attaquer certaines régions d'Europe. Ces pistes, qui flotteraient sur les eaux froides de l'Atlantique, seraient difficiles à repérer par les sous-marins ennemis, elles pourraient aisément être réparées et déplacées selon les besoins. Une équipe d'ingénieurs et de scientifiques canadiens entreprirent au lac Patricia, au nord de l'Alberta, la construction d'une imposante maquette. Constatant que la glace fendait trop facilement, ils la solidifièrent avec de la pâte de bois, créant ainsi un nouveau matériau appelé pykrète. Le projet Habakkuk fut toutefois abandonné lorsqu'apparurent des moyens plus réalistes de protection des navires de ravitaillement, comme le radar, les systèmes de convois et les avions à plus long rayon d'action. Mais tout ne fondit pas comme neige au soleil. Il permit aux chercheurs d'acquérir une meilleure connaissance des propriétés de la glace, et le pykrète demeure aujourd'hui un matériau qui sert à solidifier les pistes des régions nordiques éloignées. Le projet Habakkuk: un noble échec qui n'en fut pas véritablement un.

WEASEL
L'arme polyvalente

Faites confiance à un Canadien pour concevoir le meilleur véhicule militaire pouvant se déplacer sur la neige! On l'appelle le «*Weasel*». Ce véhicule d'assaut a été créé en 1942 pour appuyer l'invasion par les alliés de la Norvège occupée par les nazis. On demanda au maître inventeur George Klein de créer les chenilles du véhicule. Ils ont fait le bon choix. George, qui travaillait au Conseil national de recherches Canada, était un ingénieur mécanique accompli, qui avait réalisé des recherches poussées sur les propriétés de la neige et de la glace. Quand il recommanda d'équiper le véhicule de chenilles légères, entièrement en caoutchouc, assez flexibles pour ne pas retenir la neige et la glace, les fabricants de Studebaker, en Indiana, rechignèrent. Ces derniers préféraient des chenilles en métal. Cela s'avéra un mauvais choix: pendant les essais, les chenilles de métal se recouvrirent d'une couche de glace. Le concept de George triompha, mais le *Weasel* ne se rendit pas en Norvège, l'invasion projetée ayant été annulée. Néanmoins, plus de 15 000 exemplaires du véhicule entrèrent en action sur d'autres théâtres d'opérations et demeurèrent populaires après la guerre, dans les régions de l'Arctique et de l'Antarctique, et partout ailleurs où il neige.

POMPIERS PARACHUTISTES
Les combattants tombés du ciel

La meilleure façon de lutter contre un énorme incendie de forêt est de l'empêcher dès le départ de gagner beaucoup de terrain. En 1947, le ministère des Ressources naturelles de la Saskatchewan releva cette idée et créa les premiers pompiers parachutistes. Leur nom le dit bien: ces pompiers sont parachutés sur un brasier alors qu'il est encore assez petit pour être éteint à l'aide de scies, de pelles, de haches et de pioches. C'est là une tâche pour les êtres au cœur solide, et les premiers pompiers parachutistes étaient jeunes, en bonne forme physique, et ils avaient reçu une formation en premiers soins, lutte contre les incendies, pliage de parachute et, bien sûr, saut en parachute. Ils formaient une force paramilitaire dont l'ennemi était le feu. À l'image des incendies que ces hommes s'engageaient à maîtriser, l'idée qu'ils incarnaient se propagea rapidement bien au-delà de la Saskatchewan. Des pompiers parachutistes apparurent dans le nord-ouest des États-Unis, ainsi que dans l'est et le centre de la Russie, des régions couvertes d'épaisses forêts, mais disposant de peu de routes. Tout comme les incendies qu'ils combattent, les pompiers parachutistes ont pris une très grande importance en peu de temps.

TRANSFORMEZ VOTRE IDÉE EN ENTREPRISE : VOICI COMMENT.

☐ Développez votre idée en un concept opérationnel, simplifiez-le ensuite de manière à pouvoir l'expliquer facilement aux autres.

☐ Discutez de votre idée avec des personnes de confiance, puis décelez les failles et apportez des améliorations.

☐ Incorporez une compagnie.

☐ Fabriquez un prototype, souvent appelé « produit minimal viable » (PMV).

☐ Cernez le problème de vos clients et renseignez-vous pour connaître le nombre de clients ayant ce problème.

☐ Expliquez-leur clairement votre solution et les effets positifs qu'elle produira.

☐ Perfectionnez votre prototype jusqu'à ce que vous ayez un produit fiable qui traite immédiatement le problème.

☐ Demandez à vos clients d'utiliser le produit (même sous forme de prototype) pour vérifier s'il résout vraiment le problème.

☐ Demandez à vos clients s'ils paieraient pour le produit minimal viable. Sinon, améliorez-le encore et encore, jusqu'à ce qu'ils souhaitent l'obtenir. Quand les clients sont prêts à payer pour un produit, vous détenez une affaire.

PROTECTION CONTRE LES AVALANCHES
La collaboration qui sauve des vies

Qu'est-ce qui permet de tromper la mort blanche ? Le travail d'équipe. En 1950, les constructeurs d'autoroutes, les responsables des transports et les chercheurs qui étudiaient les masses de neige mirent à profit leurs talents et leurs connaissances particulières pour empêcher les avalanches de faucher la vie des automobilistes qui empruntaient la route transcanadienne et traversaient le col Rogers. Situé en Colombie-Britannique, il est notoirement reconnu comme un endroit où les risques d'avalanches sont élevés. Celle qui se produisit en 1910 tua 62 travailleurs du rail. Dans le cadre de la planification de la nouvelle route, des spécialistes du contrôle des avalanches du Conseil national de recherches Canada aidèrent les constructeurs à choisir le trajet le plus sécuritaire à travers le col. Ils collaborèrent également avec des agents du gouvernement, leur apprenant à prévoir les avalanches en observant les vents, la température et la couverture de neige. Ils sont encore à l'œuvre aujourd'hui, intervenant avec des gens de la région pour maintenir le programme mobile de prévention d'avalanches le plus important au monde. Et qu'en est-il de la mort blanche ? Au col Rogers, aucun automobiliste n'y a succombé depuis la fin de la construction de cette portion de la route, en 1962.

CLOU VRILLÉ
Le clou ardox

Nous avons tous nos petites obsessions. Celle d'Alan Dove était les clous. Petit, il les enfonçait et les retirait. De toutes les sortes : des neufs et des vieux, de minuscules punaises et des pics à bout carré, des ronds et des coupés. Devenu adulte, il commença à les étudier de façon plus approfondie et se mit à réfléchir à des façons de les améliorer. L'obsession d'Alan atteignit son apogée en 1954, lorsqu'il créa le clou vrillé. En tant qu'employé de Stelco – géant de la production d'acier de Hamilton, en Ontario –, il réalisa que lui et ses collègues seraient mieux servis par un clou plus facile à planter, qui ne fendrait pas le bois dans lequel on l'enfonçait, et qui serait plus solide une fois planté. Son clou vrillé répondait à ces trois exigences : il s'enfonçait plus rapidement, fendait rarement le bois et serrait fermement. Obsessivement, diront certains.

SYSTÈME BEARTRAP
Pour se poser en toute sécurité

Certains pièges à ours (*bear traps*) se trouvent bien loin de la forêt. Le Beartrap – officiellement connu comme le « dispositif d'appontage et d'arrimage rapide d'hélicoptère » –, utilisé par les forces navales dans le monde entier, permet à cet appareil de se poser sur le pont d'envol des frégates, destroyers et autres navires de guerre, soumis au roulis et au tangage. Créé en 1956 par la Fairey Aviation de Dartmouth, en Nouvelle-Écosse, le système Beartrap peut être placé sur un bateau, mais il s'agit en fait d'un conduit qui permet de réunir un navire et un hélicoptère. Imaginez cet aéronef en vol stationnaire au-dessus d'un pont en mouvement. Il fait descendre une corde, avec une sonde fixée à son extrémité. L'équipage attache la sonde à un câble plus solide, qui a été passé à travers le Beartrap à partir d'un treuil situé sous le pont. La corde et le câble joints sont remontés jusqu'à ce qu'ils soient bien attachés à l'appareil. Le pilote augmente la puissance des moteurs pour équilibrer la traction du treuil et la sustentation de l'hélicoptère. L'aéronef est ainsi en synchronisation avec les mouvements du navire. Ensuite, le pilote réduit la puissance, et le treuil tire l'appareil, lentement et sûrement, juste au-dessus du pont. La mer agitée a beau faire tanguer le bateau et l'hélicoptère, les deux sont secoués et dansent en harmonie. Au moment opportun, un officier à bord du navire ordonne au pilote d'atterrir. Le Beartrap se referme alors, capturant la sonde principale de l'hélicoptère, arrimant solidement l'aéronef au pont. Au besoin, le Beartrap peut aussi tirer l'appareil jusqu'à son hangar. Les forces maritimes du Japon, d'Australie, des États-Unis et d'ailleurs dans le monde ont rapidement adopté le système Beartrap. Cette contribution canadienne majeure à l'aéronavale est devenue pour elles, comme pour le Canada, la meilleure façon de descendre en toute sécurité.

MAINTIEN DE LA PAIX
L'homme qui sauva le monde

Les soldats combattent dans des guerres. Il fallut un Canadien au naturel doux pour voir qu'ils pouvaient devenir des instruments de paix. Non pas d'une paix gagnée à l'issue d'une victoire, mais de la paix qui naît de l'assurance et de la confiance que le camp adverse cessera le combat. Cet homme était Lester B. Pearson. Ce diplomate se retrouva sur la scène mondiale en 1956, après l'éclatement des hostilités entre l'Égypte et ses adversaires, la France, Israël et la Grande-Bretagne, au sujet du contrôle du canal de Suez. Les deux parties eurent très vite envie de mettre fin au conflit, mais elles ne pouvaient se résoudre à faire le nécessaire pour arrêter les combats et se retirer du champ de bataille. Pearson proposa de déployer, sous commandement des Nations Unies, des forces de pays neutres, non armées ou légèrement armées, pour superviser le retrait des forces belligérantes et faire respecter les conditions du cessez-le-feu. Ainsi fut créée la première Force d'urgence des Nations Unies. Le succès ultérieur et incontestable de l'idée de cet humble Canadien lui valut le prix Nobel de la paix en 1957. Le comité de sélection du prix déclara que Pearson avait «sauvé le monde». Et le monde approuva.

TUYÈRE PROTÉGÉE
L'autre découverte née dans une baignoire

Avouez-le : vous avez déjà pété dans le bain. Robert Lee s'en est confessé... et avec joie. Ce métallurgiste montréalais eut en effet l'idée d'utiliser des jets d'air chaud pour mélanger de l'acier en fusion à l'aide de ce qu'on appelle aujourd'hui une « tuyère protégée ». Avant que Robert ne fabrique son « bain de bulles naturelles », en 1958, l'acier était fabriqué en remuant physiquement le mélange à l'état fondu qui reposait dans un fourneau ou une forge. Le procédé était inefficace et s'avérait carrément dangereux pour les personnes qui effectuaient cette tâche. Les tuyères protégées de Robert – généralement faites de cuivre – posées au bas du fourneau permirent de faire entrer de l'air chaud dans le mélange (parfois enrichi d'oxygène pur), lequel s'élevait dans le métal en fusion et le remuait à mesure que l'air se frayait un chemin à travers le liquide. Voilà un dispositif qui sauve des vies, né d'une observation attentive, d'une dose de bon sens et de... vous savez quoi. Pousse-toi, Archimède, ta baignoire est assez grande pour deux !

INDICATEUR DE POSITION D'ÉCRASEMENT
La balise silencieuse

Quoi de plus difficile que de trouver la proverbiale aiguille dans une botte de foin ? Trouver un avion qui s'est écrasé dans l'étendue sauvage du Nord canadien. Même si un vol en difficulté émet un signal de détresse, en repérer les restes et des survivants éventuels dans une vaste région inhospitalière constitue une entreprise risquée. De nombreux systèmes furent testés sans succès ; ces engins expérimentaux comprenaient de multiples pièces mobiles, ce qui les rendait peu fiables. Comment auraient-ils pu résister à un tel impact ? Harry Stevenson avait saisi que, pour être fiable, un tel dispositif ne devait comporter aucune pièce mobile. Avec le soutien du Conseil national de recherches Canada, cet ingénieur créa une cassette minuscule constituée de trois parties fusionnées : un émetteur, une antenne et un système de diffusion. Fixé à l'extérieur d'un aéronef et projeté par un mécanisme à ressort en cas d'impact, cet indicateur de position d'écrasement de Harry était conçu pour être largué à bonne distance de l'avion en cas d'écrasement. Le dispositif était aussi à l'épreuve de l'eau et du feu, et pouvait résister aux chocs les plus violents. Non moins importante, l'antenne était en mesure d'émettre un signal, quelle que soit son orientation. En 1959, l'indicateur de position d'écrasement connut un succès immédiat. Il fait désormais partie de l'équipement des avions commerciaux, composante de la célèbre « boîte noire », l'enregistreur de bord. Il est la balise silencieuse qui nous conduit... jusqu'à l'aiguille dans la botte de foin.

MASQUE DE GARDIEN
Innovation et bon sens

Pour beaucoup, Joseph Jacques Omer Plante restera le plus grand innovateur du hockey, ou simplement le gardien de but le plus sensé de l'histoire de ce sport. Enfant, il pratiquait le sport préféré des Canadiens en bottes d'hiver, avec une balle de tennis et un bâton de gardien sculpté dans la racine d'un arbre. Ses premières jambières de gardien étaient des sacs de pommes de terre enroulés autour de panneaux de bois. Plus tard, quand son talent phénoménal lui permit d'accéder à la LNH avec les Canadiens de Montréal, il participa à tous les entraînements, portant des tuques qu'il avait lui-même tricotées. En 1959, il était l'une des vedettes de hockey les plus populaires de l'histoire du sport, mais son visage avait été mis à mal. Pendant ses temps libres, il mit au point une solution maison, mais son entraîneur, Hector « Toe »

Blake, lui interdit de s'en servir. Jusqu'à ce que Jacques menace de faire la grève. Lors d'une partie contre les Rangers de New York, en 1959, quelques minutes après qu'on eut refermé une coupure causée par une rondelle, Jacques déclara à son entraîneur : « Laisse-moi jouer avec mon masque, ou bien je ne joue pas. » Même si Blake fit valoir que le masque serait considéré par les partisans comme un signe de lâcheté, il n'eut pas le choix d'accepter. Quelques instants plus tard, Plante se dirigea sur la patinoire portant sa propre création : un masque moulé en fibre de verre qui épousait les contours de son visage, avec des trous grossiers pour les yeux. En retournant devant le filet, avec son masque, Jacques transforma son sport à jamais. Depuis ce jour, aucun gardien ne pourrait imaginer jouer sans un masque. Jacques Plante et ses Canadiens bien-aimés remportèrent par la suite six coupes Stanley, et l'innovateur du masque devint un héros et un modèle pour tous.

OSMOSE INVERSE
L'histoire salée

Appelons ça l'ironie de l'innovation : le Canada possède de vastes réserves d'eau douce, et pourtant, un Canadien est à l'origine d'un procédé permettant de transformer l'eau salée en eau douce. Son nom est Srinivasa Sourirajan. En 1959, ce scientifique d'Ottawa – en collaboration avec Sidney Loeb, un collègue de l'UCLA – conçut une membrane d'acétate de cellulose semi-perméable pour dessaler l'eau. Celle-ci est utilisée pour éliminer les ions salins à mesure qu'elle est traversée par de l'eau pressurisée. Ce processus est appelé «osmose inverse». Cinq ans plus tard, on avait créé des membranes asymétriques afin de rendre le procédé commercialement viable. Aujourd'hui, les membranes d'osmose inverse servent aussi à traiter l'eau dure, à purifier les eaux polluées et à recycler les eaux usées. Elles sont également appliquées à toutes sortes d'industries, aussi variées que la médecine et le sirop d'érable. Après tout, ce n'est peut-être pas ironique, simplement dans la nature des choses.

MANTEAU THERMOFLOAT
L'ange gardien des marins

Chaque fois que quelqu'un perdait la vie dans l'eau près de chez John Hayward, les coroners attribuaient, le plus souvent, cette mort à une noyade. Hayward voyait les choses différemment. Ce biologiste thermique de l'Université de Victoria devina – et finit par prouver – que, souvent, la cause du décès dans l'eau n'était pas la noyade, mais bien l'hypothermie, en particulier lorsque la tragédie survenait dans les eaux froides de la côte Pacifique du Canada. Avec cette conviction, John Hayward et son équipe se mirent à l'œuvre.

En collaboration avec ses partenaires de recherche John Eckerson et Martin Collis, Hayward conçut le premier manteau Thermofloat. Au gilet de sauvetage traditionnel, l'équipe de l'Université de Victoria ajouta du rembourrage dans certaines zones, là où le corps est le plus susceptible de perdre de la chaleur, soit le cou et les côtés. Ils ajoutèrent également un rabat amovible qui pouvait être porté comme un short, permettant de réduire la perte de chaleur dans la région de l'aine et d'empêcher l'eau de remonter jusqu'au torse. Hayward et ses partenaires vendirent les droits de fabrication de leur produit breveté à un petit fabricant de vêtements local, et l'ange gardien des marins prit son envol.

RENIFLEUR D'EXPLOSIFS
L'odeur du danger

Saviez-vous que des explosifs qui n'ont pas encore éclaté émettent de faibles vapeurs de produits chimiques ? À partir de ce fait, Lorne Elias créa en 1984 le premier renifleur d'explosifs. Chercheur du Conseil national de recherches Canada, Elias nomma son nouveau nez le « détecteur de vapeurs d'explosifs », ou « EVD-1 » (*Explosives Vapour Detector*). Le dispositif de la taille d'une valise permettait au personnel des aéroports d'inspecter les bagages de manière rapide et fiable, à la recherche d'une grande variété d'explosifs, en plus de la dynamite. Au cours de la visite du pape Jean-Paul II au Canada, en 1984, l'appareil avisa les équipes de sécurité que quelque chose clochait dans ses bagages. Il s'avéra que l'un de ses gardes du corps avait un révolver dans sa valise. Après l'explosion de l'avion d'Air India, en 1985, où 329 passagers et membres d'équipage à destination de Bombay perdirent la vie, tous les aéroports canadiens ajoutèrent l'innovation de Lorne Elias à leur matériel standard. Le succès de l'EVD encouragea les scientifiques canadiens à créer une technique de reniflage d'explosifs plus fiable et encore plus rapide, en utilisant la spectrométrie de mobilité ionique pour détecter les explosifs, en analysant les particules électriquement chargées qu'ils renferment, et en identifiant leurs odeurs toxiques caractéristiques. Une meilleure sécurité suppose un tout nouveau sens de l'odorat.

SIFFLET SANS POIS
L'alarme fiable

Combien de fois Ron Foxcroft a-t-il utilisé son sifflet pour imposer un arrêt de jeu pour une faute, sans être entendu ? Suffisamment souvent en tout cas pour inciter cet arbitre de basketball à créer un nouveau type de sifflet. Ron passa trois ans à travailler sur une version sans pois du modèle traditionnel. En 1987, il avait perfectionné son dispositif. Celui-ci était composé de chambres de résonance qui produisaient un son de trille de différentes fréquences. Les sifflets traditionnels contiennent un pois de liège, qui permet de produire un son. Mais comme Ron en avait souvent fait l'expérience, le froid ou encore l'eau et la saleté contenues à l'intérieur les empêchaient de bien fonctionner. Aujourd'hui, le sifflet sans pois se retrouve partout : autour du cou des arbitres de basketball, dans les mains des officiels de hockey, à portée de main des alpinistes et des planchistes, et même attaché aux gilets de sauvetage. Appelons ça une innovation qui découle d'une frustration.

MANNEQUIN ACTAR 911
Sauver des vies... grandeur nature

Dianne Croteau a probablement sauvé plus de vies que quiconque, bien qu'indirectement. Elle fait partie des plus grands designers industriels et inventeurs du Canada, et a créé le mannequin ACTAR 911. Depuis sa création, en 1989, ce torse grandeur nature, et pourtant léger et facilement transportable, constitue la norme de l'industrie pour la formation en réanimation cardiorespiratoire (RCR). Ce nouveau modèle a remplacé les mannequins lourds et très peu pratiques utilisés pendant des années pour enseigner ce type de réanimation. La création pratique de Dianne a permis à des gens qui n'auraient pu le faire autrement de suivre une formation en RCR. Et combien de vies ces gens ont-ils sauvées ?

INSPECTION INTÉGRALE DES AÉRONEFS
La boule de cristal de l'aéronautique

L'innovation consiste parfois tout simplement à prendre une technique créée dans un but précis et à l'adapter pour répondre à un autre objectif. C'est exactement ce que le Conseil national de recherches Canada et Diffracto Limited, de Windsor, en Ontario, ont fait en 1990. Cette compagnie produit un outil qui utilise la lumière pour inspecter les automobiles et révéler tout dommage et toute déformation invisibles à l'œil nu. Les deux organismes adaptent cette méthode pour balayer de grandes sections d'aéronefs à la recherche d'imperfections. Non seulement la technique accélère le processus d'inspection, mais elle l'améliore. En effet, les techniciens aéronautiques peuvent désormais concentrer leur temps et leur énergie à examiner les avions sous la surface, dans des endroits précis et ciblés, à la recherche d'indices de dommages causés par l'âge, la corrosion et les collisions. Cette boule de cristal du génie aéronautique a radicalement changé la façon dont les appareils sont inspectés, entretenus et réparés, et ce, partout dans le monde. Cette transformation a permis d'économiser de l'argent, de réduire les risques et d'améliorer la sécurité. La technique s'est avérée tellement profitable que, même si elle a d'abord été mise au point pour les avions, elle influe désormais sur la conception et la construction de ponts et autres infrastructures publiques. Définir un objectif, le redéfinir... et le redéfinir encore.

GRANULES ECOTRACTION
Le sel de voirie inoffensif

Le sel de voirie tue. On a effectivement fait des liens entre son utilisation et de nombreux cancers chez des chiens et des chats. Quand un animal se lèche les pattes après une promenade dans une rue ou sur un trottoir couvert de gadoue, il ingère souvent du plomb, du mercure et autres toxines cancérigènes présentes dans le sel de voirie. Cet essentiel de l'hiver est aussi nocif pour les humains. Il s'enfonce dans la nappe phréatique et, une fois absorbé, il est impossible à éliminer. Plus encore, le sel de voirie cause d'importants dégâts aux véhicules, aux routes et aux ponts, rendant ceux-ci moins sécuritaires et plus coûteux à entretenir. Mark Watson, inspiré par la mort de son chien bien-aimé, un

épagneul cocker nommé Grover, trouva une solution de rechange. En 2005, l'entrepreneur et son collègue, Marc Appleby, découvrirent un minéral non toxique et entièrement naturel, membre d'un groupe spécial de minéraux volcaniques, les tectosilicates. Mark et Marc l'appelèrent EcoTraction. Le produit s'enfonce dans la glace et la neige, créant une surface antidérapante. Mais contrairement au sel, il est sans danger pour les plantes, les animaux et les humains, et il ne cause aucune corrosion sur les véhicules, les routes ou les ponts, ou quoi que ce soit d'autre. Longue vie à EcoTraction!

MIOVISION
Un compteur plus intelligent

Ils sont probablement la preuve la plus manifeste de l'arrivée de l'été en ville : ces jeunes hommes et femmes assis dans des chaises de parterre près des intersections, qui comptent les véhicules. Kurtis McBride, de Waterloo, en Ontario, était du nombre. Il trouvait la tâche fastidieuse pour les employés, et la considérait comme un moyen totalement inefficace pour les municipalités qui souhaitaient recueillir des données relatives à la circulation routière. Kurtis ne se contenta pas de rouspéter, il créa Miovision. Cette technologie de gestion des transports capte puis traite des millions d'heures de vidéos de circulation, et produit des données d'une grande précision. Depuis 2005, des gouvernements municipaux partout dans le monde misent sur cette avancée pour améliorer les réseaux de transport et garantir que les infrastructures des villes répondent aux besoins d'aujourd'hui. Voilà un compteur intelligent qui a inventé un compteur plus intelligent encore.

HERSWAB
L'autodépistage du cancer du col de l'utérus

Chaque année, plus de 275 000 femmes meurent du cancer du col de l'utérus. Des femmes qui, pour la plupart, n'avaient subi aucun dépistage du virus causant la maladie. Le problème n'est pas technique, mais comportemental. De nombreuses femmes ne subissent pas de test de dépistage du virus du papillome humain à haut risque, parce qu'elles n'ont pas le temps ou pas accès à un médecin, parce que l'examen les rend mal à l'aise ou que leur culture les en empêche. Quand on les additionne, les chiffres sont effarants : un tiers des femmes des pays développés du monde n'ont jamais subi de test de dépistage du virus causant le cancer du col de l'utérus ou ne subissent pas de tests régulièrement. Mais cela est sur le point de changer. En 2010, Jessica Ching, une conceptrice industrielle de Toronto, créa HerSwab. Ce premier autotest de dépistage du cancer du col de l'utérus au monde est conçu pour permettre aux femmes de prélever elles-mêmes des échantillons près du col, là où il est le plus probable qu'on trouvera des traces du virus du papillome humain. L'autotest pour le cancer du col de l'utérus existe désormais. Voyons maintenant ce qu'il peut accomplir.

COUSSIN D'HÉLICOPTÈRE
Un vol en tout confort

Une des grandes menaces pour la sécurité en hélicoptère découle d'une source insoupçonnée : l'inconfort du pilote. Les secousses et tremblements continuels qu'il subit, souvent pendant des heures, ont des conséquences graves. Non seulement ils causent de la douleur et de la fatigue, ce qui constitue une menace pour la sécurité, mais ils occasionnent, à long terme, des problèmes physiques, comme la douleur chronique au dos et au cou. En 2011, des chercheurs du ministère de la Défense nationale et du Conseil national de recherches Canada ont mis à profit leurs vastes connaissances des causes et des effets des vibrations pour créer un nouveau coussin d'hélicoptère. Le concept combine une mousse traditionnelle et un matériau capable d'absorber l'énergie. Le motif en cellules hexagonales du matériau se mêle à un système de conduits d'aération pour dissiper l'énergie vibratoire. Plus important encore, le nouveau coussin améliore le confort des pilotes, sans compromettre la navigabilité ou la sécurité de l'appareil. En fait, un vol plus confortable est un vol plus sécuritaire. L'innovation est aujourd'hui intégrée au nouveau siège blindé du CH-146 Griffon des Forces armées canadiennes, pour aider à améliorer le confort et la santé de son équipage.

PONT SANS RÉPARATIONS
La solution en béton

Le revêtement du tablier du pont du canal n'aura pas besoin d'être refait avant le 22ᵉ siècle. Ce n'est pas de la magie. En fait, peut-être juste un soupçon de magie. Le pont transfrontalier de Cornwall, en Ontario, terminé en 2016, est recouvert d'un nouveau type de béton. Pour établir avec précision le bon mélange d'ingrédients, il aura fallu entreprendre un long processus d'expérimentation et de contrôle de nombreuses techniques du béton sophistiquées et déterminer exactement les proportions requises de ciment, d'eau, de produits chimiques, de sables spéciaux et de gros granulats. Inspirée par le projet Infrastructures essentielles en béton du Canada, l'équipe à l'origine du mélange est tout aussi complexe : une combinaison très

variée de fournisseurs, d'organismes gouvernementaux et d'organisations de recherche, notamment la Société des ponts fédéraux Limitée, Transports Québec, la Commission de la capitale nationale, la Ville d'Ottawa, W. R. Grace, Lafarge North America et Northeast Solite. Résultat : un béton qui confère aux ponts une durée de vie quelque cinq fois supérieure à celle des ponts recouverts du matériau dur conventionnel. Oui, le nouveau mélange coûte environ 20 pour cent de plus. Toutefois, grâce à la solidité, à la durabilité et à la sécurité des ponts sans réparations, les économies réalisées par leurs propriétaires et par les contribuables compenseront de beaucoup le prix plus élevé. Le pont du futur est là, et c'est au Canada qu'on le construit.

PABLUM

16,700 (1934)

T.M.

CHAPITRE 5

Plus...
intelligent
proche
bienveillant
sûr
sain
riche
heureux

Quand la santé va, tout va... et nous nous portons mieux grâce au Canada. Au moyen de collaborations soutenues et volontaires entre des équipes créatives présentes dans les hôpitaux, les universités, les organismes de recherche, les corporations privées et les institutions nationales axées sur l'innovation, des Canadiens et des Canadiennes ont trouvé des remèdes ou des traitements pour des maladies comme le diabète, la méningite, la maladie de Hodgkin, la peste bovine et le sida. Ils ont conçu et fabriqué des instruments, comme le microscope électronique, le costotome, l'appareil de radiation au cobalt, l'agrafeuse chirurgicale et le crampon pour plaie, qui ont rendu possibles de nouveaux traitements susceptibles de sauver des vies. Et ils ont inventé des aliments plus sains, comme les céréales pour bébés et le beurre d'arachide, qui ont amélioré l'alimentation, permis de prévenir les décès précoces et de prolonger la vie.

BEURRE D'ARACHIDE
Le substitut de protéine

Écartez-vous, George Washington Carver! Contrairement à la croyance presque universelle, ce célèbre botaniste américain n'a pas créé le beurre d'arachide. Le mérite de la splendeur-qui-colle-au-palais revient à Marcellus Gilmore Edson. En 1884, ce pharmacien québécois obtint le premier brevet pour le beurre d'arachide, ou «peanut-candy», comme on l'appelait alors. L'homme avait observé que le fait de chauffer les surfaces servant à broyer les arachides à 100 degrés Fahrenheit permettait d'obtenir un fluide épais. C'est ainsi que Marcellus fit sa découverte. En refroidissant, le broyat liquide durcissait pour devenir une pâte semblable au beurre. Entra alors en scène John Kellogg, de l'empire céréalier, qui commercialisa la tartinade crémeuse comme substitut protéiné destiné aux personnes ayant de la difficulté à manger des aliments solides. Désolé, Monsieur Carver!

SIROP BUCKLEY
Une cuillerée au mauvais goût

Au printemps 1919, la toux n'était pas à prendre à la légère. La grippe était une maladie mortelle, pas un simple désagrément passager. Quand les clients de la pharmacie de William Buckley, à Toronto, venaient le voir pour obtenir un antitussif plus puissant que ceux qui étaient alors disponibles, il ne pouvait pas les aider. Cela l'ennuyait. Rapidement, il se mit au travail et concocta un mélange de menthol, d'huile d'aiguilles de pin, de carbonate d'ammonium et d'extrait de mousse d'Irlande. Son sirop éliminait effectivement la toux, mais son goût était plutôt… particulier. Lui-même qualifiait le goût de sa mixture de «robuste», mais pour les clients pressés d'être soulagés, c'était là un cadeau du ciel, peu importe le goût. Les ventes du sirop Buckley furent proportionnelles à l'ampleur de son mauvais goût, incitant le pharmacien à ouvrir sa propre usine de fabrication. Le sirop n'a peut-être pas sauvé des vies, et «mauvais» n'est peut-être qu'une façon polie de dire «horrible», mais il était efficace. Et il l'est toujours.

INSULINE
La fin de la terreur

Diabète… il fut un temps où ce mot provoquait l'effroi chez les patients. Un enfant recevant ce diagnostic pouvait s'attendre à vivre une vie de maladie et de souffrance, qui prendrait fin avant même le début de l'adolescence. Ce mot ne provoque plus la terreur, et c'est en grande partie grâce à trois Canadiens : un médecin et chercheur, le Dr Frederick Banting, son assistant, Charles Best, et leur superviseur à l'Université de Toronto, J. J. R. Macleod. Au cours du mémorable été 1921, Banting et Best réussirent à isoler ce que nous appelons aujourd'hui l'« insuline ». Ils menaient alors des expériences dans un laboratoire prêté par Macleod, qui était parti en vacances. Pendant les quelques mois suivants, la petite équipe, à laquelle s'était joint le biochimiste James Collip, raffina sa décou-

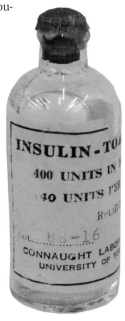

verte, jusqu'à ce que le composé s'avère un traitement efficace contre la redoutable maladie. L'entreprise pharmaceutique Eli Lilly and Company s'associa au projet à la fin de 1922, utilisant ses ressources pour produire de grandes quantités d'insuline hautement raffinée, rendant le traitement largement accessible et mettant fin à la terreur.

FIN DE LA ROUILLE DES CÉRÉALES
Combattre le fléau

Nous ne pouvons qu'espérer voir un jour une réussite professionnelle aussi convaincante que celle de Margaret Newton. En 1925, le ministre canadien de l'Agriculture la nomma à la tête du Laboratoire fédéral de recherche sur les rouilles à l'Université du Manitoba et lui confia la tâche de vaincre la rouille des graminées. À l'époque, ce champignon pathogène représentait un fléau pour les cultures du pays, détruisant chaque année quelque 30 millions de boisseaux de blé. Quand elle prit sa retraite environ 20 ans plus tard, ce nombre était réduit à zéro et tout le mérite lui revient. Au cours de sa carrière, elle écrivit plus de 30 documents de recherche sur le sujet des rouilles, une myriade de connaissances que les responsables gouvernementaux et les agriculteurs utilisèrent pour supprimer le fléau des cultures canadiennes. La bataille était gagnée.

COSTOTOME
Pour un accès rapide au cœur

Difficile de définir le Dr Norman Bethune : héros altruiste ou homme égoïste, amoureux de l'humanité ou ami et mari cruel, esprit médical brillant ou chirurgien négligent et impatient… Mais s'il y a une chose qu'on peut retenir de l'héritage de cet homme, c'est l'apport durable de l'outil chirurgical qui porte son nom. Le costotome Bethune a été conçu et mis au point par le chirurgien thoracique alors qu'il travaillait à l'Hôpital Royal Victoria, à Montréal, au début des années 1930. Ces ciseaux servant à couper les côtes possèdent une longue poignée en forme de S et une petite tête, deux caractéristiques qui en font l'outil idéal pour découper avec précision les os, les muscles et les tissus conjonctifs fragiles protégeant les organes dans la cavité thoracique. Solides et pourtant délicats, ils sont aussi parfaits pour couper l'orbite lors des chirurgies oculaires. Novateur, simple et pratique, le costotome du Dr Bethune est toujours utilisé partout dans le monde, plus de 85 ans après sa création.

PABLUM
L'autre nourriture pour nourrissons

Quelle que soit leur marque de commerce, tous les types d'aliments préparés pour nourrissons sont communément appelés du « Pablum ». Ce fait témoigne de la réussite extraordinaire de trois pédiatres de Toronto. Stimulés par l'augmentation du nombre d'enfants souffrant de malnutrition, les docteurs Alan Brown, Fred Tisdall et Theo Drake, du Toronto Hospital for Sick Children, élaborèrent une préparation pour nourrissons et jeunes enfants. Leurs céréales pour bébés présentaient deux avantages par rapport à d'autres produits alimentaires pour enfants : elles étaient faciles à préparer et, bourrées de minéraux et de vitamines, elles étaient nourrissantes pour tous ceux qui en mangeaient. L'effet du Pablum se fit immédiatement sentir. Peu après l'introduction de la préparation, en 1931, les responsables de l'hôpital observèrent la chute des taux de mortalité chez les nourrissons et les jeunes enfants. Le Pablum eut un effet bénéfique non seulement sur eux, mais aussi sur l'hôpital lui-même. Dans ses négociations en vue de la production et de la vente du Pablum, le Dr Tisdall fit en sorte que l'hôpital conserve les droits de brevet sur la préparation, garantissant des millions de dollars en redevances pour financer la recherche pédiatrique. Ainsi, les céréales pour enfants améliorèrent la santé des nourrissons… et celle de l'établissement de santé.

TECHNIQUE DE L'ÉCOLE DE MONTRÉAL
La chirurgie du cerveau en état d'éveil

Si vous avez le cœur fragile, il serait préférable de vous abstenir de lire ce qui suit. On y décrira ce qu'on appelle aujourd'hui la «technique de l'école de Montréal» ou la «façon montréalaise». Mise au point en 1931 par le Dr Wilder Penfield, de l'Institut neurologique de Montréal de l'Université McGill, cette méthode neurologique permet d'éliminer les crises d'épilepsie sévères. Voici comment cela fonctionne. Le neurochirurgien administre au patient un anesthésique local, permettant à celui-ci d'être conscient pendant toute l'intervention. Puis il découpe ensuite un morceau du crâne pour exposer les tissus cérébraux. Pendant que le chirurgien stimule le cerveau, le patient décrit ce qu'il ressent, permettant au médecin de localiser l'endroit précis responsable des convulsions. Enfin, le chirurgien détruit les cellules nerveuses de la zone atteinte pour mettre fin aux crises d'épilepsie. Le Dr Penfield observa que plus de la moitié des patients traités à «la façon montréalaise» étaient débarrassés de leurs crises. La méthode lui permit également de créer une carte des cortex sensoriel et moteur du cerveau, et de montrer clairement les liens entre le cerveau, les membres et les organes du corps. Ces cartes, restées pratiquement identiques, sont toujours utilisées aujourd'hui. Bon, c'est terminé. Les cœurs sensibles peuvent reprendre leur lecture.

ATLAS DU CŒUR
Le catalogue cardiaque

Si on veut réparer quelque chose, on doit d'abord comprendre ce qui ne va pas. Ainsi, pour réparer un cœur endommagé, on doit d'abord connaître toutes les maladies et anomalies qui peuvent affecter cet organe vital. *The Atlas of Congenital Cardiac Disease* (*L'Atlas des maladies cardiaques congénitales*) a permis pour la première fois aux chirurgiens cardiaques d'acquérir ces connaissances essentielles. Publié en 1936, ce catalogue du cœur était l'œuvre d'une femme remarquable, Maude Abbott. Pathologiste médicale de formation, elle utilisa son poste de conservatrice adjointe du musée de médecine de l'Université McGill pour recueillir et étudier le cœur de personnes décédées à la suite de problèmes cardiaques. Professionnelle infatigable, elle fouilla également des archives historiques, compilant soigneusement les anomalies relevées pendant les autopsies. Une fois terminé, son travail devint le document fondateur de la chirurgie cardiaque moderne, permettant plusieurs avancées en matière de physiologie du cœur et de diagnostic des maladies cardiaques. Ce qui rend les réalisations de la Dre Abbott encore plus remarquables, c'est le sexisme auquel elle s'est butée à chacune des étapes de sa carrière, en commençant par le refus de l'Université McGill de l'admettre dans sa faculté de médecine parce qu'elle était une femme. Cette barrière fut abolie en 1918, une décision qui n'avait que trop tardé.

SERVICE DE TRANSFUSION SANGUINE
Une vieille méthode pour répondre à de nouveaux besoins

Il arrive souvent que l'innovation naisse là où une ancienne méthode permet de répondre à un nouveau besoin. Une telle rencontre se produisit en Espagne en 1936. L'homme au cœur de celle-ci est Norman Bethune. Ce médecin canadien avait traversé l'Atlantique pour servir au sein des forces loyalistes dans le cadre de la guerre civile espagnole. Incapable d'obtenir un poste de chirurgien, Bethune trouva une autre façon d'apporter sa contribution. Il mit sur pied un service de transfusion qui transportait le sang jusqu'au champ de bataille afin de soigner les soldats blessés. Cette idée lui fut probablement inspirée par son expérience à l'Hôpital du Sacré-Cœur de Montréal. Sa courageuse innovation lui permit d'implanter le service de transfusion au cœur

des opérations militaires, là où il répondait à un besoin urgent et criant. Bethune n'était pas un homme facile à vivre et, las de devoir composer avec sa personnalité caustique, certains de ses compagnons espagnols lui suggérèrent de reprendre la route. Son service de transfusion sanguine lui survécut, en Espagne et bientôt partout ailleurs. Moins de deux ans plus tard, il se retrouva sur les champs de bataille en Chine, agissant à titre de conseiller médical et de chirurgien pour les combattants des deux camps, au cours de la révolution communiste. Mao Tse-tung admirait beaucoup son esprit innovateur et ses normes éthiques très élevées. Norman Bethune est le seul étranger à être mentionné dans les *Citations du président Mao Tse-tung*, le Petit Livre rouge qui devint l'un des livres les plus imprimés de l'histoire.

MICROSCOPE ÉLECTRONIQUE
Le premier œil électrique

« Il y a là plus qu'il n'y paraît à première vue. »
Pour James Hillier et Albert Prebus, c'était plus
qu'une simple maxime. En 1938, les deux étudiants
au doctorat de l'Université de Toronto profitèrent
de l'évolution rapide des nouvelles connaissances
sur le fonctionnement interne de l'atome pour
créer le microscope électronique. Alors que les
appareils optiques conventionnels utilisaient des
ondes lumineuses pour grossir les objets, celui de
Prebus et Hillier fonctionnait en concentrant un
rayon d'électrons. Leur longueur d'onde étant
beaucoup plus petite que celle de la lumière, le
microscope électronique permet d'obtenir un
grossissement et une profondeur de champ beaucoup plus grands. Le nouvel appareil avait une
capacité de grossissement de 7 000 fois, comparativement à 2 000 fois pour les microscopes optiques
traditionnels. Quelques années plus tard, ils créèrent
une version de leur appareil qui permettait de balayer
un objet avec un faisceau d'électrons pour en

produire une image,
qu'on pouvait voir sur
un écran. Rapidement,
les scientifiques tirèrent
profit de cette avancée,
approfondissant les
connaissances et en
acquérant de nouvelles
dans les domaines de la
biologie, de la médecine
et des matériaux. Les
microscopes électro-
niques font toujours
partie de l'équipement
des laboratoires partout sur la planète. C'est vrai,
il y a, dans le monde, bien plus qu'il n'y paraît à
première vue.

COMBINAISON ANTI-G
La grâce même sous la pression

Les avancées technologiques peuvent avoir des
conséquences imprévues. Pendant la Seconde
Guerre mondiale, à mesure que les avions alliés
devenaient de plus en plus puissants et capables
d'atteindre de très hautes altitudes, les pilotes
commencèrent à souffrir d'hypoxie temporaire,
un terme savant pour dire qu'ils s'évanouissaient.
De fait, lorsque la force gravitationnelle augmente,
le sang qui doit oxygéner le cerveau est refoulé vers
les jambes, ce qui cause une perte de connaissance.
C'est alors que Wilbur Franks entra en scène.
En 1940, ce pionnier de la médecine aéronautique
à l'Université de Toronto travailla avec son équipe à
concevoir une combinaison de vol dotée de vessies
remplies d'eau. Lorsque les pilotes subissaient une
augmentation de la force gravitationnelle, celles-ci
se gonflaient. Cette pression appliquée sur les
jambes et l'abdomen permettait au sang de circuler
normalement dans le corps du pilote. La combinaison
de vol Franks, puis ses modèles Mark I et II furent
immédiatement utilisés par les forces aériennes
britanniques, américaines et canadiennes. Dans les
modèles subséquents, la pression d'eau fut remplacée par une pression d'air. Les combinaisons de
vol permettent toujours aux pilotes et même aux
astronautes de supporter les conséquences imprévues des déplacements à grande vitesse.

TRAITEMENT HORMONAL
Une nouvelle façon de lutter contre le cancer

Pour Charles Huggins « La découverte est le fait d'un seul esprit et de quelques étudiants, à la rigueur. N'écrivez pas de livres. N'enseignez pas à des centaines d'étudiants. Consacrez votre temps à faire de sacrées bonnes découvertes. » Les recherches de ce médecin natif de Halifax ont montré que les cellules du cancer ne sont pas autonomes et qu'elles ne peuvent se reproduire elles-mêmes. Leur survie et leur croissance dépendent des hormones et d'autres signaux chimiques. En 1941, Huggins découvrit que les hormones peuvent servir à contrôler la propagation de certains cancers, comme celui de la prostate. Dix ans plus tard, il montra que, comme le cancer de la prostate, le cancer du sein dépendait de certaines hormones précises et qu'en les manipulant on pouvait influer sur le développement du cancer du sein à un stade avancé. En 1966, on décerna le prix Nobel de médecine au Dr Huggins pour son travail sur le traitement hormonal du cancer – une sacrée bonne découverte.

CURARE CHIRURGICAL
Le bon côté du poison

Pour les historiens de la médecine, le domaine de l'anesthésie se sépare en deux périodes : avant et après Griffith. Celui dont il est question est le Dr Harold Griffith, chef du service d'anesthésie à l'hôpital homéopathique de Montréal. En 1942, il fut le premier à employer le curare, jusque-là strictement considéré comme un poison, comme un anesthésiant chirurgical. Cela permit de démontrer qu'une dose précise de ce relaxant musculaire représentait un moyen sécuritaire de réduire considérablement l'utilisation des méthodes conventionnelles d'anesthésie. Le curare permit d'accroître les possibilités en matière de chirurgies. Il améliora les conditions dans lesquelles les opérations étaient réalisées. Il réduisit les risques de maladie ou de mort résultant d'une chirurgie. Et il ouvrit la voie à l'élaboration de douzaines d'anesthésiants, dont bon nombre sont toujours administrés de nos jours dans les hôpitaux du monde. Le monde après Griffith.

TRAITEMENT CONTRE
LA MALADIE DE HODGKIN
Les deux batailles

Vera Peters mena deux batailles. La première
consista à lutter contre le sexisme de son époque
pour obtenir son diplôme de l'école de médecine
dans les années 1930 et se spécialiser en oncologie.
La seconde bataille, elle la livra contre la maladie
de Hodgkin. En 1950, la Dre Peters découvrit que
cette maladie, un cancer du système lymphatique
considéré comme incurable, pouvait être guérie à
un stade précoce en administrant de fortes doses de
radiation. Ses collègues étaient sceptiques. Mais ce
fut là, pour elle, un autre combat qu'elle finit par
remporter. Le traitement de la Dre Peters fonctionnait systématiquement. Bientôt, on l'utilisa aussi
pour guérir le cancer du sein. Vera Peters fait partie
des nombreuses femmes canadiennes qui firent
œuvre de pionnières dans les domaines de la
médecine et de la science, et qui, tout en surmon-
tant les défis inutiles imposés par leur société,
réussirent à résoudre certains des problèmes
scientifiques les plus redoutables de leur époque.
Elles durent mener pour cela de difficiles batailles.

MOISSONNEUSE-BATTEUSE
ROTO THRESH
Pour séparer le grain de la paille

Les moissonneuses-batteuses avaient connu peu de
changements depuis plus de 150 ans, jusqu'à ce que
deux agriculteurs du Manitoba leur donnent un
nouvel essor. Celle de William et Frederick Streich,
la Roto Thresh, était la première machine agricole
à utiliser la force centrifuge d'un tambour rotatif
pour récolter et séparer le grain de l'ivraie et de la
paille. Les moissonneuses-batteuses traditionnelles
comptaient sur la gravité pour opérer la séparation.
La nouvelle moissonneuse imaginée par les deux
hommes permettait aux agriculteurs de récolter
plus de grain tout en générant moins de pertes
qu'avec les cylindres des anciennes machines.
William et Frederick créèrent leur prototype
en 1950, et la production de la Roto Thresh commença près de 25 ans plus tard, en 1974. Mais on
en fabriqua seulement 50 exemplaires. De nouvelles recherches montrant que la paille n'était
pas utile à la restauration des sols incitèrent les
agriculteurs à retourner aux moissonneuses-batteuses
traditionnelles. Ils obtenaient ainsi une paille de
meilleure qualité qui pouvait être mise en balles,
retirée des champs et utilisée comme fourrage pour
le bétail.

BOMBE CONTRE LE CANCER
Le traitement de pointe

Prendre quelque chose de mortel pour supprimer quelque chose qui l'est plus encore. Voilà l'inspiration à la source du traitement le plus efficace contre le cancer. Mis au point en 1951 par les docteurs Sylvia Fedoruk et Harold Johns, ce traitement consistait à diriger sur des tumeurs malignes des radiations gamma pénétrant en profondeur. Celles-ci provenaient d'un isotope radioactif, le cobalt-60. L'appareil de radiation au cobalt conçu par les deux chercheurs de l'Université de Saskatchewan dans les années 1950 permit de traiter quelque 6 700 patients, sauvant ou prolongeant la vie de plusieurs d'entre eux et redonnant espoir à de nombreux autres depuis. Sa version la plus célèbre, le Theratron «junior», conçu en 1957, émettait des radiations directement et profondément dans les zones atteintes du corps. La bombe contre le cancer de ces chercheurs novateurs est encore utilisée partout dans le monde comme traitement contre le cancer. Une bombe mortelle... bénéfique!

STIMULATEUR CARDIAQUE
Les impulsions bienfaisantes

L'exploration des mystères du cœur humain n'est pas réservée aux poètes et aux paroliers. En effet, des médecins et des ingénieurs, surtout des Canadiens, se sont penchés sur le sujet. Dans les années 1940, Wilfred Bigelow, médecin, entreprit des expériences à Toronto en utilisant le froid extrême pour ralentir le rythme cardiaque des patients pendant une chirurgie à cœur ouvert. Cette méthode était prometteuse, mais Bigelow n'arrivait pas à faire redémarrer de façon sécuritaire un cœur qui avait cessé de battre. On confia à John Hopps, ingénieur au Conseil national de recherches Canada, la tâche de trouver la solution à ce problème. En 1951, celui-ci mit au point un stimulateur cardiaque électrique qui envoyait une faible impulsion au cœur. Celle-ci provenait d'un casier métallique de la taille d'une boîte de céréales, qui utilisait des tubes à vide pour créer des impulsions électriques. Un fil isolé sortant du casier était inséré jusqu'au cœur, en suivant la veine jugulaire à partir du cou. Un cadran permettait de contrôler la puissance des impulsions, imitant l'impulsion naturelle de l'organe, sans endommager le muscle cardiaque. La réalisation de Hopps suscita une vague de travaux de recherche en génie biomédical et plaça le Canada à l'avant-garde dans ce domaine. En 1965, le Conseil national de recherches avait créé le premier stimulateur cardiaque biologique au monde. Des versions plus sophistiquées finirent par se retrouver dans le corps de millions de personnes dans le monde entier. L'une d'entre elles était John Hopps. Ingénieur, guéris-toi toi-même.

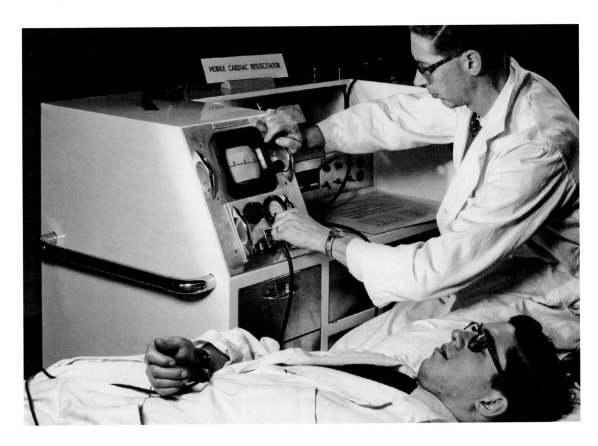

PONT CHIMIQUE
L'autre transfert d'électrons

Dans une réflexion sur les débuts de sa carrière, Henry Taube révéla qu'il avait eu de la difficulté à trouver des étudiants de cycle supérieur pour collaborer à ses travaux. Ceux-ci considéraient que l'étude des réactions de transferts d'électrons n'était pas suffisamment passionnante. Comme ils avaient tort! Né au Canada, ce chimiste est reconnu partout dans le monde comme le fondateur de l'étude moderne des mécanismes inorganiques. Il réalisa sa découverte la plus importante en 1952, en mettant au jour la façon dont les molécules bâtissent des ponts chimiques, alors que, selon la sagesse traditionnelle, elles se contentaient d'échanger des électrons. Cette étape intermédiaire dans le processus explique pourquoi les réactions entre des métaux et des ions semblables se produisent à des rythmes différents. Henry Taube reçut le prix Nobel de chimie en 1983 pour ses travaux. Cette récompense ne changea en rien ce chimiste humble et modeste. Elle eut toutefois un effet sur ses étudiants, qui manifestèrent un intérêt renouvelé pour ses recherches passionnantes.

SPECTROSCOPIE MOLÉCULAIRE
L'examen en profondeur

Examiner en profondeur un phénomène moléculaire qui ne dure que quelques millionièmes de seconde. Voilà le défi redoutable que Gerhard Herzberg, un physicien d'Ottawa, se lança en 1959. Celui-ci concentra ses observations sur le méthylène, une molécule instable considérée comme un radical libre. Les radicaux libres apparaissent très brièvement lors d'une réaction chimique, au moment où les molécules s'assemblent puis se réorganisent pour produire quelque chose de nouveau. En collaboration avec une équipe de collègues, le scientifique mit à profit son grand talent et réussit à déterminer les bandes – micro-ondes, rayonnements infrarouge et ultraviolet – du spectre électromagnétique de ce radical libre. C'était là une réalisation extraordinaire: non seulement pour les nouvelles connaissances sur la structure de cette molécule éphémère, mais aussi pour ce qu'elle suscita dans d'autres champs de recherche, notamment en médecine et dans le domaine des matériaux avancés. Par un examen en profondeur, Gerhard Herzberg permit à d'autres de voir plus loin, et son prix Nobel confirma que le monde entier admirait son point de vue.

CELLULES SOUCHES
La substantifique moelle

Une chose étrange se produisit en 1961, pendant une expérience de radiation, lorsque James Till, un médecin, et Ernest McCulloch, un physicien, augmentèrent la quantité de moelle osseuse qu'ils injectèrent à des souris. Deux choses, en fait. Les deux chercheurs constatèrent que les injections avaient augmenté le taux de survie des souris irradiées. Ils remarquèrent également d'étranges masses sur leur rate. Des expériences supplémentaires révélèrent que les masses étaient formées de cellules clonées découlant des injections. D'autres travaux réalisés par les deux chercheurs établirent que les cellules clonées, qu'ils surnommèrent « cellules souches », avaient la capacité de se renouveler et aussi de se transformer en des cellules encore plus spécialisées. Depuis, ces observations ont ouvert un nouveau champ de recherches médicales et suscité la mise au point d'une gamme de traitements permettant de soigner des maladies, maux et blessures autrefois jugés incurables. Curieusement, des événements merveilleux peuvent survenir lorsqu'on s'arrête à la substantifique moelle des choses.

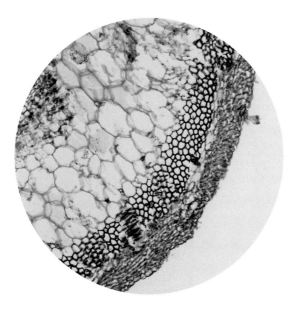

TROUVEZ DES INVESTISSEURS : VOICI COMMENT.

☐ Sachez que les clients qui achètent votre produit sont la meilleure source de financement. Votre besoin d'investissement en capital devrait se limiter aux situations suivantes : croître rapidement, attirer plus de clients, adopter plus de technologie, embaucher plus de personnel et consolider des partenariats.

☐ Trouvez un mentor et joignez-vous à un accélérateur d'entreprises avec lequel vous apprendrez à attirer à la fois des clients et des investisseurs.

☐ Peaufinez votre présentation auprès de l'investisseur en demandant à des entrepreneurs en résidence de déceler les failles dans votre proposition de valeur.

☐ Identifiez le type d'investisseurs que vous voulez, et songez qu'ils pourraient vous fournir autre chose que de l'argent, peut-être du mentorat, des relations, des clients, de la technologie ou de la crédibilité.

☐ Communiquez avec les entreprises qui reçoivent les mises de fonds des investisseurs que vous ciblez. Obtenez des commentaires sur le style et les préférences de chacun. Découvrez ce qui fonctionne le mieux dans chaque cas.

☐ Embauchez un conseiller juridique d'entreprise pour structurer adéquatement votre entreprise et favoriser l'investissement. Demandez-lui s'il a un contrat de démarrage.

☐ Soyez prêt à donner un pourcentage raisonnable de votre entreprise à vos investisseurs. Ce n'est pas si mal de toucher un petit pourcentage de ce qui pourrait devenir un immense succès.

☐ Sachez exactement comment vous utiliserez ces fonds d'investissement pour amorcer un tournant décisif.

☐ Soyez franc lors de votre présentation. Répondez à chacune des questions directement. N'exagérez jamais. Faites des projections prudentes. Admettez que vous avez des concurrents. Si vous ne connaissez pas un sujet, admettez-le aussi, et promettez de revenir plus tard avec l'information demandée.

☐ Habituez-vous aux refus. Le point de vue des investisseurs est différent du vôtre. Apprenez, adaptez-vous, persistez.

PISTOLET AGRAFEUR
DE MICROCHIRURGIE
Pour refermer de très, très près

George Klein fut l'innovateur canadien le plus prolifique du 20ᵉ siècle. Et pourtant, dans une vie remplie de réalisations dans le domaine de l'ingénierie, la plus importante de ses créations demeure le pistolet agrafeur de microchirurgie. Plutôt que de fixer du contreplaqué à des supports, cette petite merveille permet de sceller de minuscules vaisseaux sanguins du corps humain. Pour le créer, Klein se joignit à une équipe de médecins canadiens, dont faisait partie le célèbre chirurgien Isaac Vogelfanger. Ensemble, ils élaborèrent en 1962 un appareil formé de deux parties. La première, comme des forceps, entoure les extrémités des vaisseaux sectionnés et les réunit. La seconde encercle la jonction et, à l'aide de nombreuses petites agrafes de métal, la scelle instantanément. Plus rapide et plus efficace que les sutures traditionnelles, l'appareil agrafeur de microchirurgie permit de sauver de nombreuses vies. Il a toutefois apporté sa plus grande contribution dans les premières transplantations de reins et chirurgies cardiaques, qui auraient été impossibles sans sa précision et sa rapidité.

DÉCORTIQUEUSE DE SORGHO
L'appareil à écosser du monde en développement

Peu d'appareils ont eu une incidence plus importante sur la vie des habitants des pays en voie de développement qu'une modeste machine mise au point au Canada. La décortiqueuse de sorgho permet en effet de traiter cette céréale, ainsi que le millet et les autres cultures vivrières que font pousser des agriculteurs en Inde et partout en Afrique. Qu'est-ce que ce dispositif a de si spécial? Ces grains ne peuvent être consommés avant qu'on les ait complètement débarrassés de leurs couches extérieures, et la machine peut les décortiquer en une fraction du temps requis par cette tâche lorsqu'elle est faite manuellement par des femmes et des enfants. Mise au point en 1970 par des ingénieurs canadiens, la décortiqueuse de sorgho est petite, portable et rapide. Elle permet aux agriculteurs et à leurs communautés d'assurer leur propre subsistance, plutôt que d'avoir recours à des grains importés, comme le riz et le blé. Une modeste machine… dont l'impact est loin d'être modeste.

RÉACTEUR CANDU
La source d'énergie propre

Pendant que d'autres pays se préparaient à faire la guerre, le Canada préparait la paix. Dans le monde entier, les scientifiques nucléaires consacrèrent une bonne partie des années suivant la Seconde Guerre mondiale à explorer des façons de fabriquer des armes encore plus puissantes. Les chercheurs d'Énergie atomique du Canada s'engageaient, quant à eux, dans la découverte de moyens pour produire et offrir de l'énergie nucléaire à des fins pacifiques. George Laurence était l'homme à la tête de cette recherche. En 1971, ses travaux menèrent à la création du réacteur CANDU dont l'acronyme signifie «CANada Deutérium Uranium». Le deutérium (dans l'eau lourde) et l'uranium (la matière fissile) sont les deux éléments les plus importants dans le réacteur. La structure novatrice génère de l'électricité en utilisant l'énergie créée par la fission de l'uranium pour produire de la vapeur. Celle-ci active une turbine qui produit à son tour de l'électricité. Le réacteur CANDU se démarque par sa sécurité et son efficacité. Son cœur est composé de centaines de canaux de combustible, placés en grillage, qui traversent horizontalement un réservoir contenant de l'eau lourde. Celle-ci ralentit et contrôle l'accumulation d'énergie provenant de la fusion de l'uranium. L'eau et les canaux sont essentiels pour que la fission de l'uranium se produise. En cas de dommage causé au réacteur, il y a changement dans la composition de l'eau ou dans la structure du grillage, et la fission est immédiatement stoppée. Aujourd'hui, les réacteurs CANDU contribuent à répondre aux besoins énergétiques croissants des Canadiens et de millions de personnes partout sur la planète. L'énergie pacifique : le cadeau d'une nation pacifique.

MAIN PROTHÉTIQUE
Pour atteindre l'impossible

Les prothèses sont presque aussi anciennes que la civilisation humaine. Elles remontent à l'époque des Égyptiens, qui façonnaient des orteils et des doigts en bois pour remplacer des membres manquants. Et pourtant, pendant les milliers d'années qui ont suivi, les mains et les membres artificiels n'ont jamais été perfectionnés au-delà des simples crochets et pinces. La Seconde Guerre mondiale obligea de nombreux pays à revoir leur conception des prothèses. Au cours des derniers mois du conflit, le Canada se positionna à l'avant-garde de cette nouvelle approche, en créant un programme de fabrication de membres artificiels. Celui-ci visait à fournir aux vétérans blessés des prothèses qui étaient plus que de boiteux appendices. Helmut Lucas fut le concepteur et artisan le plus doué du programme. En 1971, ce scientifique médical créa une main prothétique incorporant des éléments électroniques et mécaniques. Grâce à ces composantes, les personnes pourvues de la main de Lucas pouvaient réaliser des tâches qui s'avéraient impossibles avec les prothèses rudimentaires d'avant la guerre. La possibilité d'accomplir des gestes aussi simples en apparence que tourner une poignée de porte, saisir un verre et boutonner et déboutonner une chemise changea à jamais la vie des anciens combattants blessés. Avec la nouvelle main d'Helmut, une vie meilleure était désormais à la portée de ces hommes et de bien d'autres à l'avenir.

CELLULES DENDRITIQUES
Le moteur de l'immunité acquise

« Je sais qu'il faut que je tienne bon. Ils ne vous le donnent pas si vous êtes mort. Il faut que je tienne bon pour ça. » À l'automne 2011, Ralph Steinman était gravement malade, atteint du cancer du pancréas. L'immunologiste s'accrochait à la vie, attendant des nouvelles de Suède, pour savoir si le prix Nobel de médecine lui serait décerné. En 1973, alors qu'il travaillait à l'Université Rockefeller à New York, le Dr Steinman avait découvert ce qu'il avait appelé les « cellules dendritiques ». Celles-ci sont des composantes essentielles du système immunitaire humain. Leur principale fonction consiste à traiter le matériel antigène et à le rendre présent à la surface d'une cellule, pour que les cellules T puissent interagir avec ce matériel. Un antigène est une molécule capable de provoquer une réponse immunitaire de la part d'un organisme hôte. Les cellules T sont une catégorie de globules blancs, éléments centraux de l'immunité chez l'être humain. Depuis leur découverte, les cellules dendritiques sont reconnues comme les principales instigatrices du système immunitaire adaptatif et ont été utilisées pour mettre au point des vaccins destinés à lutter contre le VIH et plusieurs formes de cancer. Malheureusement, le Dr Steinman mourut avant de recevoir des nouvelles de Suède. Comme cela s'imposait, le comité Nobel lui décerna quand même le prix. Il avait tenu bon assez longtemps.

CANOLA
La meilleure huile de cuisson

La survie de générations d'agriculteurs canadiens a longtemps reposé sur le colza. L'huile produite à partir de cette plante aux fleurs jaunes de la famille de la moutarde servait à la lubrification de tous les moteurs à vapeur du monde. Mais quand le diesel remplaça la vapeur, la demande pour le colza dégringola, tout comme le revenu de nombreuses exploitations agricoles canadiennes. Baldur Stefansson et Keith Downey trouvèrent une autre utilité à cette huile. En 1974, les deux scientifiques agricoles de l'Université du Manitoba menèrent une série d'expériences de croisement sur des plants de colza, jusqu'à la création d'une version contenant peu d'acide érucique et d'acide eicosénoïque, deux acides qui en faisaient une huile parfaite pour la lubrification mais peu appropriée à la cuisson. Ils nommèrent leur nouvelle plante «canola». L'huile tirée de cette plante hybride avait une valeur nutritive plus élevée et contenait moins de gras trans que presque tous les autres choix, y compris le beurre et le saindoux. Aujourd'hui, cette huile comestible typiquement canadienne est l'une des plus populaires et le produit de l'une des plus importantes cultures de plantes oléagineuses, non seulement pour des générations d'agriculteurs canadiens, mais aussi de toute la planète.

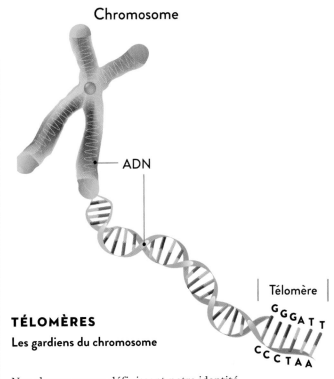

Chromosome

ADN

Télomère

TÉLOMÈRES
Les gardiens du chromosome

Nos chromosomes définissent notre identité. Chacun d'entre eux est une structure organisée qui contient la majeure partie de l'ADN d'un organisme vivant. Personne n'a autant contribué à faire progresser notre compréhension de ces minuscules paquets de vie que Jack Szostak. Ce biochimiste de l'Université de Colombie-Britannique a conçu le premier chromosome artificiel du monde. Cette réalisation a permis aux scientifiques de cartographier l'emplacement des gènes chez les mammifères et de mettre au point des techniques de manipulation de ceux-ci. En 1975 et au cours des deux années suivantes, avec ses collègues Carol Greider et Elizabeth Blackburn, il élucida les événements conduisant au remaniement chromosomique, soit la redistribution des gènes qui se produit pendant la méiose. Il découvrit également la télomérase, une enzyme qui produit les télomères, des séquences d'ADN spécialisées à l'extrémité des chromosomes, et détermina leur rôle dans la protection des chromosomes. Pour ses travaux révolutionnaires sur les télomères, Jack Szostak reçut le prix Nobel de médecine en 2009. Voilà sa véritable identité.

CHIMIE FONDÉE SUR L'ADN
La solution aux maladies génétiques

L'étude de la vie demande bien plus que des connaissances en biologie. Des principes de physique et de chimie sont également nécessaires si l'on veut comprendre l'apparition de l'étincelle de vie et le développement d'un organisme. Cette intuition, nous la devons à Michael Smith. En 1977, ce biochimiste canadien réalisa la mutagenèse dirigée. Cette méthode consiste à effectuer des changements précis et délibérés dans la séquence d'ADN d'un gène, le véritable foyer chimique de la vie. Appelons ça la chimie fondée sur l'ADN. Quand les chercheurs procèdent à ces modifications, ils sont en mesure d'examiner la structure et l'activité biologique de l'ADN, de l'ARN (acide ribonucléique) et des molécules de protéines, les éléments constitutifs fondamentaux de la vie. Les chimistes de l'ADN pouvaient même utiliser la méthode de Michael Smith pour manipuler des gènes et des protéines dans le but de créer de nouvelles formes de vie. Pour ses travaux novateurs, le chercheur a reçu le prix Nobel de chimie, établissant de façon irréfutable que l'étude de la vie dépasse largement la seule biologie.

ARN CATALYTIQUE
Le secret de l'hérédité

Certains jeunes Canadiens sont attirés par les sports, d'autres par la musique, et d'autres encore par les mots. Quand il était jeune, à Montréal, Sidney Altman était fasciné par le tableau périodique. À 13 ans, il y voyait d'abord l'élégance de la théorie scientifique et sa puissance prédictive. La fascination se transforma en révélation. En 1982, en collaboration avec son collègue Thomas Cech de l'Université Yale, Sidney Altman découvrit que les molécules d'ARN (acide ribonucléique) ne se contentent pas d'agir comme des vecteurs passifs de données génétiques, ce qui était l'idée reçue à l'époque. Ces molécules jouent également un rôle actif au sein des cellules en agissant comme catalyseurs de réactions biologiques, une fonction qu'on attribuait jadis aux seules enzymes. On ne pourrait trop insister sur les conséquences de cette découverte. Un jour, des molécules d'ARN spécialement conçues à cette fin pourraient être utilisées pour détruire certaines propriétés néfastes chez certains organismes, y compris chez l'être humain. Altman et Cech reçurent le prix Nobel de chimie pour leurs travaux précurseurs. Viendra peut-être un jour une récompense encore plus grande, lorsque ces recherches inspireront un autre jeune de 13 ans, fasciné lui aussi par l'élégance de la théorie scientifique et sa puissance prédictive. C'est peut-être déjà fait.

VACCIN CONTRE LA MÉNINGITE
La fin d'une tragédie pour les enfants

La méningite est une infection du liquide et de la membrane qui entourent le cerveau et la moelle épinière. Elle frappe rapidement et cible les plus vulnérables. La moitié de ses victimes ont moins de deux ans, et elle tue jusqu'à dix pour cent des personnes atteintes en moins de deux jours. Les jeunes qui survivent souffrent souvent de lésions permanentes au cerveau, de perte auditive et d'autres graves problèmes de santé. Mais on entend peu parler de la méningite depuis une trentaine d'années. Pourquoi? Grâce au Dr Harold Jennings. En 1982, ce chercheur en médecine et son équipe d'Ottawa finalisèrent la mise au point d'un vaccin contre la méningite. Celui-ci fait en sorte que des sucres complexes s'unissent et recouvrent d'une protéine la bactérie du méningocoque de groupe C. En plus, il s'avère extrêmement pratique. Chaque dose peut être mesurée avec précision, dissoute dans une solution pour être injectée, et elle est bien tolérée par les nourrissons. L'impact de la découverte du Dr Jennings fut immédiat et convaincant. En deux ans, le Royaume-Uni, premier pays à utiliser le vaccin dans le cadre d'un programme d'immunisation massive, a pratiquement éradiqué la méningite bactérienne. La fin du travail d'un homme signifia la fin d'une tragédie pour les enfants.

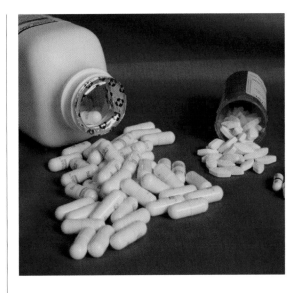

COCKTAIL CONTRE LE VIH
Sauver deux millions de vies

Y a-t-il don plus grand que celui de sauver une vie? Et que dire de deux millions de vies? Voilà l'héritage de Bernard Belleau. Ce chimiste chercheur de Montréal créa le 3TC, un médicament utilisé pour lutter contre le sida. Mise au point en 1983, la substance empêche le rétrovirus du VIH de modifier la structure génétique des cellules infectées, stoppant ainsi la progression du virus dans l'ensemble de l'organisme, aucune nouvelle cellule ne pouvant être infectée. Elle constitue également une solution de rechange à l'AZT, l'un des premiers médicaments servant à combattre la redoutable maladie. Ce dernier avait perdu en popularité : non seulement avait-il des effets secondaires débilitants, mais les patients devenaient rapidement insensibles à ses propriétés anti-VIH. Mais n'écartons pas trop vite l'AZT. Le Dr Belleau et ses collègues, Gervais Dionne et Francesco Bellini, découvrirent que le 3TC combiné à de faibles doses d'AZT était plus efficace que le 3TC seul. Le cocktail contre le VIH était né, et deux millions de vies étaient sauvées. Tout un héritage!

RÉCEPTEUR DES CELLULES T
Pour trouver le Saint-Graal

Lorsque des spécialistes de différentes disciplines unissent leurs efforts pour s'attaquer à des problèmes communs, il ne peut qu'en résulter des innovations. Tak Wah Mak, de l'Institut ontarien du cancer du Princess Margaret Hospital de Toronto, croit en cette sagesse. C'est ainsi qu'il a réalisé ses plus grandes percées. En 1984, le Dr Mak rassembla une grande équipe de cliniciens, ce qui lui permit de découvrir le récepteur des cellules T. Le TCR, comme on le surnomme, est une molécule qu'on retrouve à la surface des cellules T et qui joue un rôle central dans le système immunitaire. Le chercheur affirme aussi que cette approche a permis à son équipe de concevoir un médicament pour lutter contre le cancer. Connu sous le nom de CFI-400945, il cible une enzyme qui joue un rôle essentiel dans la division des cellules cancéreuses. « Cible » est ici le mot-clé. Contrairement à la chimiothérapie, le médicament « tireur d'élite » n'affecte pas les cellules saines. Il rend les cellules cancéreuses instables et plus vulnérables au traitement, et il constitue peut-être le moyen de guérir le cancer, le Saint-Graal de la médecine.

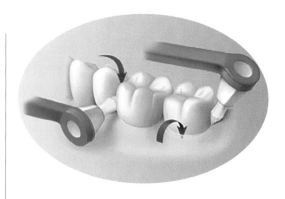

BROSSE SULCA
Le bâton à mâcher réinventé

La Dre Max Florence, une dentiste canadienne, était bien consciente que la brosse à dents habituelle ne permettait pas de nettoyer entre les dents ni le long des gencives. De plus, celle-ci était de peu d'utilité pour quiconque avait les gencives sensibles ou souffrait d'une maladie des gencives, deux problèmes associés à des affections comme le diabète. Elle savait que d'autres outils de brossage étaient utilisés depuis des millénaires, notamment les brindilles de margousier, en Inde, et le siwak, dans la région de la Corne de l'Afrique. En mâchouillant des brindilles de margousier et des siwaks, les gens façonnent en effet de petites brosses fibreuses et pointues qui nettoient mieux entre les dents, réduisent les bactéries et diminuent les saignements. Mais ces bâtons à mâcher présentaient une même limite : les poils sortant tout droit de l'extrémité du bâton, il était toujours impossible de nettoyer derrière les dents du fond. Alors, en 1985, la Dre Florence conçut une nouvelle brosse hybride, munie de poils en nylon fixés en angle aux deux extrémités. Cette innovation toute simple permit aux personnes qui s'en servaient de faire cesser les saignements en moins de deux semaines. Plus de 30 ans plus tard, la brosse Sulca canadienne de Max est la brosse améliorée, systématiquement recommandée par les dentistes et parodontistes. Ça vaut bien un sourire.

XYLANASE
Le blanchiment plus vert

Pendant des décennies, l'industrie papetière a permis d'assurer la santé économique de nombreux villages et villes aux quatre coins du Canada. Mais cette même industrie constituait également une source de contamination. L'utilisation du chlore, un ingrédient essentiel du processus traditionnel de blanchiment de la pulpe, menait au déversement dans les cours d'eau locaux d'importantes quantités de déchets liquides toxiques. En 1990, des chercheurs canadiens créèrent une enzyme industrielle qui non seulement réduisait la quantité de liquide polluant émis par les usines, mais diminuait également les coûts de production de la pâte à papier. Ils modifièrent la molécule pour qu'elle agisse dans les conditions propices à la transformation de la pâte : températures et degrés d'acidité élevés. L'enzyme, qui est à la fois résistante et pratique, est aujourd'hui utilisée en Amérique du Nord et ailleurs dans le monde, contribuant à réduire la pollution due au chlore ainsi que les coûts de production. On l'étudie même comme moyen de fabriquer des biocarburants et de diminuer la demande énergétique provenant des produits pétroliers. Un blanchiment… plus vert.

TEST DE DÉPISTAGE RAPIDE DU VIH
Deux petites minutes pour sauver une vie

Jeune garçon, en Ouganda, Abdullah Kirumira rêvait déjà de devenir médecin. Il poursuivit ce rêve pendant des années, fuyant la violence de son pays natal pour s'installer d'abord en Iraq, puis en Australie. Ce n'est que lorsqu'il s'établit au Canada, plus précisément en Nouvelle-Écosse, que son rêve devint réalité. Et fut même dépassé. Professeur de biochimie à l'Université Acadia, le Dr Kirumira devint le moteur du secteur biotechnologique de la province. Sa plus grande réalisation, présentée en 1993, fut le premier test de diagnostic à action rapide pour le VIH. Effectué en deux minutes, il révolutionna à l'échelle mondiale les tests pour diagnostiquer la présence du virus, les rendant plus rapides, moins chers et plus accessibles que les précédents, qui nécessitaient jusqu'à cinq jours pour avoir le résultat. Un test rapide, économique et accessible est une bénédiction quand on parle de soins et de prévention. Grâce à lui, d'innombrables patients peuvent être informés de leur état et ont la possibilité d'entreprendre un traitement. Le test de deux minutes conçu par un rêveur a transformé le monde.

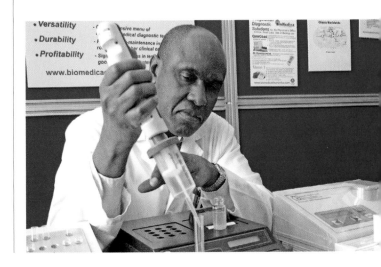

CLOU TÉLESCOPIQUE
L'implant qui grandit avec l'enfant

Les jeunes enfants ne sont pas de petits adultes. Ils grandissent. Cela semble évident. Et pourtant, pendant des années les seuls dispositifs implantables que les chirurgiens orthopédiques avaient à leur disposition pour traiter les jeunes étaient ceux conçus pour des adultes. En 2000, une équipe d'universitaires, de chercheurs et d'entrepreneurs des domaines de l'orthopédie, de la biomécanique et de l'aérospatiale, dirigée par François Fassier et Pierre Duval, inventa le clou télescopique. Cet implant est spécialement conçu pour les très jeunes enfants qui souffrent d'ostéogenèse imparfaite, ou « maladie des os de verre ». Celui-ci s'allonge au fur et à mesure de la croissance du fémur, du tibia et de l'humérus d'un enfant, tout en soutenant chacun de ces os pour qu'ils puissent se développer. Le fait que le clou s'étire permet de diminuer le nombre de chirurgies que doivent subir les enfants atteints de cette maladie. Comparativement aux tiges rigides, il réduit aussi la pression sur les os à mesure qu'ils se développent, éliminant du même coup les douleurs de croissance chez ces enfants. À ce jour, quelque 7 000 jeunes dans le monde entier ont pu en profiter. Le nom officiel donné au clou télescopique, soit le clou Fassier-Duval, témoigne bien de l'admiration de la communauté médicale pour cette innovation canadienne.

DROITS CLIMATIQUES
Le changement de paradigme suscité par une seule femme

Le droit d'avoir froid fait-il partie des droits universels de la personne ? Sheila Watt-Cloutier fut la première à le penser. Et aujourd'hui, le monde entier le pense aussi. En 2005, elle présenta une plainte formelle historique contre les États-Unis, requête qui établissait un lien entre les effets des changements climatiques sur l'Arctique et les droits de ses compatriotes inuits. C'est dans l'Arctique que les répercussions du réchauffement du climat sont les plus apparentes. Mme Watt-Cloutier, qui est née et a grandi au Nunavik, une région au nord du Québec, a vu et vécu ces transformations. La requête était pour elle une façon de commencer à transformer son expérience personnelle en initiative de politique publique et, ce faisant, de changer la manière dont le monde voit les changements climatiques – non pas comme un phénomène abstrait ou scientifique, mais comme un événement réel qui bouscule le mode de vie et la culture millénaire de certains peuples. Ces peuples ont des droits, y compris celui d'avoir froid.

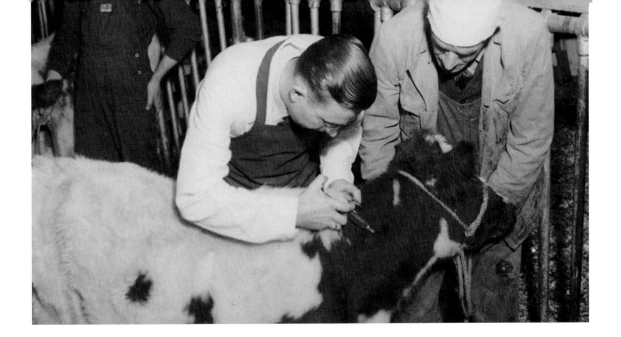

VACCIN CONTRE LA PESTE BOVINE
La solution de Grosse-Île

La première maladie animale à être éradiquée de
la surface du globe a été la peste bovine. Ce virus,
qui frappait les vaches, les moutons, les cochons
et les autres animaux à sabots fendus, se propageait
rapidement et anéantit, au fil des siècles, des millions
d'animaux d'élevage et sauvages. Mais plus maintenant. Et c'est grâce à un groupe de scientifiques et
de vétérinaires canadiens qui travaillaient à Grosse-
Île, au Québec. À l'aide d'embryons de poussins, les
chercheurs réussirent à créer le premier vaccin
contre la peste bovine pouvant être produit
rapidement et à grande échelle. Les Nations Unies
fournirent d'importantes quantités du vaccin en
Chine et dans toute l'Afrique pour combattre la
maladie. En 2011, la peste bovine était éliminée.
L'endroit où cette découverte a eu lieu mérite d'être
souligné. Située dans le golfe du Saint-Laurent,
juste au nord de la ville de Québec, Grosse-Île fut
le foyer d'une épidémie de typhus en 1847, tragédie
qui emporta des milliers d'immigrants irlandais.
Un vaccin permettant d'éradiquer une maladie
bovine a surgi dans un site associé avec une telle
tragédie… quelle ironie !

RÉDIGEZ UN PLAN D'AFFAIRES : VOICI COMMENT.

☐ Soyez conscient que votre plan d'affaires est
l'outil que les investisseurs et les partenaires
voudront étudier avant de décider de leur
participation.

☐ Considérez votre plan comme la représentation la
plus honnête et la plus à jour de la façon dont vous
exploiterez votre entreprise et la mènerez au succès.
Mettez-le à jour régulièrement. Consultez-le
souvent pour vérifier si vous avez bien atteint les
objectifs que vous visez.

☐ Créez un résumé opérationnel (peut-être une
présentation numérique) pour faire brièvement
votre historique.

☐ Exercez-vous à présenter le contenu de votre
plan comme l'histoire de votre entreprise et de
votre vision. C'est cette présentation qui
permettra aux investisseurs de connaître votre
concept, votre produit, votre potentiel de
marché et votre plan de mise en œuvre.

DIAGNOSTIC DES BLESSURES
Les indices sous la peau

La capacité de guérison d'une blessure grave est établie à partir de la quantité de sang riche en oxygène pouvant atteindre la blessure. La méthode utilisée pour mesurer cet apport est étonnamment rudimentaire : l'observation à l'œil nu. Les médecins déterminent la santé d'une blessure en se basant sur l'apparence de celle-ci à la surface de la peau. Du moins, c'était le cas jusqu'à tout récemment. En 2012, Don Chapman, de Kent Imaging, à Calgary, mit au point ce qu'il nomma le « système de viabilité tissulaire ». Combinant une caméra et un ordinateur, le système cible la blessure, calcule l'apport de sang aux tissus affectés et produit une image diagnostique qui évalue la capacité de guérison de la blessure. Il fonctionne grâce à une série de photos rapides prises à l'aide de flashs de différentes longueurs d'onde, sans danger pour la peau et les yeux. On fusionne ensuite les images pour donner une indication claire de l'apport de sang riche en oxygène au lit de la plaie et dans les tissus environnants. Si le système a d'abord été conçu pour soigner les personnes souffrant de brûlures, il est désormais utilisé pour traiter des patients atteints de diabète, d'obésité et d'autres maladies entraînant une mauvaise circulation du sang.

ITCLAMP
Le contrôle de l'hémorragie

L'hémorragie après un traumatisme est une cause de décès très courante et pourtant évitable. Arrêter l'hémorragie, c'est sauver le patient. Et c'est exactement ce que fait l'iTClamp. Inventé en 2013 par Dennis Filips, l'appareil se place sur une plaie et en referme les bords. C'est tout. L'attache, que tout le monde peut utiliser, s'applique en trois secondes et resserre fermement une blessure. Originaire d'Edmonton, en Alberta, Filips est spécialiste en traumatologie et chirurgien à la retraite des Forces armées canadiennes. Il a eu cette idée en formant du personnel médical sur les meilleures façons d'arrêter l'hémorragie quand on soigne les blessés sur le champ de bataille. L'appareil jetable et peu coûteux n'est pas conçu comme une solution permanente : il vise à contrôler l'hémorragie, à limiter la perte de sang, à éviter que les patients n'aient à subir d'importantes transfusions et, surtout, à les empêcher de mourir avant de pouvoir être soignés par un chirurgien traumatologue. Arrêter l'hémorragie, c'est sauver le patient.

TÉLÉCHIRURGIE
L'opération à distance

Souvent, l'innovation survient lorsqu'on combine des méthodes apparemment sans liens, dans le but de s'attaquer à des problèmes urgents. En 2013, des chirurgiens du Réseau universitaire de santé de Toronto, dirigés par le Dr Allan Okrainec, et des ingénieurs du Conseil national de recherches Canada, dirigés par Nushi Choudhury, mirent en commun les dernières avancées dans les domaines des communications et de la technologie de la simulation pour offrir un enseignement à distance à des neurochirurgiens au Ghana. Les besoins en matière de formation sont évidents. Plus de 14 000 jeunes enfants sont touchés chaque année par l'hydrocéphalie. Celle-ci est causée par l'accumulation d'une quantité excessive de liquide dans le crâne, provoquant l'enflure du cerveau. La maladie tue ou nuit au développement lorsqu'elle n'est pas traitée, ce qui se produit souvent, parce que peu de chirurgiens africains sont capables de réaliser l'intervention nécessaire. Or, une opération permet de traiter les enfants atteints d'hydrocéphalie. Le NeuroTouch, simulateur neurologique de réalité virtuelle, associe à Skype les plus récents outils de simulation chirurgicale et permet à des neuro-chirurgiens de Toronto d'enseigner à des confrères du Ghana à exécuter une ventriculostomie endosco-pique du troisième ventricule, intervention très délicate permettant de traiter l'hydrocéphalie. Désormais, les chirurgiens ghanéens sont non seulement capables d'effectuer l'opération indispen-sable, mais ils peuvent également former eux-mêmes d'autres spécialistes locaux, multipliant l'impact de la formation initiale étendant ainsi la portée d'un grand mariage technologique.

Pâtes et papiers

Forage pétrolier

Système avec tige à saccades

Bonbons « os de poulet »

Chronique journalistique

Blé Marquis

Calculatrice d'intérêt

Brownie (Appareil photo)

Message publicitaire

Canada Dry

Salle de cinéma

Chaland forestier de Russel

Commerce de détail des cosmétiques

Caisses populaires

Vedettariat

Jolly Jumper

Crispy Crunch

Barre de chocolat

Hélice à pas variable

Sarcleuse à tiges

Coussin péteur

Plexiglas

Moissonneuse-batteuse automotrice

Coffee Crisp

Shreddies

Valise de Scarborough

Reprise instantanée

Cinéma multiplex

Pile alcaline

Purée instantanée

Procédé d'images
    multiples dynamiques

Bloody Caesar

Photographie numérique

Semoir pneumatique

Animation par image-clé

Projecteur IMAX

Laser

Saturday Night Live

Yuk Yuk's

Pâte à modeler Tutti-Frutti

Jeu Trivial Pursuit

Huard

Pièces colorées

Cidre de glace

Café Second Cup

Théière intelligente

Plus...

intelligent
proche
bienveillant
sûr
sain
riche
heureux

Dans toutes nos sociétés, la prospérité dépend des revenus que peuvent générer les entreprises. Et le dénominateur commun de leur succès ? L'innovation, bien sûr. Grâce à des idées canadiennes, des transformations sont survenues dans d'innombrables secteurs, notamment dans l'industrie forestière ou énergétique, le monde du divertissement, l'agriculture, les finances, l'industrie cosmétique, le sport, le cinéma et la télévision, les transports et les communications. Le Canada a fait ainsi la preuve que l'innovation constitue la richesse d'une nation.

PÂTES ET PAPIERS
Le meilleur papier journal

Une observation attentive de la nature peut souvent nous permettre de trouver des solutions pour améliorer les choses. Charles Fenerty, de Sackville, en Nouvelle-Écosse, pourrait certainement témoigner de la sagesse de cette approche. Par un beau jour de 1844, l'inventeur observa les guêpes ronger de la fibre de bois, transformer ensuite les morceaux de pulpe en lanières parcheminées et les utiliser pour construire leur nid. Inspiré par cette constatation, il mit au point un procédé de fabrication du papier à partir de pulpe de bois, une méthode beaucoup plus efficace que celle, dépassée, qui utilisait des chiffons. Eh oui, des chiffons! Fenerty partagea sa création avec les propriétaires du journal régional, l'*Acadian Recorder*, et rapidement les papetières de partout en Amérique du Nord adoptèrent son procédé. Au fil des décennies qui suivirent, celles-ci, alimentées par les forêts canadiennes produisirent des quantités impressionnantes de papier journal, permettant ainsi l'implantation d'empires médiatiques en Amérique et en Europe. « Pas folle, la guêpe ! »

FORAGE PÉTROLIER
Le début d'une nouvelle ère

Vos amis du Texas ne le savent peut-être pas, mais le premier puits de pétrole a été foré dans la ville canadienne de Bothwell, en 1857. L'âge du pétrole a donc pris naissance sur les rives de la rivière Thames, près d'un petit village dans le sud-ouest de l'Ontario. Et c'est James Miller Williams qui en est à l'origine. Entrepreneur innovateur originaire de la ville de Hamilton, il creusa ce premier puits jusqu'à une profondeur de neuf mètres, avant que ne jaillisse un mélange d'eau et de pétrole. Ne pouvant aller plus loin, il l'abandonna et en fora un nouveau dans la localité voisine d'Enniskillen. Là, il réussit à forer jusqu'à 22 mètres et à en extraire de 5 à 100 barils par jour. Quantité modeste mais tout de même suffisante pour que, la même année, il construise la première raffinerie de pétrole au Canada et y traite la production de son puits. C'était l'avènement de l'âge du pétrole. En Ontario.

SYSTÈME AVEC TIGE À SACCADES
Une pompe vraiment efficace

Que faire lorsqu'il est trop coûteux d'utiliser plusieurs moteurs indépendants pour alimenter une douzaine de pompes à pétrole ? Pour John Henry Fairbank, la solution aura été de fabriquer un système de tiges de bois et de transférer l'énergie créée par un unique moteur à l'ensemble de ses pompes. En 1863, ce magnat du pétrole originaire d'Oil Springs, en Ontario, construisit un système de pompes avec tige à saccades. Ses chevalets de pompage faits de bois étaient tous reliés à une série de tiges, lesquelles se balançaient, activées par un seul moteur, et les supports étaient accrochés à des poteaux en bois. On peut d'ailleurs les voir à l'œuvre encore aujourd'hui. La loi du moindre effort ? Certainement pas ! Encore une fois, l'innovation à son meilleur.

BONBONS « OS DE POULET »
La gâterie du temps des Fêtes

Dans les Maritimes, on sert parfois les « os de poulet » à la fin du repas. Mais pas n'importe quels ! Ceux des frères Ganong. En effet, le confiseur canadien conçut en 1885 une gâterie au nom inattendu, un bonbon dur à la cannelle fourré de chocolat. Un os rose avec un centre de moelle foncée. Un bonbon au nom surprenant, mais qui continue d'être un chouchou du temps des Fêtes.

CHRONIQUE JOURNALISTIQUE
L'opinion tant attendue

Tous ceux et celles qui connaissent les courriers du cœur, les chroniques des Janette Bertrand, Louise Deschâtelets et autres savent sans doute que nos compatriotes anglophones ont aussi leurs confidentes, Dear Abby et Ann Landers. Mais tous ces passionnés du sentiment et des chroniques ne savent peut-être pas que l'origine de ce style journalistique est bel et bien canadienne. Et l'honneur en revient (parmi beaucoup d'autres) à Kit Coleman qui, en 1899, rédigeait dans le journal *Toronto Daily Mail* une chronique régulière intitulée « Le Royaume des femmes » (Woman's Kingdom). Bien que destinée à un public exclusivement féminin, on sait que de nombreux hommes en faisaient fréquemment la lecture, avec enthousiasme. Le premier ministre Wilfrid Laurier lui-même aurait avoué à l'époque ne jamais en rater une. Kit Coleman fut instantanément reconnue pour ses conseils donnés avec franchise et sa profonde compréhension de l'âme humaine. Celle qu'on surnomma la « reine de cœur » était aussi une pionnière et une innovatrice infatigable. Elle fut la première femme à être nommée rédactrice d'un journal, la première femme à être accréditée en tant que correspondante de guerre, dans le cadre du conflit hispano-américain à Cuba, et la première présidente du Canadian Women's Press Club. Avec sa chronique « Chère Kit », qui dépassa les frontières du pays, Kit Coleman est aussi l'ancêtre des chroniqueurs d'aujourd'hui.

BLÉ MARQUIS
Une vraie bonne céréale dans le grenier du monde

La saison des cultures est notoirement courte au Canada. Du ruissellement printanier en avril jusqu'aux jours plus courts de septembre, le temps file en un clin d'œil. Pour les producteurs de blé, cette saison doit sembler encore plus courte. Heureusement, les agriculteurs ont désormais accès à un type de blé conçu expressément pour les conditions climatiques canadiennes. Il s'agit du blé Marquis, créé par Charles Saunders. Spécialiste en céréales à la Ferme expérimentale d'Ottawa, il appliqua à la fois des méthodes scientifiques (comme le croisement de variétés de blé dotées des propriétés souhaitées) et des méthodes rudimentaires (comme mâcher des grains et déterminer la qualité de la farine qu'ils donneraient à partir de la pâte qui se formait dans sa bouche). Ses travaux permirent de mettre au point une souche à croissance rapide et au rendement élevé. Et comme c'était un blé dur, sa farine permettait de faire des produits de boulangerie de qualité supérieure. En 1891, confiant en sa nouvelle souche de blé, Saunders l'envoya tester en Saskatchewan. La nouvelle variété connut un succès retentissant : le Marquis mûrissait complètement une semaine ou deux avant la souche de blé dominante de l'époque, produisait une récolte exceptionnelle et donnait une farine (et un pain) de très grande qualité. Le moment ne pouvait être mieux choisi. En effet, d'importantes vagues d'immigrants commençaient à s'établir dans l'Ouest canadien. Le blé Marquis devint la culture de base de ces nouveaux agriculteurs, qui transformèrent leurs terres en grenier du monde.

CALCULATRICE D'INTÉRÊT
La boîte de tomates informatisée

Carl Meilicke s'occupait d'un parc à bois à Dundurn, en Saskatchewan. Il passait la majeure partie de son temps à calculer les prix de différents volumes de bois en fonction de la largeur et de la longueur. Un beau jour de 1896, Carl se mit à faire des expériences avec des tables de calcul, afin de déterminer les prix pour différentes longueurs de bois. Résultat : la calculatrice Meilicke était née. En fait, Meilicke réalisa la première version de sa machine avec un assortiment de vieilles boîtes de conserve de tomates, sur lesquelles il avait gravé des échelles détaillées. Carl pouvait faire pivoter les tambours pour trouver les réponses à des problèmes mathématiques précis. Il produisit plus tard d'autres versions, sous forme de cahiers avec des languettes qui se déplaçaient sur le haut des pages. Il suffisait, pour résoudre un problème, de comparer l'information avec l'emplacement correspondant sur le tableau du cahier : une sorte de feuille de calcul enroulée sur un tambour. Chaque appareil était conçu pour résoudre un type de calcul similaire : les taux d'intérêt, l'impôt sur le revenu ou le salaire des employés. Le calculateur de taux d'intérêt devint le plus gros succès commercial. Carl ouvrit une usine à Chicago pour fabriquer ses calculatrices personnalisées, employant jusqu'à 40 personnes. La société qui vit le jour dans un parc à bois de la Saskatchewan au 19e siècle poursuivit ses activités de façon acharnée jusque dans les années 1970. Il aura finalement fallu plus de 70 ans à l'ordinateur pour rattraper la boîte de conserve de tomates de Carl.

BROWNIE (APPAREIL PHOTO)
L'appareil photo au nom magique

Jusqu'en 1900, les appareils photo étaient des engins volumineux, encombrants et chers, et par définition réservés aux photographes professionnels. Au tournant du siècle dernier, la compagnie Eastman Kodak mit fin à cette situation en produisant la première d'une série d'appareils photographiques bon marché, dont tout le monde pouvait enfin se servir. Et en plus de son bas prix et du lancement de l'instantané, un facteur déterminant dans le succès du nouvel engin fut simplement son nom. Le Brownie, comme on le surnomma, emprunta son sobriquet aux personnages féériques des livres et bandes dessinées de l'auteure et illustratrice canadienne Pamela Cox, de Granby, au Québec. Dans le monde illustré de Cox, les Brownies étaient de gentils lutins dont les farces rendaient la vie plus amusante. Simple. Joyeux. Divertissant. C'étaient là les trois valeurs de marque du nouveau gadget. Eastman Kodak approcha Pamela Cox et une entente de licence fut signée. Dès la première année de production, plus de 150 000 Brownie furent vendus, dont une grande partie à des enfants. La preuve que pour faire de la magie il faut non seulement un bon produit, mais aussi un nom magique.

MESSAGE PUBLICITAIRE
Un effort promotionnel

Dès ses origines, le cinéma a été à la fois divertissement et publicité. Tout débuta à Montréal en 1903,
lorsque sir Clifford Sifton persuada les dirigeants
du chemin de fer Canadien Pacifique de lui accorder
le financement nécessaire à la production d'un film
publicitaire. Le ministre canadien de l'Immigration
de l'époque souhaitait attirer des colons vers les
prairies du pays, vastes et désertes. Les dirigeants,
pour leur part, ne voulaient qu'une chose : des
clients payants. Le chemin de fer était le seul
moyen de se rendre dans l'ouest pour les passagers
venant des ports de mer de l'est, et la seule façon
d'aller à l'est pour les céréales que ces nouveaux
fermiers allaient bientôt cultiver. On produisit
un message publicitaire de 45 minutes, tourné en
grande partie dans l'Ouest canadien, qui remporta
un énorme succès. Le film promotionnel suscita
une ruée d'immigrants européens et russes, ruée
qui se poursuivit pendant des années. Cette nouvelle forme de publicité aussi se poursuivit pendant
des années. Un effort promotionnel. Une nouvelle
technologie. Le premier message publicitaire.

CANADA DRY
Le champagne des ginger ales

John McLaughlin était un pharmacien et entrepreneur prospère. Il était aussi un homme modéré, qui s'était donné une mission dans la vie: créer une solution de rechange sans alcool au champagne. Il y travailla pendant des années. En 1904, sa nouvelle boisson était prête: le soda au gingembre Canada Dry, qui impressionna le *Toronto Star*: «La boisson a une saveur à la fois douce et piquante, ce qui est très agréable. De plus, son action stimulante sur le système digestif la rend très populaire.» De son côté, Maude McLaughlin décrivit de façon plus concise la boisson créée par son mari, la qualifiant de «champagne des ginger ales». Le Canada Dry remporta un succès immédiat, entre autres grâce à son goût sec, plus rafraîchissant que celui des boissons plus sucrées qui dominaient alors le marché. Vingt ans plus tard, en raison de la prohibition au Canada et aux États-Unis, on enregistra une forte hausse de la demande pour ce soda. En 1930, plus de 10 millions de bouteilles par mois étaient expédiées sur le continent pour étancher la soif des consommateurs. Ironiquement, si le nouveau nectar misait dans son slogan sur le fait qu'il était une solution de rechange à l'alcool, de nombreux amateurs de whisky canadien en avaient fait le complément idéal de leurs cocktails. Et beaucoup le font encore. Santé!

SALLE DE CINÉMA
Une maison magique

Peu d'expériences sont aussi magiques que celle de vous installer dans un fauteuil confortable, de voir les lumières de la salle s'éteindre, le son augmenter et les images commencer à défiler sur l'écran géant devant vous. Vous pouvez remercier Léo-Ernest Ouimet pour la magie que nous fait vivre une salle de cinéma. Avant que ce Montréalais ouvre son Ouimétoscope sur la rue Sainte-Catherine, en 1906, regarder un film était réservé à de petits groupes de gens assis sur des chaises bancales, dans n'importe quel genre de pièce. La salle de monsieur Ouimet transforma la sortie au cinéma en une véritable soirée, comme celle au théâtre: elle était devenue une sortie formelle, luxueuse et complètement participative. Un véritable événement. Alors, n'oubliez pas de penser à Léo et au Ouimétoscope la prochaine fois que vous vivrez la magie du cinéma en salle.

CHALAND FORESTIER DE RUSSEL
Le « camion » du bûcheron

Pour les bûcherons des forêts canadiennes d'antan, les rivières étaient un peu comme nos autoroutes ; elles leur permettaient de transporter leur coupe vers les usines. Et tout comme les camions sillonnent aujourd'hui les routes d'asphalte, les bûcherons canadiens avaient leurs « camions » bien à eux. Le premier « camion » des bûcherons fut le chaland forestier de Russel, construit en 1907 par la firme Russel Brothers Limited, d'Owen Sound, en Ontario. Le bateau était sûr, rapide, solide comme le roc. Il devint vite un outil essentiel sur les rivières du Bouclier canadien ontarien et québécois, là où se concentrent les exploitations forestières du pays. Munis d'une coque d'acier, d'un moteur et d'un treuil puissants, ces bateaux étaient utilisés pour rassembler et déplacer de grosses estacades flottantes le long des rivières. Ils étaient aussi suffisamment agiles pour récupérer les billots et barrages flottants errant dans les canaux et les déversoirs. La société Russel Brothers construisit plus de 1 200 de ces remorqueurs distinctifs. L'entreprise fabriqua également des remorqueurs et des locomotives de manœuvre, et fournit des vaisseaux de guerre utilisés lors du débarquement en Normandie le jour J, des navires qui ressemblaient beaucoup à leurs cousins forestiers – un équipement essentiel à l'exploitation forestière comme à la Libération. Le bateau Russel fut si emblématique que, durant des décennies, la plupart des Canadiens et des Canadiennes en conservaient une représentation dans leur poche ou dans leur sac à main. En effet, celui-ci a figuré sur le dernier billet de un dollar jusqu'en 1989.

COMMERCE DE DÉTAIL DES COSMÉTIQUES
Une nouvelle façon d'être femme

Née en 1878, Florence Nightingale Graham acquit le sens des affaires dans une carriole aux côtés de son père, sur le chemin entre Woodbridge, en Ontario, et le marché St Lawrence, à Toronto, où ils se rendaient pour vendre des légumes. La vie était dure alors, le commerce au marché ne rapportait que peu. Dans son enfance, après la mort de sa jeune mère, Florence connut la faim et le froid. Elle formula dès lors le vœu qu'il en serait tout autrement quand elle serait adulte. Ainsi, au tournant du siècle, elle se rendit à New York et fut l'une des préposées aux soins dans un des premiers salons de beauté. Le maquillage était depuis longtemps vu comme une habitude réservée aux pauvres, particulièrement aux prostituées. Mais les comportements commençaient à changer, et Florence était déterminée à participer activement à cette révolution. Elle prévoyait qu'un jour toutes les femmes élégantes et sophistiquées porteraient du maquillage. Elle changea d'abord son nom pour un pseudonyme plus raffiné : Elizabeth Arden. Elle ouvrit ensuite son célèbre salon, le Red Door, à Manhattan. Enfin, elle réussit à convaincre une génération de femmes que l'application – aux yeux, aux lèvres et à la peau – de pigments à la formule élaborée scientifiquement constituait un excellent moyen d'accroître leur popularité sociale. Elizabeth Arden fut à l'origine de la création de l'industrie cosmétique mondiale et, du même coup, devint l'une des femmes les plus riches du monde. La route avait été longue depuis Woodbridge, en Ontario.

CAISSES POPULAIRES
La banque du peuple

Quand elle ouvrit ses portes en 1901, il suffisait d'une simple pièce de 10 cents pour devenir membre de la Caisse populaire de Lévis d'Alphonse Desjardins. Pour ce dernier, un journaliste de Québec, deux sources d'inspiration étaient à l'origine de la création de son institution financière peu conventionnelle. La première était le concept de coopératives de crédit, qui avaient surgi en Europe quelques décennies auparavant et fournissaient aux travailleurs des prêts à taux d'intérêt équitables. La deuxième lui était venue de sa réaction aux prêts usuraires de son époque, comme l'illustre l'histoire d'un homme de Montréal qui avait reçu une ordonnance de la Cour l'obligeant à payer à un prêteur 5 000 dollars en intérêts sur un emprunt de 150 dollars. La banque du peuple de Desjardins était cependant un peu différente de son homologue européenne. En effet, en plus de fournir du crédit à des taux raisonnables, la caisse populaire insistait sur l'importance de l'inclusion (après tout, un dépôt de 10 cents suffisait pour devenir membre), le développement communautaire (ces institutions financières jouaient un rôle en favorisant le développement des collectivités où elles étaient implantées) et la religion (les services des caisses étaient répartis par paroisses, qui divisaient l'administration de l'Église catholique dans la région). Ce modèle amélioré de coopérative de crédit s'est répandu partout dans la province, dans le nord-est des États-Unis et, finalement, en Amérique latine et en Afrique. La banque des Québécois est maintenant devenue la banque du monde.

VEDETTARIAT
La naissance de la notoriété hollywoodienne

Difficile d'imaginer qu'il a fallu une jeune Canadienne chétive pour faire du vedettariat hollywoodien une vraie religion. Mais c'est bien la petite Gladys Louise Smith, née dans une famille pauvre de Toronto en 1893, qui allait devenir la première superstar de cinéma mondialement reconnue. Gladys connut une enfance marquée par la diphtérie, la pneumonie et divers troubles nerveux. Jeune actrice, elle subvenait aux besoins de sa famille en acceptant de petits rôles sur scène en Ontario. Elle déménagea à New York en 1909 pour tenter sa chance au cinéma sous un pseudonyme qu'elle avait inventé deux ans plus tôt, Mary Pickford. Le cinéaste D. W. Griffith s'éprit d'elle immédiatement et l'embaucha, lui offrant 40 dollars par jour, soit deux fois le cachet en vigueur à l'époque. Elle participa au tournage de 51 films au cours de cette première année. En 1916, elle gagnait 10 000 dollars par semaine, le plus important cachet jamais payé à un acteur. D'ailleurs, selon les journaux de l'époque, il s'agissait de la somme la plus importante jamais versée en salaire à une femme. Partout où elle se déplaçait, des foules d'admirateurs allaient à sa rencontre, lui quêtant un sourire ou un autographe. Innovatrice acharnée, Mary Pickford cofonda en 1919, avec ses collègues D. W. Griffith, Charlie Chaplin et Douglas Fairbanks, les studios United Artists. En 1927, elle contribua à la création de l'Académie des arts et des sciences du cinéma. L'Académie lui remit, deux ans plus tard, l'Oscar de la meilleure actrice pour son rôle dans le film *Coquette*. Bien qu'elle se soit établie en Californie, Mary Pickford conserva des liens forts avec le Canada. Elle insista pour garder sa citoyenneté, appuya l'effort de guerre en investissant beaucoup dans les obligations militaires du Canada et dînait avec des sommités canadiennes, comme le premier ministre William Lyon Mackenzie King, lorsqu'elle revenait au pays.

JOLLY JUMPER
Parce qu'on n'a que deux mains

On a rarement assez de nos deux mains. Et que dire lorsque l'une d'elles est occupée à porter un jeune enfant qui gigote sans arrêt! Les choses deviennent vite impossibles. Après la naissance de son premier enfant, en 1910, Susan Olivia Poole, de Toronto, tenait à demeurer active. Inspirée par les porte-bébés utilisés par les mères autochtones, elle confectionna son propre harnais. À partir d'une couche en coton, elle façonna un siège suspendu, ajouta un ressort pour suspendre le harnais et un manche de hache pour maintenir le tout. Susan baptisa son engin le «Jolly Jumper». Pendant qu'elle travaillait dans la maison et au jardin, son fils s'amusait à sautiller sur le sol près d'elle dans son Jolly Jumper. Susan eut six autres enfants et en confectionna un pour chacun. Elle en fabriqua plusieurs autres pour ses petits-enfants. En 1948, elle se lança dans la production et la vente, finit par faire breveter sa création et en vendit ailleurs dans le monde. Aujourd'hui, les petits harnais de Susan ne sont plus fabriqués avec des couches, des ressorts et des manches de hache, mais ils continuent de libérer les deux mains de nombreux parents actifs, aux quatre coins de la planète.

CRISPY CRUNCH
Une récompense de cinq dollars

Le mariage beurre d'arachide et chocolat semble aller de soi. C'est du moins ce que se disait Harold Oswin, de Toronto. En 1912, ce confiseur de chez William Neilson Dairy soumit son idée d'une tablette de chocolat fourrée au beurre d'arachide au concours de la compagnie qui cherchait à créer en une nouvelle. Il remporta le prix... et une récompense de cinq dollars. Pendant les 75 années suivantes, la Crispy Crunch de Harold enregistra des ventes passables : ce n'était pas la tablette préférée des consommateurs, mais elle était suffisamment populaire pour demeurer sur la liste de fabrication du chocolatier. Puis, en 1988, un repositionnement de la marque fit en sorte que la Crispy Crunch se retrouva en tête des palmarès de ventes. Et ce, grâce à un slogan de campagne publicitaire inédit et innovateur : *The only thing better than your Crispy Crunch is someone else's.* Soit : «Une seule chose est meilleure que votre Crispy Crunch : celle de votre voisin.» Il arrive donc que le destin des empires chocolatiers repose sur les quelques mots d'un slogan. Harold, notre gagnant du prix de cinq dollars, voyait finalement sa création devenir numéro un.

BARRE DE CHOCOLAT
Une confiserie à l'origine d'une industrie

Prenez une bonne idée. Enveloppez-la, donnez-lui votre nom. C'est un peu comme ça que l'industrie de la barre de chocolat – qui vaut des milliards de dollars – est née. À l'été 1920, Arthur Ganong (président de la chocolaterie familiale) et George Ensor (son directeur), tous deux du Nouveau-Brunswick, se préparaient pour une partie de pêche. Rassemblant leur équipement, ils glissèrent des morceaux de chocolat dans leurs poches en guise de collation pendant leur excursion. Si les deux hommes apprécièrent cette friandise, leurs mains et leurs poches se retrouvèrent toutes tachées de chocolat. La fois suivante, ils décidèrent d'envelopper leurs morceaux de chocolat dans du papier cellophane, un nouveau matériau qui était imperméable et protégeait aussi des dégâts de chocolat fondu. C'est alors qu'ils eurent un éclair de génie. S'ils pouvaient eux-mêmes compter sur la commodité de cet emballage, pourquoi ne pas en faire profiter tout le monde ? La société Ganong se mit à confectionner et à vendre une véritable barre de chocolat en deux morceaux, enveloppée dans un papier cellophane rouge et jaune très original. La combinaison de chocolat, caramel et arachides fut baptisée « Pal-o-mine » (mon-na-mi). Une collation sucrée pour les excursions de pêche ou pour toute autre activité où une friandise adoucit les mœurs.

LANCEZ UNE ENTREPRISE : VOICI COMMENT.

☐ Trouvez un ou deux cofondateurs avec des savoir-faire complémentaires qui partagent votre vision de l'entreprise et qui souhaitent travailler avec vous à long terme.

☐ Réglez dès le début le partage des actions de l'entreprise.

☐ Incorporez-vous et mettez un peu d'argent dans l'entreprise.

☐ Demandez de l'aide gouvernementale pour votre entreprise de démarrage avec le Programme d'aide à la recherche industrielle ou l'équivalent. Voyez ce que ce programme peut vous offrir et à quelles conditions.

☐ Fabriquez votre prototype à partir de ce que vous savez de vos clients.

☐ Montrez votre prototype aux amis et à la famille, peut-être voudront-ils y contribuer financièrement.

☐ Trouvez un lieu rentable pour travailler avec votre équipe, soit à la maison ou chez un accélérateur d'entreprise. Mettez votre argent de côté pour fabriquer votre produit et confirmez votre potentiel de marché avec vos premiers clients.

HÉLICE À PAS VARIABLE
Les vrais débuts de l'aviation

Au fond, l'hélice à pas variable est un peu comme la transmission de l'avion. Inventée en 1928 par Wallace Turnbull, de Rothesay, au Nouveau-Brunswick, cette hélice fut conçue pour diriger l'avion dans différentes directions et lui permettre de s'adapter aux changements de conditions atmosphériques. L'angle de pas est l'angle de chacune des pales de l'hélice. Le petit pas permet à l'avion de grimper de façon plus efficace. Le grand pas permet d'optimiser la performance et l'économie de carburant à des vitesses élevées. Les pales peuvent également être calibrées pour freiner l'appareil et lui permettre d'atterrir sur de plus courtes distances. Avant d'être munis de ces hélices à pas variables, les avions fonctionnaient en tout temps avec une seule vitesse. Ces aéronefs aux capacités limitées décollaient très difficilement lorsqu'ils transportaient beaucoup de marchandises, et ils ne pouvaient parcourir de longues distances. Lorsqu'un avion était équipé d'une hélice à pas variables, sa performance était devenue sans limites. À ce titre, l'ingénieuse hélice de Wallace est, de toute l'histoire des transports, certainement l'une des avancées les plus importantes.

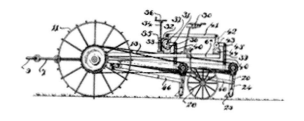

SARCLEUSE À TIGES
Une nouvelle façon de traiter la terre

Pour innover, il suffit parfois de faire ce qui semble évident, au bon moment. C'est ce que George Morris, originaire de Bangor, en Saskatchewan, affirma avoir simplement fait lorsqu'il mit au point son dispositif en 1929. Ce modeste propriétaire de garage, négociant de tracteurs et mécanicien, créa un nouveau genre de sarcleuse à tiges. Les désherbeuses traditionnelles étaient des machines tirées par des chevaux, faites d'une tige cylindrique en acier qui se mouvait dans la terre, pivotait et retirait les mauvaises herbes au fur et à mesure qu'elles avançaient. Dans la terre rocheuse de sa province, ces outils finissaient souvent par être déformés ou carrément arrachés. Pour compliquer le tout, les désherbeuses traditionnelles creusaient le sol profondément, émiettant et dispersant une grande partie de la couche de terre arable, l'exposant aux vents forts des Prairies. La nouvelle sarcleuse à tiges de George apportait une solution aux deux problèmes. Elle était dotée d'un mécanisme automatique qui déclenchait la tige dès que celle-ci entrait en contact avec des pierres. Le mécanisme de déclenchement relevait la barre jusqu'à la surface du champ, évitait l'obstacle dangereux pour ensuite le ramener à sa place et poursuivre le travail. La nouvelle sensibilité de l'instrument permettait également de laisser intacte la couche de terre arable. Alors que la Grande Dépression et les vents cruels du Dust Bowl commençaient à frapper, la nouvelle sarcleuse à tiges de Morris tombait à point nommé.

COUSSIN PÉTEUR
Un nouveau gadget, un nouveau son

Créer un son différent : c'est tout ce qu'il aura fallu pour faire sensation avec un nouveau gadget à la fin des années 1920. On fabriquait déjà une grande variété de dispositifs qui faisaient toutes sortes de bruits : depuis le cri d'un enfant jusqu'au feulement d'un chat. Procédant à des expériences avec des feuilles de caoutchouc, des employés de la JEM Rubber Company, de Toronto, découvrirent qu'ils pouvaient produire un bruit tout à fait différent. Le son qui émanait de leur petit oreiller de caoutchouc était, disons, quelque peu disgracieux. Le fournisseur de gadgets américain Johnson Smith & Company saisit tout de même l'occasion d'affaires et ajouta le bidule de la JEM Rubber Company à son volumineux catalogue. Il en confectionna même deux modèles : un économique à 25 cents et un de luxe à 1,25 dollar. Le cadeau parfait pour le plaisantin connaisseur qui possédait déjà tout ! Le gadget fit son entrée sur le marché avec fracas, ses ventes explosant bruyamment. Toujours disponible aujourd'hui, le coussin se fait encore entendre… chaque fois que se rencontrent un arrière-train imprudent et une chaise complice.

PLEXIGLAS
La vitre sans danger

Qui donc a inventé le plexiglas ? Ironiquement, rien n'est clair ou transparent au sujet des origines de ce matériau. D'aucuns prétendent que la création du polyméthacrylate de méthyle remonte à 1877. Les Allemands fabriquèrent effectivement la substance acrylique à cette époque, mais leur produit était toujours opaque. Or le plexiglas se devait d'être transparent pour être d'une quelconque utilité, n'est-ce pas ? C'est du moins ce que William Chalmers croyait. Étudiant de second cycle à l'Université McGill en 1931, William décida de clarifier le sujet. Il découvrit que l'ester éthylique de l'acide méthacrylique et le nitrile méthacrylique pouvaient s'unir au niveau moléculaire pour créer un polymère transparent. Il breveta sa technique, puis en fit la commercialisation. Deux ans plus tard, le produit apparut sur le marché sous l'appellation « Plexiglas », propriété d'un autre Allemand. Aujourd'hui connu sous divers noms — Lucite, Acrylite, Perspex et Plexiglas –, ce composé est omniprésent dans la vie moderne et nous procure une vue transparente et sécuritaire. Une invention allemande, donc. Une mise au point canadienne. La collaboration internationale à son meilleur.

MOISSONNEUSE-BATTEUSE AUTOMOTRICE
La machine à tout faire

Les méthodes modernes de récolte sont nées au Canada. La société Massey-Harris lança la première moissonneuse-batteuse automotrice en 1937. La nouvelle machine était la création de Tom Carroll et faisait exactement ce qu'elle annonçait : elle moissonnait les récoltes et exécutait tous les éléments de la tâche (fauchage, battage, vannage) en une seule opération. Mais plus encore : la machine se déplaçait par ses propres moyens. La moissonneuse de Massey-Harris était caractérisée par une barre de coupe située à l'avant de l'appareil, ce qui permettait de ne pas endommager les récoltes avec les roues. Le poste du conducteur était placé au-dessus du centre de la barre de coupe, donnant ainsi à l'opérateur une vue excellente sur le fauchage. De plus, les roues directrices installées à l'arrière rendaient la nouvelle machine plus facile à manœuvrer que les engins tirés par des tracteurs. La moissonneuse-batteuse automotrice a été perfectionnée depuis, histoire de la rendre encore plus efficace. Mais le concept de base est demeuré fidèle à la machine à tout faire originale et… tout à fait canadienne.

SHREDDIES
Les bienfaits du blé entier

Qu'est-ce qui rend les Shreddies si différentes? En 1939, la société Nabisco, de Niagara Falls, en Ontario, lançait la fabrication des Shreddies, la première marque de céréales faites de filaments de blé entier entrelacés comme un tricot. Sa popularité fut relativement faible au Canada lors de leur lancement, mais en 1955 Nabisco exporta ces céréales au Royaume-Uni, où elles devinrent rapidement un incontournable du petit-déjeuner. Aujourd'hui, bien sûr, les céréales emblématiques sont vendues des deux côtés de l'Atlantique. Alors, allez-y, régalez-vous sans hésiter, on pourra toujours vous en tricoter d'autres.

COFFEE CRISP
La petite collation canadienne

Aimeriez-vous un peu de café avec votre barre de chocolat? La société Rowntree a tenté l'expérience. En 1939, ce confiseur de Toronto ajouta une garniture crémeuse au café à la gaufrette d'une barre de chocolat originaire de Grande-Bretagne, connue sous le nom de «Chocolate Crisp». Ainsi était née la Coffee Crisp. Cette petite collation est toujours populaire, mais surtout au Canada, malheureusement. En effet, les Canadiens à l'étranger déplorent depuis longtemps de ne pas pouvoir la trouver ailleurs sur la planète. On a vraiment affaire à une petite collation typiquement canadienne.

VALISE DE SCARBOROUGH
Une poignée rétractable

Il fut un temps où l'on avait besoin de ses deux mains pour transporter sa caisse de bière préférée. C'était avant que Steve Pasjack n'entre en scène et ne civilise quelque peu le transport de la caisse de 12. En 1957, cet amateur de bière fort entreprenant créa la première poignée rétractable conçue pour une caisse de bière. Elle glissait vers le haut lors du transport, et disparaissait au moment de ranger la caisse. Ainsi munie de ce type de poignée, on la surnomma la «valise de Scarborough». L'histoire ne dit pas si Steve avait résidé dans cette banlieue de Toronto. Mais peu importe, la poignée originale dura des décennies, puis fut remplacée par une variété d'autres aux noms moins originaux. Mais sachez que certains brasseurs de Toronto incluent toujours la poignée de Scarborough sur leurs caisses. Essayez-en une. Et pendant que vous y êtes, prenez une bière à la santé de Steve.

REPRISE INSTANTANÉE
Une histoire qui vaut la peine d'être répétée

Vous n'avez jamais entendu parler de George Retzlaff? C'est pourtant l'une des personnes qui ont eu, à ce jour, le plus d'influence dans toute l'histoire des sports. En 1955, ce producteur de *Hockey Night in Canada* mit au point la reprise instantanée et en fit un élément régulier de son émission phare à la CBC. L'avènement de la bande-vidéo l'année suivante rendit le processus beaucoup plus simple. Les reprises se firent donc de plus en plus fréquentes, devenant un élément novateur des émissions de sport. Avant l'invention de George Retzlaff, il n'y avait pas de différence entre regarder une partie de hockey à la télévision ou y assister en personne à l'aréna. Avec la reprise instantanée, tout a changé. La transmission de la partie de hockey offrait aux téléspectateurs une expérience en soi. L'innovation modifia non seulement la façon dont nous regardons les sports, mais aussi la manière dont les matchs sont joués, analysés et même arbitrés. Un bel exemple d'un média qui influence l'action. Maintenant, jetons à nouveau un coup d'œil sur tout cela. Vous n'avez jamais entendu parler de George Retzlaff? C'est pourtant l'une des personnes qui ont eu, à ce jour, le plus d'influence dans toute l'histoire des sports. En 1955, ce producteur de *Hockey Night in Canada* mit au point…

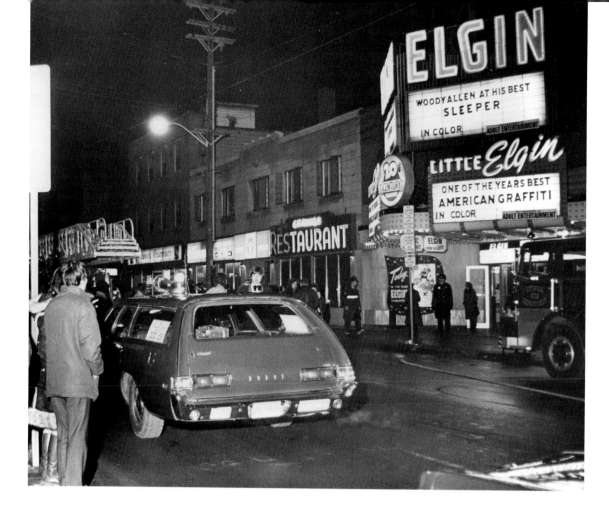

CINÉMA MULTIPLEX
Le choix des cinéphiles

Si vous marchez le long de la rue Elgin à Ottawa, vous pouvez encore aujourd'hui apercevoir la façade de briques rouges du tout premier cinéma multiplex. Derrière cette innovation, un homme : Nat Taylor. Propriétaire du cinéma Elgin, Taylor ouvrit sa grande salle de cinéma en 1937. Dix ans plus tard, les affaires étant prospères, il installa un deuxième écran dans une salle sur un terrain adjacent. En 1957, Nat était de plus en plus frustré de voir les tout-puissants distributeurs de films lui imposer leur programmation, exigeant qu'il cesse de présenter un film populaire pour y substituer une autre nouveauté. Il réagit en conservant un film plus ancien mais populaire sur un de ses écrans, et en projetant la nouveauté imposée sur son deuxième écran, comme l'exigeaient les distributeurs. Par cette simple innovation, il venait de créer le cinéma multiplex. Nat Taylor construisit des multiplex plus grands, avec plus d'écrans, dans des centaines de banlieues, partout au Canada. D'autres entrepreneurs prirent le relais, établissant leurs propres versions du complexe de salles partout où l'on trouvait des cinéphiles. Et le cinéma Elgin ? C'est en 1994 que les projecteurs se sont éteints dans le modeste bâtiment à deux salles de Nat Taylor. Ce premier multiplex, qui avait jadis été le choix des cinéphiles d'Ottawa, avait été victime de la multiplication des complexes plus grands. Victime de son succès.

PILE ALCALINE
Un nouveau départ

Parfois, la meilleure façon d'améliorer une chose consiste à la mettre complètement de côté et à en créer une autre. Lorsque les patrons de Lewis Urry, à la Canadian National Carbon Company, lui demandèrent d'améliorer la durée de vie de la bonne vieille pile saline, celui-ci décida d'aborder le problème autrement. En 1955, cet ingénieur récemment diplômé de l'Université de Toronto fit de longues expériences avec d'autres éléments et composés que le zinc et le carbone. Rapidement, il découvrit qu'une combinaison de dioxyde de manganèse, de zinc solide et en poudre produisait une pile non seulement plus durable, mais aussi peu coûteuse et facile à fabriquer. Son secret? La poudre de zinc qui, selon Lewis, offre une plus grande surface de contact, et donc plus de puissance. La prochaine fois que vous utiliserez votre téléphone intelligent ou votre ordinateur portable, ayez une pensée pour Lewis Urry… et les avantages des nouveaux départs.

PURÉE INSTANTANÉE
Rêve ou cauchemar?

L'horrible cauchemar du vaillant gourmet est sans doute un doux rêve pour la personne pressée. En 1960, alors qu'il travaillait comme chimiste à Agriculture Canada, à Ottawa, Edward Asselbergs mit au point un procédé pour déshydrater la pomme de terre et la transformer en flocons. Rapidement, sa purée de pommes de terre instantanée devint un incontournable pour de nombreux Canadiens et, dès 1962, elle était vendue dans tous les supermarchés. Un rêve devenu réalité pour bien des gens pressés.

PROCÉDÉ D'IMAGES MULTIPLES DYNAMIQUES
Des images dans l'image

Si vous regardiez la télévision dans les années 1970, vous vous souvenez certainement de l'innovation de Christopher Chapman. Cet homme mit au point un procédé d'images multiples dynamiques qui devint un incontournable dans les génériques d'ouverture d'émissions comme *Kojak*, *Mannix*, *Barnaby Jones*, *Médecins d'aujourd'hui* (*Medical Centre*) et plusieurs autres. Ce procédé, développé en 1967 par le Torontois pour son film *A Place to Stand*, présentait plusieurs images se déplaçant simultanément sur différents panneaux à travers l'écran. Certains d'entre eux étaient des images complètes qui bougeaient, alors que d'autres contenaient des morceaux d'une image plus grande qui prenait forme à mesure que les panneaux apparaissaient et fusionnaient, à la manière des pièces d'un casse-tête. Vous vous souvenez du générique de l'émission *The Brady Bunch*? Il s'agit là d'un excellent exemple du procédé à l'œuvre; on y voyait jusqu'à neuf images indépendantes et simultanées à l'écran… et Ann B. Davis dans le rôle d'Alice.

BLOODY CAESAR
Le cocktail canadien

Walter Chell était prêt à relever un défi. En 1969, on demanda à ce barman de l'hôtel Westin de Calgary de créer un cocktail maison pour souligner l'ouverture d'un restaurant familial italien. Il laissa mariner la requête pendant trois mois, réalisant plusieurs expériences de décoctions. Il conçut finalement un nouveau cocktail qui combinait de la vodka, des palourdes broyées, du jus de tomate, du Tabasco, de la sauce Worcestershire, du sel et du poivre, le tout garni d'une branche de céleri. Son créateur nomma sa trouvaille le «Caesar», en hommage à ses racines italiennes, non sans un soupçon d'orgueil. La légende veut qu'un client de l'hôtel à la langue bien pendue avala une bonne gorgée de la boisson et déclara: «Walter, that's a damn good bloody Caesar! (Walter, c'est là un sacré bon Caesar!)» Le nom définitif du cocktail était né: le «Bloody Caesar». Sa renommée dépassa vite le cercle des clients du Westin de Calgary. Le cocktail devint populaire si rapidement que, la même année, le fabricant Mott's vendit des quantités records de son mélange à cocktail à base de jus de palourdes et de jus de tomate. Plus besoin de broyer les palourdes! Aujourd'hui, la société affirme que 350 millions de ces cocktails typiquement canadiens sont consommés chez nous chaque année. Levons donc notre verre à Walter Chell. *Ave* César!

PHOTOGRAPHIE NUMÉRIQUE
Sourions !

«Trouvez quelque chose de nouveau.» C'est par un jour de 1969 que Willard Boyle reçut cette directive de la part de son patron chez Bell Laboratories. L'incitation à innover est parfois aussi simple et directe. L'employé originaire de Nouvelle-Écosse se mit donc rapidement au travail. Et en un après-midi, seul devant son tableau noir, il créa le dispositif à couplage de charge. De quoi s'agit-il donc ? Ce fameux «quelque chose de nouveau» nous permet de prendre des photos avec nos téléphones intelligents. Un dispositif à couplage de charge déplace une charge électrique sur la surface d'un semi-conducteur d'un condensateur de stockage à un autre, permettant ainsi aux photons entrants d'être convertis en charge électrique, pour ensuite illuminer une partie de l'écran. Avec suffisamment de condensateurs, on peut reproduire un original en une image lumineuse. Willard a eu l'idée, mais il aura fallu toute une équipe de spécialistes pour concrétiser sa vision. Résultat : une innovation, grâce à l'inspiration et au travail d'équipe. C'est du sérieux, et il n'y a pas de quoi sourire. Ou si peu.

SEMOIR PNEUMATIQUE
Une idée à semer à tout vent

Pendant des générations, les agriculteurs ont compté exclusivement sur la gravité pour ensemencer et fertiliser leurs champs. Ils remplissaient de grands semoirs fixés à leurs outils agricoles. Les machines libéraient ensuite les semences ou l'engrais pour les déposer dans les rangées de semis. La gravité est une force puissante, mais souvent inefficace. Les fermiers devaient généralement passer à plusieurs reprises dans un champ pour l'ensemencer ou le fertiliser convenablement. En 1970, Jerome Bechard conçut une manière plus efficace de procéder. Ce fermier de Lajord, en Saskatchewan, construisit une machine munie d'un réservoir, tirée par un tracteur. Le réservoir était séparé en compartiments pour les semences et l'engrais. Un jet d'air comprimé distribuait directement un mélange de grains et d'engrais, forçant le tout profondément dans les rangées de semis. De plus, les réservoirs étaient équipés de compteurs, qui permettaient aux agriculteurs d'ajuster les proportions de semences et d'engrais. Le semoir pneumatique de Jerome se répandit rapidement. Là où régnait la gravité, le semoir pneumatique est devenu la norme, partout où l'on cultive des céréales.

CONTRÔLEZ L'UTILISATION DE VOTRE CONCEPT : VOICI COMMENT

Si l'innovation dépend de la vaste diffusion des idées, de nombreux pays (dont le Canada) accordent aux créateurs les droits commerciaux exclusifs pour la mise en œuvre de leurs concepts pour une période déterminée. Les idées ainsi protégées reçoivent l'appellation de « propriété intellectuelle » ou « PI ». Voici la marche à suivre pour prendre en main le destin de votre PI.

☐ Créez rapidement une stratégie de PI adaptée à votre secteur industriel, au type de PI que vous souhaitez protéger et aux moyens financiers dont vous disposez pour la défendre à long terme.

☐ Adjoignez à votre équipe un bon rédacteur technique, pour préparer des brevets provisoires pour chacune de vos idées. Établissez ensuite quelles idées seront les plus utiles à votre entreprise au cours de la première année.

☐ Effectuez des recherches sur les autres brevets et les obstacles potentiels comme les marques déposées. Cela vous évitera d'éventuelles interruptions juridiques.

☐ Sollicitez les services d'un avocat en PI pour vous aider à donner des titres clairs aux idées que vous souhaitez contrôler. Les services juridiques vous permettront ainsi d'avoir des contrats de travail et des contrats d'entreprise exécutoires qui attribueront un titre à toute propriété intellectuelle, y compris les brevets, copyrights, secrets commerciaux et œuvres morales. Assurez-vous que votre personnel et les entrepreneurs avec lesquels vous traitez ratifient ces contrats et renouvellent leur engagement chaque année.

☐ Obtenez l'aide d'un cabinet d'avocats d'affaires. Limitez vos dépenses en choisissant un cabinet qui offre un programme de PI pour jeunes entreprises. Déposez des demandes de brevets et protégez vos secrets commerciaux et dessins industriels par des ententes de confidentialité et autres instruments juridiques.

☐ Si quelqu'un allègue que vous violez un brevet existant, faites immédiatement appel à des services juridiques spécialisés.

ANIMATION PAR IMAGE-CLÉ
La naissance de l'infographie

Comment faire pour créer une industrie de 200 milliards de dollars ? Commencez par trouver un défi à relever. Au cours des années 1960, Nestor Burtnyk et Marceli Wein, deux ingénieurs de Montréal, voulaient faciliter l'utilisation des ordinateurs. Quand ils entendirent des animateurs de Disney décrire le fastidieux processus de création des dessins animés, les deux hommes trouvèrent leur défi. En 1970, Burtnyk et Wein mirent au point l'animation par image-clé. Leur découverte permettait à un artiste d'esquisser uniquement les principaux points d'une séquence animée ; ensuite, le programme informatique calculait et produisait les dessins contenus entre les images principales, éliminant le travail manuel fastidieux exigé. En effet, les animateurs débutants devaient méticuleusement dessiner chaque cellule, chaque image et chaque mouvement d'une séquence. Et ce n'est pas tout : l'animation par image-clé a ouvert la voie à des systèmes de génération d'images par ordinateur beaucoup plus sophistiqués – une industrie de 200 milliards de dollars et un pilier de la production cinématographique actuelle.

PROJECTEUR IMAX
Le vrai grand spectacle

Les cinéphiles veulent sans cesse être émerveillés par ce qu'ils regardent, et les réalisateurs essaient de les suivre et même de les devancer, en créant des images plus grandes, plus larges et plus nettes. La plus grande d'aujourd'hui, c'est IMAX. Avant l'apparition de ce système, les cinéastes ne pouvaient utiliser le support de tournage nécessaire pour présenter des images qui rempliraient le champ de vision d'un spectateur. La pellicule de 70 millimètres, 10 fois plus grande que le film standard, tremblait lorsqu'elle passait dans la caméra et le projecteur, créant une distorsion des images que ces appareils tentaient de capter et de présenter. Mis au point en 1971 par cinq hommes travaillant à Toronto – Ron Jones, William Shaw, Roman Kroitor, Robert Kerr et Graeme Ferguson –, le projecteur IMAX résolut ce problème. En effet, le film y défilait horizontalement, dans une action ondulatoire, dite «à boucle déroulante». Cette technique produit une image plus stable (cinq fois plus stable que les systèmes traditionnels), plus nette (plus de 17 millions de pixels par image) et plus grande (10 fois la taille du film commercial 35 mm, ou encore haute de huit étages). C'est ce qu'on appelle voir grand.

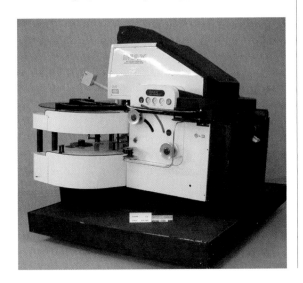

LASER
La fusée des lacs

Un jour de 1970, Bruce Kirby et Ian Bruce discutaient au téléphone de la création d'une marque d'équipement de camping. Ils s'entendaient pour dire que leurs produits entièrement canadiens devraient inclure un bateau que les plaisanciers de fin de semaine pourraient transporter sur le toit de leur voiture. Kirby se mit immédiatement au travail, esquissant le plan de leur voilier portable. Son concept sans fioritures mettait l'accent sur la simplicité, la durabilité et la vitesse. Lors de son dévoilement à l'occasion du salon nautique de New York, en 1971, le dériveur aujourd'hui appelé le «Laser» remporta un succès immédiat auprès des mordus de sports nautiques. Trois ans plus tard, on organisa un championnat du monde pour cette catégorie d'embarcations. En 1996, le Laser devint une épreuve masculine de voile olympique à Atlanta. Et aux dernières nouvelles, plus de 200 000 Laser se promènent sur les lacs et les rivières dans des dizaines de pays. L'idée de deux campeurs canadiens est devenue un favori des marins de plaisance.

SATURDAY NIGHT LIVE
La nouvelle institution humoristique

Le cerveau à l'origine de l'émission de télévision humoristique hebdomadaire la plus importante et la plus durable aux États-Unis est – c'est assez amusant – un Canadien. Lorne Michaels, de Toronto, créa *Saturday Night Live (SNL)* en 1975. D'abord intitulée *NBC's Saturday Night*, l'émission devait remplacer la rediffusion du samedi d'une institution de la télé américaine : *The Tonight Show Starring Johnny Carson*. La production toute nouvelle de Michaels devint rapidement elle-même une institution. D'autres émissions humoristiques apparurent au fil des ans à la télé américaine, mais *SNL* se révéla dans une classe à part. Elle présentait une distribution de jeunes humoristes audacieux ; elle était retransmise en direct, devant un auditoire bruyant, présent en studio ; et sa spécialité était la satire sociale et politique tranchante. Jamais de regrets. Au cours des cinq dernières décennies, plusieurs ont tenté de copier *Saturday Night Live*, sans réussir à l'égaler. L'émission a aussi servi de tremplin à bon nombre des humoristes les plus populaires des deux dernières générations, dont beaucoup étaient Canadiens, comme le créateur de *SNL*. Amusant.

YUK YUK'S
La drôle de franchise

Si les restaurants peuvent être franchisés, pourquoi cela ne pourrait-il pas être le cas des *comedy clubs*? C'est la question que Mark Beslin, un humoriste et entrepreneur, se posa en 1978, deux ans après avoir ouvert son premier cabaret dans le sous-sol d'un centre communautaire de Toronto. Il nomma son établissement Yuk Yuk's. Constatant son succès immédiat, il pressentit qu'un modèle de divertissement présentant de courtes prestations d'humoristes pourrait être populaire partout. Peu après, des franchises de son club apparurent dans des villes aux quatre coins du Canada. Il existe aujourd'hui 17 clubs Yuk Yuk's au Canada et 3 aux États-Unis. Leur succès a fait naître des imitateurs-de nombreuses franchises de l'humour. Mark ne s'en plaint pas. La révolution lancée par l'entrepreneur de Toronto a été un bienfait pour les humoristes et leurs admirateurs partout en Amérique du Nord. Merci de nous avoir lus. Vous êtes un public extraordinaire. Vraiment! Bonne fin de soirée.

PÂTE À MODELER TUTTI-FRUTTI
Le jouet qu'on voudrait manger

Ne sous-estimez jamais la volonté d'une mère. En 1980, Micheline Desbiens essaya plus de 500 recettes avant d'être satisfaite de celle qui deviendrait la pâte à modeler Tutti-Frutti. Pourquoi autant d'essais? Contrairement aux autres pâtes disponibles sur le marché à l'époque, celle créée par cette maman québécoise était non toxique, on pouvait la réhydrater, elle ne tachait pas, ne collait pas, et elle avait une odeur agréable. Elle pouvait aussi être tordue, pressée et déformée par de petites mains. Qu'est-ce qu'une mère pourrait demander de plus?

JEU TRIVIAL PURSUIT
Un phénomène exceptionnel

Voici une question de la catégorie « Sports et loisirs » : quel jeu conçu par des Canadiens a été appelé « le plus grand phénomène de l'histoire des jeux de société » ? Réponse : Trivial Pursuit, la création de quatre Montréalais. Ce jeu montre bien qu'il n'est pas si compliqué de divertir toute une génération. Il suffit d'un plateau, de six pions, de dizaines de petits triangles colorés et de 6 000 questions réparties en six catégories sur un millier de cartes. Ne pas négliger une bonne dose de persévérance. Les premiers investisseurs furent difficiles à convaincre, car les coûts de démarrage étaient élevés, et les ventes initiales s'étaient avérées un fiasco. La bonne nouvelle : les premiers à jouer à Trivial Pursuit furent captivés, et le produit devint bientôt un phénomène dans le monde des jeux de société. Depuis son lancement sous de mauvais auspices, en 1982, plus de 100 millions d'exemplaires du jeu ont été vendus dans 26 pays et dans au moins 17 langues. Pas banal.

HUARD
La pièce à 11 côtés

Elle a passé tout près de s'appeler le « voyageur ». En 1987, la nouvelle pièce canadienne de un dollar était prête à être frappée. On y voyait des voyageurs pagayant dans leur canot, vers quelque aventure. Mais les étampes maîtresses devant servir à fabriquer les pièces furent égarées lors du transport entre Ottawa et l'installation de placage de Winnipeg. L'équipe de la Monnaie royale canadienne se tourna alors vers un concept de rechange, une image simple d'un plongeon huard créé par Robert Carmichael, originaire de Sault-Sainte-Marie. Quatre-vingts millions de pièces de un dollar à 11 côtés, faites de nickel plaqué de bronze, furent mises en circulation partout au Canada, pour remplacer le billet de un dollar. Pourquoi ce changement ? La raison est simple : un billet dure moins d'un an, alors que les nouvelles pièces durent au moins 20 ans. L'un des facteurs expliquant cette résistance est un nouveau procédé d'électroplacage inventé par Sherritt International, une entreprise multinationale de l'industrie des ressources basée à Toronto. Le procédé permet aux pièces dorées de résister à la ternissure et à l'usure. Quelques semaines après son lancement, la nouvelle pièce était surnommée le « huard ». En 1995, sa cousine de deux dollars fit son apparition, arborant un ours polaire.

PIÈCES COLORÉES
Un changement notable

Nous avons depuis de nombreuses années des billets de différentes couleurs. Mais ce n'est qu'en 2004 que sont apparues les premières pièces colorées. Cette année-là, en octobre, la Monnaie royale canadienne mit en circulation 30 millions de pièces de 25 cents au coquelicot rouge. Le coquelicot était revêtu d'une couche protectrice fluorescente, appliquée à l'aide d'un procédé ultrarapide de jet d'encre de précision, commandé par ordinateur. Fabriquées en l'honneur des 117 000 Canadiens qui sont morts en servant leur pays, les pièces non seulement avaient cours légal, mais elles sont rapidement devenues un souvenir à collectionner. La Monnaie royale récidiva quatre ans plus tard pour souligner le quatre-vingt-dixième anniversaire de la fin de la Première Guerre mondiale. Une nouvelle explosion de couleur pour célébrer la fin d'un chapitre sombre de l'histoire de notre pays.

CIDRE DE GLACE
Le summum de la « pommitude »

Selon sa stricte définition, le cidre de glace est une boisson fermentée fabriquée à partir de jus de pommes gelé. Les amateurs de ce fruit pourraient également dire du cidre de glace qu'il est le summum de la « pommitude ». Inventé par Christian Barthomeuf en 1990, il est au cidre ce que le vin de glace est au vin. Deux procédés permettent de le fabriquer. La cryoconcentration consiste à récolter les pommes à la fin de la saison, puis à les entreposer jusqu'à la fin de décembre. Elles sont alors pressées, et leur jus est conservé à l'extérieur dans le froid, où il gèle et commence à fermenter. La cryoextraction suppose qu'on laisse mûrir les pommes sur les arbres jusqu'à la fin de janvier. Elles sont ensuite cueillies, pressées et entreposées pour fermenter à basse température. Le cidre de glace est né à Dunham, dans les Cantons de l'Est, au Québec… le lieu idéal pour l'une et l'autre approches : beaucoup de pommes et beaucoup de froid à la fin de l'automne et pendant l'hiver. Une ville québécoise, royaume de la « pommitude ».

CAFÉ SECOND CUP
Un bon café, à toute heure

En 1975, Tom Culligan, de Belledune, au Nouveau-Brunswick, et Frank O'Dea, de Montréal, au Québec, discutaient d'une tendance qui prenait de l'ampleur : les Canadiens aimaient mieux boire du café que de l'eau ! Les deux hommes décidèrent donc de tirer profit de cette habitude en créant des comptoirs à café bien situés dans des centres commerciaux – d'abord à Toronto, puis ailleurs au pays et partout dans le monde. Sachant que les Canadiens prennent habituellement leur première tasse de café de la journée à la maison, ils nommèrent leur entreprise Second Cup (deuxième tasse), un concept qui remporta beaucoup de succès auprès du public. Second Cup Coffee Co. est aujourd'hui le plus important détaillant de cafés spécialisés au Canada, préparant à la main chaque semaine plus d'un million de boissons, percolant plus de 20 000 kilos de café issu du commerce équitable. Et votre café, vous le prenez comment ?

THÉIÈRE INTELLIGENTE
Le maître de l'infusion

À quoi un analyste financier consacre-t-il son temps une fois à la retraite ? L'un d'eux s'est occupé en inventant, en 2009, la théière parfaite. Il s'appelle Pierre Mercier. La création de ce Montréalais, la machine à thé Fine T, possède deux principaux atouts. D'abord, elle est programmable : l'appareil détermine la durée exacte de l'infusion, ainsi que la température appropriée de l'eau, selon le type de thé choisi par l'utilisateur. De plus, elle est faite d'acier inoxydable : l'amateur peut donc y infuser toutes sortes de thés sans que les divers goûts s'accumulent avec le temps, comme c'est le cas dans les théières en céramique. En outre, elle vient du Canada. Votre thé… avec ou sans nuage de lait ?

Manteau de bison
Sirop d'érable
Crosse
Mocassin
Souper-spectacle
Tartelette au beurre
Pomme McIntosh
Laveuse-essoreuse à rouleaux
Climatisation
    des voitures ferroviaires
Patins à pinces
Similigravure
Hockey
Planche à repasser
Étiquette à bagage
Appareil panoramique
Ventilateur rotatif
Basketball
Coupe Stanley
Voiture panoramique
Clé ouvre-boîte
Jeu des cinq-quilles
Boîte à œufs
Fermeture à glissière
Fenêtres à vitrage isolant
Homard en conserve
Mulligan
Cirque du Soleil
Groupe des Sept

Chaussure imperméable
Mots croisés sur table
Easy-Off
Boîte à sardine
Hockey sur table
Superman
Office national du film
Synthétiseur
Bacon canadien
Coupe-froid
Nouvelle éclairante
Barre Nanaimo
Poutine
Dictionnaire biographique
    du Canada
Technique musicale Gould
Wonderbra
Standards de couleur
    pour le drapeau
Chat sphynx
Yukon Gold
Qualité sonore
Bovril
Évaluation de dérivé
Écran tactile multipoint
Juste pour rire
Moteur de recherche Internet
Numérisation 3D

Plus...
intelligent
proche
bienveillant
sûr
sain
riche
heureux

Certaines innovations nous rassurent. Le confort d'un mocassin moelleux sur le sol forestier. La fièvre de la finale de la Coupe Stanley. Le goût du *bacon* canadien. Le son d'une enceinte acoustique parfaitement équilibrée. L'esprit d'un humoriste. La fraîcheur d'une voiture climatisée. Le goût du sirop d'érable. Une seconde chance au *golf*. Toutes ces agréables sensations sont dues à l'ingéniosité des Canadiens. Sans ces innovations, le monde serait moins heureux.

MANTEAU DE BISON
Le vêtement d'hiver le plus chaud

Les gens tannent des peaux depuis que la chasse existe, ou presque. Les peuples autochtones du Canada ont été parmi les premiers tanneurs, avec les Cris, les Assiniboines et les Pieds-Noirs, à perfectionner leur art dans les Prairies. Ils préféraient les peaux des bisons, dont des millions de spécimens parcouraient les terres qu'ils se partageaient. À l'époque de l'établissement des Européens dans l'Ouest, ces peaux étaient transformées en vestes boutonnées avec des manches longues, produites commercialement et vendues à ceux qui exerçaient leurs activités par très grand froid. Les policiers de la Gendarmerie royale du Canada comptaient parmi leurs importants clients; ils sont souvent représentés sur des gravures, des photographies et, parfois, dans des films, vêtus de leur emblématique manteau de bison. La mode a changé à temps, juste au moment où le bison des Prairies était menacé d'extinction, faisant place aux parkas plus légers, plus commodes, et (surtout si vous êtes un bison) plus sympathiques.

SIROP D'ÉRABLE
Le sacre du printemps

Une pile de crêpes ne serait absolument pas la même sans sirop d'érable. Les Algonquins de l'est du Canada ont été les premiers à reconnaître la valeur alimentaire de la sève des érables rouges, des érables à sucre et des érables noirs. D'innombrables générations de peuples autochtones consommaient la sève comme boisson sucrée et l'utilisaient en cuisine comme source d'énergie et substance nutritive. Les colons européens ont eu l'idée de faire bouillir la sève dans des chaudrons de fer et de cuivre pour faire évaporer une partie de son eau et la transformer en sirop ou en sucre d'érable, lesquels deviendront bientôt une denrée de base sur la table des demeures coloniales. Le progrès des siècles derniers a introduit des outils et des méthodes qui accélèrent l'évaporation et améliorent la qualité du sirop. Plus récemment, les gros producteurs ont intégré des pompes à vide, des préchauffeurs, des filtres à osmose inversée et des systèmes tubulaires qui connectent les arbres directement aux cabanes à sucre. Au printemps, on brasse de grosses affaires! Le Canada assure 80 % de la production mondiale de sirop d'érable et l'exporte, partout dans le monde et en toute saison, sur la table des gourmets.

CROSSE
Le sport en hommage au Créateur

Imaginez un sport dans lequel deux équipes de cinq cents joueurs chacune s'affrontent durant toute une journée sur un terrain de trois kilomètres de long. Les peuples autochtones du Canada croyaient que la crosse, dont l'origine remonte à un millénaire au moins, devait se jouer à grande échelle, en tant qu'activité digne du Créateur et organisée en son honneur. À leur arrivée au Canada, les colons européens ont documenté ces manifestations sportives sacrées. Ils y ont même participé. Quand, à la fin des années 1850, le débat national a porté sur la Confédération, William George Beers, de Montréal, a conçu un projet. William adorait la crosse, il avait grandi en la pratiquant, et il était convaincu que, promue de façon appropriée, elle pourrait servir de « symbole d'unité pour la nation canadienne en pleine émergence ». En 1860, il en avait codifié les règles. Avant la fin de la décennie, il avait rédigé et publié le premier livre sur la crosse. En 1876, quand elle est devenue populaire, il a traversé l'océan avec une équipe de joueurs canadiens autochtones et non autochtones pour la présenter en Angleterre, en Écosse et en Irlande. Aujourd'hui, cet ancien sport canadien est pratiqué partout en Amérique du Nord et dans le monde par des millions d'hommes et de femmes, de professionnels et d'amateurs. Le Créateur doit se réjouir.

MOCASSIN
La chaussure pour la forêt

Il assure la protection du pied et le contact avec le sol, ce qui fait du mocassin la chaussure idéale pour la forêt. On le porte depuis des milliers d'années, mais on ignore son origine exacte. Toutefois, pour plusieurs peuples des Premières Nations du Canada, surtout les Algonquins, c'était la chaussure parfaite. Tout en cuir, la plupart des mocassins sont faits d'une semelle de cuir non assoupli avec des côtés de cuir souple cousus ensemble sur l'empeigne, de manière à recouvrir complètement le pied. La semelle est suffisamment rigide pour protéger le pied, mais assez souple pour permettre de sentir le sol. Dès leur arrivée en Amérique du Nord, les chasseurs européens, les commerçants et les colonisateurs ont constaté les avantages des mocassins et les ont adoptés rapidement et favorablement comme chaussures de marche en forêt.

SOUPER-SPECTACLE
L'Ordre de Bon Temps

Les premiers colons français croyaient que l'oisiveté causait le scorbut, une fièvre qui avait complètement ravagé leur communauté naissante sur l'île de Sainte-Croix, dans la baie de Fundy. Les pertes avaient été si nombreuses qu'ils avaient déménagé la colonie de l'autre côté de la baie, sur la partie continentale qui correspond aujourd'hui à la Nouvelle-Écosse. En novembre 1606, alors qu'un autre impitoyable hiver s'abattait sur Port-Royal, Samuel de Champlain créa l'Ordre de Bon Temps. Ce club gastronomique et social offrait un vaste choix de produits locaux et des divertissements pour maintenir actifs les 70 hommes de l'établissement et éloigner la maladie. Les rassemblements de l'Ordre avaient lieu chaque semaine durant l'hiver, jusqu'à la dernière semaine de mars, et reprenaient avec l'arrivée du froid. Les dirigeants locaux préparaient chaque repas, et tous les hommes participaient aux spectacles. Le premier d'entre eux était une pièce de théâtre écrite par Marc Lescarbot ; elle racontait l'histoire d'un groupe de marins qui, en route vers le Nouveau Monde, avait rencontré le dieu Neptune. Sagamore Membertou et des membres de la nation des Micmacs comptaient parmi les invités réguliers et étaient traités en égaux. Même si le scorbut n'est pas attribuable à l'oisiveté, une partie du succès de l'établissement est due à l'initiative de Champlain, à la saine alimentation et à la véritable camaraderie qu'elle a engendrée. Une partie de la solution se trouvait dans les fraises et les cassis très riches en vitamine C, et dans les viandes fraîches que les invités micmacs apportaient comme présents. De la bonne chère, une agréable compagnie et un Ordre de Bon Temps. Le souper-spectacle était né et le scorbut n'avait plus aucune chance de sévir.

TARTELETTE AU BEURRE
Le dessert de peu de moyens

Qui a dit que la nourriture des hôpitaux était insipide? La plus vieille recette de tartelette au beurre est parue dans le *Women's Auxiliary of the Royal Victoria Hospital Cookbook** en 1900. Merci, Mesdames. Toutefois, l'origine de ce dessert typiquement canadien est beaucoup plus ancienne. Elle remonte à un autre groupe de femmes, les *filles à marier*, qui immigrèrent en Nouvelle-France dès 1634. Ces femmes – nombre d'entre elles adolescentes – savaient cuisiner de nombreuses sortes de tartes. Leur nouveau foyer ne disposant pas des mêmes ingrédients que les villes et les campagnes de leur pays d'origine, ces pionnières se contentèrent de ce qu'elles avaient sous la main et confectionnèrent des tartes avec du beurre, du sucre, du sirop d'érable et des raisins. S'accommoder de peu était une façon de vivre en Nouvelle-France, même quand il s'agissait de dessert.

Le livre de recettes des Auxiliaires de l'Hôpital Royal Victoria

POMME MCINTOSH
La découverte d'une bonne famille

Des débuts modestes mènent à de grandes réalisations. Un jour de 1811, alors qu'il nettoyait un coin de terrain envahi par l'herbe sur sa ferme de Dundela, dans l'est de l'Ontario actuel, John McIntosh découvrit une pousse frêle qui allait devenir l'une des pommes préférées de par le monde. Les nuits fraîches et le temps clair d'automne offraient les conditions de croissance idéales pour ce fruit nourrissant et croquant. Le fermier John et sa famille cultivèrent ces pommiers puis les greffèrent, produisant ainsi des boisseaux de pommes tendres et acidulées. La production commerciale de la McIntosh a commencé en 1870 et elle est bientôt devenue la variété la plus populaire dans l'est du Canada et au nord des États-Unis. Pomme à croquer ou à cuisiner, la McIntosh s'est avérée bien adaptée aux greffes, ce qui a permis de produire pas moins d'une trentaine d'autres variétés en Amérique du Nord et en Europe. Associée à la fraîcheur, à la saine alimentation et aux plaisirs simples, cette innovation ontarienne a aussi suggéré le nom d'un ordinateur personnel, le Macintosh de Apple, une autre innovation qui a dominé le marché à partir de modestes débuts.

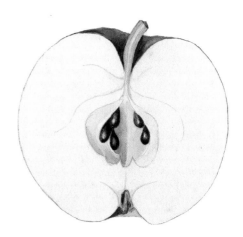

LAVEUSE-ESSOREUSE À ROULEAUX
Le premier appareil ménager

Les machines à laver le linge existent depuis au moins 1791. Toutefois, le lave-linge que l'on connaît aujourd'hui date de 1843. Cette année-là, John Turnbull, de Saint-Jean, au Nouveau-Brunswick, ajoutait une essoreuse à la machine à laver. Un ressort permettait au cylindre supérieur de l'esso-reuse de monter ou de descendre pour s'adapter à l'épaisseur de la pièce qui passait entre les rouleaux. Ce mécanisme, actionné par une manivelle, assurait une pression continue sur les vêtements mouillés pour extraire le maximum d'eau. Cette eau tombait directement dans la cuve. Pas de dégât donc. Avec cet appareil, les femmes au foyer pouvaient désor-mais laver leur linge, mais aussi l'assécher, ou à tout le moins l'essorer mieux que jamais. Rien d'étonnant à ce que la laveuse-essoreuse à rouleaux ait connu un immense succès partout en Amérique du Nord. En 1940, 60 % des 25 millions de foyers américains électrifiés étaient équipés d'une laveuse-essoreuse électrique à rouleaux, le premier appareil ménager.

CLIMATISATION DES VOITURES FERROVIAIRES
Le confort pour les voyageurs

La climatisation des voitures et des autobus, des avions et des trains, des maisons et des bureaux, des magasins et des restaurants est aujourd'hui la norme. Toutefois, pendant des générations et jusqu'à tout récemment, c'était l'exception et non la règle. Pourtant, la technologie existait. Le premier système de climatisation des voitures ferroviaires date de 1859. Le mérite revient à Henry Ruttan. L'audacieux shérif ontarien combina un réservoir d'eau avec un radiateur pour produire de l'air frais, rendant ainsi le trajet beaucoup plus confortable. Il en avait eu l'idée en s'attaquant au problème de surchauffe des voitures ferroviaires à l'arrêt sur les voies d'évitement, durant les chaudes journées d'été. Alors que certains se contentaient de maudire la chaleur, ce shérif de l'Ontario a su garder la tête froide.

PATINS À PINCES
L'institution nationale

Les patins à pinces et la Confédération ont quelque chose en commun. Le 1er juillet 1867, la Confédération, créée par un groupe de leaders politiques, entrait officiellement en vigueur. Le lendemain, John Forbes, de Darmouth, en Nouvelle-Écosse, obtenait un brevet pour son invention, les premiers patins à glace au monde munis d'une lame d'acier. John savait que les Micmacs jouaient au hockey sur les lacs de la région depuis des siècles avec des patins fabriqués d'os et de cuir. Comme contremaître chez Starr Manufacturing, John avait imaginé pouvoir parfaire cette innovation. Il avait fabriqué une lame tout en acier qui s'accrochait aux semelles et aux talons des bottes au moyen d'un seul levier à ressort. Un phénomène culturel venait de voir le jour : la simplicité et la durabilité de la lame rendaient le patinage accessible à presque tout le monde et stimulaient l'intérêt largement suscité par le hockey dans ce pays naissant. Les patins se sont aussi vendus partout dans le monde, sous la marque Acme Skate. (Wile E. Coyote en possédait peut-être une paire.) Starr Manufacturing a continué de perfectionner le design des patins et en a vendu une variété de modèles au cours des 70 années suivantes. À ce moment-là, les patins et le jeu qu'ils avaient inspiré étaient devenus des institutions nationales.

SIMILIGRAVURE
L'illustration imprimable

Le magazine illustré moderne est né à Montréal en 1869. Jusque-là, il existait plusieurs méthodes de photographie, mais personne n'avait encore trouvé le moyen de produire une impression de qualité des photographies et des images dans les magazines. George Desbarats a trouvé une façon de le faire. Dernier d'une longue lignée d'imprimeurs, il a inventé la reproduction de photographies en demi-teintes ou en similigravure, une technique de reprographie qui simule le ton continu du cliché en utilisant des points de trame. Les points, dont la taille et les espaces varient, produisent un effet de dégradé ou d'ombre qui ressort comme une image. La similigravure fait référence au procédé ou aux images générées par ce procédé. Desbarats a commencé la mise en application de son procédé en 1869, quand il a publié le *Canadian Illustrated News*, le premier magazine d'information nationale au pays. Il publiait bientôt plusieurs autres magazines, y compris L'*Opinion publique*, le *Mechanic's Magazine* et le *Canadian Patent Office Record*. En 1873, il transportait sa création au sud de la frontière et fondait le *Daily Graphic*, le premier quotidien comportant des illustrations en similigravure aux États-Unis. Désormais, l'image imprimable non seulement s'affichait, mais elle devenait universelle.

HOCKEY
Le sport canadien

On vous pardonnera si vous croyez que le 3 mars est une fête nationale au Canada. En ce jour de 1875 s'est jouée la première partie de hockey organisée à *l'intérieur*. Elle eut lieu précisément à Montréal et mettait en scène, pour la plupart, des étudiants de l'Université McGill. On avait joué au hockey de manière informelle à plusieurs reprises avant cette date, au Canada et en Grande-Bretagne. Au Canada même, on recense dans les annales 24 matchs apparentés au hockey avant la grande partie de 1875. Les jeux dans lesquels les participants manient des bâtons incurvés pour frapper à grands coups sur une balle remontent loin dans l'histoire, jusqu'à l'Égypte ancienne. Toutefois, une partie disputée sur glace dans un bâtiment non chauffé avec des joueurs chaussés de lames d'acier aiguisées et attachées aux pieds est une innovation typiquement canadienne. Le hockey est apparemment le résultat naturel des hivers froids qui, chaque année, couvrent le pays de neige et de glace durant quatre mois au moins, et parfois six. Les précurseurs du sport moderne appartenaient souvent aux Premières Nations. Dans les années 1740, des équipes micmaques s'adonnaient à des parties de balle avec des bâtons sur des lacs gelés, près de l'actuelle ville de Darmouth, en Nouvelle-Écosse, tandis que les premiers colons d'Halifax essayaient encore d'imaginer comment affronter l'hiver. Ces équipes pionnières portaient des patins à glace faits de mâchoires d'animal attachées aux pieds avec des lanières de peau. À n'en pas douter, le hockey est depuis longtemps un jeu canadien.

PLANCHE À REPASSER
Le valet portatif

Votre souci d'élégance ne peut aller jusqu'à embaucher un valet pour presser vos vêtements exactement comme vous le voulez? Pas de souci grâce à John Porter, de Yarmouth, en Nouvelle-Écosse. En 1875, John a inventé la planche à repasser. Simple comme bonjour: une planche montée sur des pattes en diagonale, articulées à l'une des extrémités de manière à les rabattre pour ranger la planche verticalement lorsqu'elle n'est pas utilisée. Les premières versions étaient munies d'une jeannette pliante pour repasser les manches. La planche à repasser est un exemple classique d'une formidable innovation: une solution simple, il fallait y penser. Cet objet dont la conception est si ingénieuse n'a presque pas changé depuis sa création. Qui a besoin d'un valet?

ÉTIQUETTE À BAGAGE
Le bagage identifiable

La plus simple des innovations doit commencer quelque part. Prenons une modeste étiquette à bagage. Les premières années du transport ferroviaire – en 1882, pour être précis –, John Michael Lyons, de Moncton, au Nouveau-Brunswick, eut l'idée de demander aux bagagistes d'inscrire le nom de chaque passager, son point de départ et sa destination sur trois étiquettes différentes. Chaque étiquette était découpée en deux, la partie supérieure était attachée au bagage du passager, tandis qu'on remettait la partie inférieure au passager. Ce système commode facilitait la récupération des bagages à destination. Il était même possible de retrouver les bagages perdus, et, finalement, de les rendre à leur propriétaire. Le bureau des brevets baptisa cette innovation «coupon-billet détachable». Aujourd'hui, nous l'appelons plus simplement «étiquette à bagage».

APPAREIL PANORAMIQUE
Des fantômes dans la machine

Avez-vous déjà vu une vieille photographie sur laquelle la même personne apparaît deux fois? Vous n'apercevez pas un fantôme. Absolument pas! La photo a probablement été prise avec un appareil panoramique. Mis au point par John Connon en 1887, il est capable de photographier un cercle complet en une seule exposition. Son secret réside dans un système de contrôles automatiques qui déplacent le film à mesure que la lentille capte le changement de décor. En pivotant au sommet d'un tripode, le nouvel appareil photo de l'inventeur d'Elora, en Ontario, peut être réglé pour couvrir un très grand angle sans collures. La nouveauté des images produites l'a rendu populaire pendant de nombreuses années, surtout pour photographier des paysages et de grands groupes de gens, tels que les classes des écoles secondaires et des collèges. De jeunes farceurs avaient rapidement appris à se tenir à une extrémité de leur groupe jusqu'au passage de la lentille, et à sauter ensuite à l'autre extrémité du regroupement pour être photographiés de nouveau – des fantômes dans la machine.

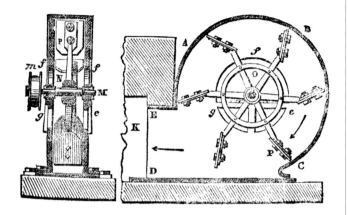

VENTILATEUR ROTATIF
Le remède aux toits brûlants

Nous devrions tous vieillir avec autant de grâce que le ventilateur rotatif. Né en 1889, il est une création de James Lipsett, de Saint-Jean, au Nouveau-Brunswick. Installé sur les toits et dans les plafonds, le ventilateur est muni de pales modelées pour utiliser le vent, augmenter l'air ascendant et tirer l'air chaud par une cheminée ou à l'extérieur d'une pièce ou d'une maison. Les pales sont conçues pour éviter que la pluie et la neige fondue ruissellent et endommagent la pièce, la cheminée ou le ventilateur lui-même. Ce simple ventilateur est un élément populaire et pratiquement identique dans les systèmes d'échangeurs d'air que l'on retrouve dans beaucoup de foyers partout dans le monde, et il déplace de l'air depuis plus de 125 ans.

BASKETBALL
Une seconde vie pour les paniers de pêche

Mettre sur pied une nouvelle équipe sportive qui exige de ses joueurs l'agilité, la vitesse et la précision, et pas seulement la force physique. S'assurer que le sport peut se pratiquer en toute sécurité à l'intérieur. Et par-dessus le marché, faire tout cela en 14 jours! La réponse de James Naismith à l'exigeante demande de son patron a été le basket-ball. Professeur au centre d'apprentissage du YMCA de Springfield, au Massachusetts, en 1891, Naismith s'est inspiré d'un jeu qu'il pratiquait enfant dans la petite ville d'Almonte en banlieue d'Ottawa. James et ses amis s'amusaient à lancer des cailloux pour en déloger un autre posé sur une pierre ou une souche. Pour concevoir son nouveau jeu, il a peaufiné son idée initiale en divisant le groupe d'enfants en deux équipes, et remplacé les pierres par une balle de la taille d'une balle de soccer; il a ensuite fabriqué des cibles avec des paniers de pêche cloués haut à chaque extrémité du gymnase. Naismith venait d'inventer un jeu qui satisfaisait son patron et serait un jour pratiqué par des millions de gens dans des dizaines de pays. Ça fait beaucoup de paniers de pêche.

COUPE STANLEY
La première équipe de championnat

Le soir du 18 mars 1892, des membres du Ottawa Hockey Club étaient réunis à l'Hôtel Russel situé au cœur de la capitale, à quelques pas de la colline du Parlement. Durant une pause pendant les festivités, un message de Lord Stanley of Preston, le gouverneur général, a été lu à haute voix : « Je pense depuis quelque temps que ce serait une bonne chose s'il y avait une coupe qui était remise chaque année à l'équipe de hockey championne du Dominion. Il n'existe pas de championnat couronné par une récompense et étant donné l'intérêt général que suscitent désormais les matchs et l'importance d'un jeu honnête avec des règles communément reconnues, je suis disposé à donner une coupe qui sera remise chaque année à l'équipe gagnante. Lord Stanley a été fidèle à sa parole. Il a acheté une coupe en argent pour 10 guinées. D'un côté, on lisait l'inscription suivante : « Dominion Hockey Challenge Cup », et de l'autre : « From Stanley of Preston ». Premier trophée de championnat d'équipe de l'histoire du sport en Amérique du Nord et l'un des plus anciens au monde, le cadeau de Lord Stanley sera plus tard appelé « Coupe Stanley ». Aujourd'hui, au propre comme au figuré, il est devenu le symbole emblématique et vénéré de l'excellence sportive qui évoque, partout dans le monde, la fougue canadienne. C'est aussi une innovation sociale, la preuve constante que la créativité d'un homme sincèrement généreux peut rallier des amateurs, donner envie à des jeunes de s'adonner au sport, motiver des athlètes à faire preuve d'un courage presque surhumain, d'endurance et d'esprit d'équipe. C'est un cadeau qui, 125 ans plus tard, est toujours précieux.

VOITURE PANORAMIQUE
La vroum avec vue

Elle s'est avérée une innovation légèrement en avance sur son temps. En 1896, le Chemin de fer Canadien Pacifique fabriquait le premier modèle de série de voitures ferroviaires à deux étages pour l'observation des montagnes. Le premier wagon à voûte au monde offrait aux passagers chanceux une vue totalement dégagée de l'incomparable splendeur naturelle des Rocheuses canadiennes. Malheureusement, la chaleur intense de l'été transformait les voitures panoramiques en four. À la fin de l'été 1897, le CP arrêta la production de ces voitures. L'arrivée de la climatisation dans la décennie 1920 rendit possible la mise en service de voitures panoramiques, et elles devinrent bientôt une installation fixe sur les lignes ferroviaires dans toute l'Amérique du Nord. L'heure était enfin venue.

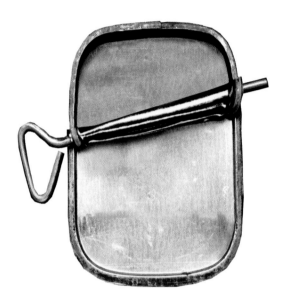

CLÉ OUVRE-BOÎTE
La clé est sur la porte

Elle a traversé un siècle entier durant lequel se sont produits la chute d'empires immémoriaux, la fission de l'atome, des cataclysmes, des guerres et des expéditions sur la lune. Et elle est toujours là. La modeste clé ouvre-boîte est une création de Joseph Clark, de Saint-George, au Nouveau-Brunswick. Mise au point en 1900, cette boîte de conserve était la première dans laquelle l'un des côtés se terminait par un rebord, ou un cran, auquel était attachée une clé. Un nouveau siècle a vu le jour et la clé ouvre-boîte se trouve toujours sur les tablettes des épiceries partout dans le monde. Certaines choses sont parfaites du premier coup.

JEU DES CINQ-QUILLES
Un jeu plus rapide et plus amusant

Changer le jeu. C'est ce que Thomas Ryan a fait quand les clients de son allée de 10 quilles ont commencé à se plaindre. « La boule est trop lourde, disaient-ils, et le jeu dure trop longtemps. Toutes ces quilles doivent se redresser en même temps. » Plutôt que de tenter de les convaincre qu'ils avaient tort (ce qui est rarement sage), il a changé le jeu. Il a plus exactement utilisé l'ancien jeu pour en créer un nouveau en 1900. L'innovation du Torontois comprend une balle plus légère, un système de pointage différent, moins de quilles et des quilles plus petites, chacune enveloppée de caoutchouc pour se renverser plus facilement. Amusant et rapide, le jeu des cinq-quilles a connu un succès immédiat dans l'établissement de M. Ryan, et il est devenu rapidement populaire dans l'ensemble du pays. Aujourd'hui, il se pratique dans toutes les provinces et les territoires du Canada. La Station des Forces canadiennes Alert du Nunavut possède l'allée de quilles la plus au nord du monde, une cinq-quilles plus rapide et plus amusante, bien entendu.

BOÎTE À ŒUFS
L'alvéole de la paix

Qui prétend qu'il ne sort jamais rien de bon d'une dispute? En 1911, Joseph Coyle s'est trouvé par hasard au milieu d'une violente altercation entre un livreur et un hôtelier de sa ville de Smithers, en Colombie-Britannique. Le propriétaire de l'hôtel était mécontent parce que les œufs expédiés par une ferme locale arrivaient souvent fêlés ou cassés. Bien qu'éditeur d'un journal par profession, Joseph était un designer par goût. Cette dispute inattendue lui a inspiré l'idée d'une boîte à œufs. Le secret de sa réussite réside dans ses alvéoles rigides qui protègent le contenu fragile de la boîte des aléas du transport et de l'entreposage. Des millions de boîtes à œufs – peu différentes de la boîte originale de Joseph – ont été fabriquées et utilisées depuis. De nombreuses disputes ont pu ainsi être évitées.

FERMETURE À GLISSIÈRE
La fermeture éclair

Beaucoup d'innovations exceptionnelles nous font simplement gagner du temps ou éliminent des gestes qui nous prennent du temps. La fermeture à glissière, plus communément appelée « fermeture éclair », est l'un de ces classiques. L'homme derrière cette innovation est le Suédois Gideon Sundback. En 1913, il proposait un mécanisme qu'il appelait « fermeture à glissière nᵒ 2 ». C'était la fermeture de métal telle que nous la connaissons aujourd'hui : deux bandes de métal dentelées, resserrées par un curseur. Plus de boucles compliquées ni d'agrafes qui prenaient du temps à attacher. Sundback a aussi inventé une machine pour fabriquer son nouveau mécanisme et mis sur pied la Lightning Fastener Company, à St Catharines, en Ontario. Étonnamment, l'usage de la fermeture à glissière ne s'est pas répandu à la vitesse de l'éclair. Ce n'est qu'après la Seconde Guerre mondiale que la fermeture Sundback est devenue populaire chez les créateurs et les fabricants de vêtements, et qu'un son désormais familier a commencé à se faire entendre. Zip!

FENÊTRES À VITRAGE ISOLANT
L'incontournable canadienne

Peu de pays connaissent autant d'extrêmes de température que le Canada, avec des chaleurs accablantes l'été et des froids insupportables l'hiver. Des générations de Canadiens ont aménagé leurs demeures pour faire face à ces importants écarts de température. La fenêtre à vitrage isolant fait partie de ces aménagements. Inventée en 1917 par Lawrence McCloskey, de Boisetown, au Nouveau-Brunswick, elle est formée de deux vitres séparées par un espace. Selon le design de McCloskey, les bords des vitres sont scellés hermétiquement et l'espace est rempli avec de l'alcool. Cette barrière thermique intérieure empêche l'air chaud de s'échapper et l'air froid d'entrer, sans réduire ou altérer la lumière naturelle. Le principe est encore en usage aujourd'hui. La seule différence, c'est que l'on injecte maintenant de l'argon entre les vitres, un gaz inerte, dense, incolore et inodore qui fait le tampon entre la maison et les températures extrêmes.

HOMARD EN CONSERVE
Le bienfaiteur de la pêche

Mangeriez-vous de la chair de homard décolorée? Les gens n'en voulaient pas non plus en 1920. À l'époque, la couleur peu appétissante de la chair de homard en conserve risquait de mettre en péril l'industrie du homard qui comptait pour plusieurs millions de dollars au Canada atlantique. Le Conseil national de recherches du pays découvrit la source du problème: une bactérie présente dans les boîtes de conserve produisait du sulfite de fer, inoffensif certes, mais dont la couleur était peu ragoûtante. Une double solution fut proposée: la thermostérilisation pour tuer la bactérie et l'ajout de 85 millilitres de vinaigre par 3,5 litres de saumure utilisée pour la mise en conserve. Ces interventions simples, mais hautement efficaces ont mis fin à la décoloration de la chair de homard et permis à l'industrie de récupérer ses profits pendant plusieurs années, jusqu'à ce que les techniques de congélation de pointe et les chaînes d'approvisionnement frigorifiques réduisent la demande pour le homard en conserve.

MULLIGAN
La seconde chance du golfeur

La prochaine fois que vous enverrez votre balle
de départ au fond du bois et que vous placerez
calmement une autre balle sur le *tee* sans subir les
commentaires désobligeants des autres joueurs de
votre partie en double, vous pourrez remercier
David Mulligan. Alors qu'il jouait au Country Club
de Montréal un jour de 1920, notre héros frappa un
coup de départ lamentable; sans hésiter, il plaça
une autre balle sur le *tee* et la frappa de nouveau.
Mulligan qualifia ce second coup frappé sur la
sphère alvéolée de «coup de correction». Les
golfeurs du monde entier appellent maintenant
ce second coup un «Mulligan». Merci, Dave.

CIRQUE DU SOLEIL
Le cirque du 21e siècle

En 1984, Guy Laliberté rêvait déjà du cirque du 21e siècle. Cet amuseur de rue de Baie-Saint-Paul, au Québec, imagina un spectacle qui miserait sur la virtuosité des plus grands artistes de la scène. Et il ne voulait rien entendre des numéros équestres avec révérences et cabrés, ni des tigres féroces ; pas plus que des grands chapiteaux défraîchis ou des sols d'arénas locaux couverts de bran de scie. Son nouveau cirque impressionnerait le public par ses prouesses, ses tours de force et démonstrations de souplesse repoussant sans cesse les limites du corps humain, il éblouirait tout le monde avec des costumes colorés et des éclairages magiques, captiverait par ses musiques originales exécutées sur scène tout au long du spectacle, frappant l'imagination, éveillant les sens et suscitant maintes émotions. Il voulait un cirque flamboyant, animé par l'énergie du soleil.

Propulsé vers le succès grâce au soutien de partenaires-clés, à l'assistance généreuse de professionnels et à l'appui financier opportun des gouvernements, Guy Laliberté sut faire de son rêve une réalité. De simple spectacle itinérant, le Cirque du Soleil devint rapidement le plus important producteur de spectacles au monde – mettant en scène des dizaines de représentations immersives qui captivaient et captivent toujours ceux qui y assistent. Un triomphe sur le plan artistique qui conduisit le groupe au succès commercial.

Aujourd'hui, le Cirque du Soleil emploie 4 000 personnes provenant de 50 pays différents, qui donnent des représentations sous les chapiteaux, dans les théâtres, les boîtes de nuit et les casinos du monde, et dans des films et des émissions spéciales à la télévision. Plus de 160 millions de spectateurs ont déjà fait l'expérience du Cirque du Soleil – un rêve canadien devenu réalité et qui sait émerveiller le monde.

GROUPE DES SEPT
L'école algonquine

Sept hommes ont renvoyé au Canada une image forte et durable de lui-même. Ils s'appelaient Franklin Carmichael, Lawren Harris, A.Y. Jackson, Frank Johnston, Arthur Lismer, J.E.H. MacDonald et Frederick Varley. Inspirés par les tableaux de Tom Thomson et ses évocations de la forêt boréale et des lacs du parc Algonquin, ces sept artistes canadiens, par leurs tableaux, ont contribué de façon importante à l'identité de la nation, tant à ses propres yeux qu'à ceux du monde. Avant eux, les artistes canadiens n'étaient canadiens que de nom, leurs œuvres illustraient des scènes, des atmosphères et des habitudes européennes. Thomson et le Groupe des sept ont changé les choses. Ils ont conçu, individuellement et collectivement, un art typiquement canadien, inspiré des grands espaces, des forêts et des eaux de la terre de leurs aïeux. Certains leur ont reproché de dépeindre faussement le Canada comme un pays presque inhabité ; en fait, ils ont choisi de peindre la nature plutôt que les gens, ce qui leur a permis d'expérimenter avec la couleur et la texture pour créer des images marquantes. Lors de leur première exposition à Toronto, en 1920, l'élite artistique du pays avait accueilli leur travail avec mépris. Pourtant, le vent allait tourner et, bientôt, leurs compatriotes canadiens, à l'instar du reste du monde, virent dans leurs œuvres une représentation authentique et originale du Canada. Les titres de quelques-uns de leurs tableaux donnent une idée de leurs aspirations : *Sumacs*, *Red Maple*, *October Gold*, *The Lumberjack* et *North of Lake Superior*. Cette vision continue de trouver un écho chez les Canadiens pour qui elle représente les beautés du pays et les particularités de la population.

MOTS CROISÉS SUR TABLE
L'ancêtre du scrabble

Qu'obtient-on en combinant un jeu de dames et des mots croisés? La réponse est des mots croisés en bois. Inventé en 1926 par Edward McDonald de Shédiac, au Nouveau-Brunswick, le jeu se pratiquait à deux sur un damier. Chaque joueur avait un ensemble coloré complet de jetons avec des lettres. Il s'agissait pour les joueurs de placer leurs pièces case par case et à tour de rôle pour former des mots. Ça vous rappelle quelque chose? Vous avez raison. Le scrabble est apparu seulement 12 ans plus tard avec des lettres de valeurs différentes, des cases multiplicatrices, des cases blanches et des supports de lettres. Ces innovations supplémentaires mettaient au défi leur ludique prédécesseur de Shédiac.

CHAUSSURE IMPERMÉABLE
L'allié du pataugeur

Le secret tient dans la langue. Charles Grant a conçu son soulier imperméable avec une langue enduite de caoutchouc fixée à la chaussure au cours de la vulcanisation. La vulcanisation est un procédé qui durcit le caoutchouc par un traitement au soufre à haute température. Vous pouvez penser que cette avancée est sans importance aujourd'hui. C'est parce que le secret de Grant est devenu la norme.

EASY-OFF
L'huile de coude en bouteille

Une innovation n'a pas forcément besoin de bouleverser le monde. Parfois, tout ce qu'elle doit faire, c'est simplifier un tant soit peu la vie d'une personne. C'est ce qu'a réalisé Herbert McCool en 1932. Cet homme à tout faire, de Regina, en Saskatchewan, a passé les premières années de la Dépression à réparer des cuisinières et à nettoyer des fours. Pas des tâches vraiment faciles, surtout la dernière ; il a donc cherché un moyen de les alléger. Il a mis au point une recette de soude caustique, un composé connu pour son pouvoir nettoyant, qui adhère à toutes les parois du four et qui peut faire fondre les graisses de cuisson brûlées et les débris. La femme d'Herbert, Doris, a commencé à fabriquer cette huile de coude maison et à l'emballer pour ensuite la vendre de porte en porte. Ce produit travaille fort et son nom, Easy-Off (*ease off*, en anglais, se détendre), est un choix inspiré.

BOÎTE À SARDINE
La compagne de la boîte à lunch

Du poisson dans une boîte à lunch par une journée chaude n'a jamais été une idée appétissante. Pourtant, jusqu'en 1932, c'était la norme. Cette année-là, Henry Austin mit au point la boîte à sardine. Pourquoi lui ? Son idée de génie provenait peut-être du fait que la plus grosse conserverie de sardine au monde – Connor Bros. Ltd – était, pour ainsi dire, dans son arrière-cour, au Nouveau-Brunswick. Son contenant à sardines pratique était suffisamment petit pour qu'on le transporte dans la boîte à sandwichs, et contenait juste assez de petites coquines pour un goûter substantiel. De plus, il était muni d'une clé qui permettait de l'ouvrir en roulant le couvercle. Cette innovation canadienne a rapidement été utilisée partout dans le monde et a rendu possible le commerce international des sardines. Tout ça parce qu'Henri voulait du poisson pour son lunch.

HOCKEY SUR TABLE
Le cadeau de Noël de fortune

Que pouvez-vous offrir à vos enfants si vous n'avez pas d'argent? C'est la question qui tourmentait Donald Munro au plus fort de la Dépression en décembre 1932. Ce Monsieur Bricole de Toronto avait décidé d'offrir à sa famille quelque chose de nouveau. Avec des cintres en métal, des pinces à linge, des ressorts d'horloge, des goujons de bois et de la ferraille, Munro conçut un jeu de hockey mécanique qui se posait directement sur la table de cuisine. Prévoyant utiliser un roulement à billes comme rondelle, il construisit la patinoire en deux moitiés légèrement inclinées, jointes en un centre surélevé. De cette façon, la rondelle roulait toujours vers l'arrière durant le jeu. Mieux encore, le jeu de Munro, à la différence des jeux électroniques actuels, nécessitait la présence d'un joueur à chacune des extrémités représentant les deux équipes opposées l'une à l'autre, tout comme dans la LNH. Le jeu s'est avéré très populaire auprès des enfants de Munro et de leurs amis, si bien que cet étonnant inventeur a décidé de le commercialiser. Il a convaincu Eaton, le pionnier des grands magasins canadiens, de prendre quelques jeux en consignation. Bientôt, le détaillant en demandait plus, beaucoup plus. Munro a alors décidé de rentabiliser son idée, en créant une entreprise pour fabriquer une version plus conviviale avec des éléments et des innovations permettant de simuler plus fidèlement le vrai jeu. Une solution créative à un besoin urgent a été trouvée et une entreprise a ainsi vu le jour. Il lance et compte.

SUPERMAN
L'ancêtre des superhéros

Les superhéros sont aujourd'hui tellement présents – à la télévision, au cinéma, dans les bandes dessinées, dans les livres et dans les applications, seuls ou en équipe – qu'on vous pardonnerait de croire qu'ils ont toujours existé. Joe Shuster vous raconterait une autre histoire. En 1933, cet artiste torontois et son partenaire d'écriture, Jerry Siegel, furent les premiers à créer un superhéros de bande dessinée, un mystérieux personnage qui se servait de pouvoirs physiques extraordinaires pour protéger les bons et combattre les méchants. Ils mirent toutefois près de six ans à tenter de convaincre des éditeurs de les publier, essuyant refus après refus, avant que Superman sorte finalement de la cabine téléphonique pour entrer dans l'*Action Comics N° 1* en juin 1938, à dix sous le numéro. L'année suivante, leur Homme de fer obtenait sa propre série, qui décolla comme une locomotive à pleine vitesse, en vendant plus d'un demi-million d'exemplaires par mois. On entrait dans l'âge d'or des superhéros de bandes dessinées, un stimulant fort bienvenu à la veille du conflit le plus destructeur de l'histoire de l'humanité. Aujourd'hui, ces héros et héroïnes sont tout aussi populaires. En 2014, un seul exemplaire de l'*Action Comics N° 1* s'est vendu à l'encan pour 3,2 millions de dollars, un coup de chapeau au premier héros du Canadien Joe Shuster.

OFFICE NATIONAL DU FILM
Le conteur canadien

Quand vous êtes juste au nord du plus puissant producteur de créativité cinématographique et de génie technologique, avec un énorme volume de production, vous devez prendre des mesures énergiques pour assurer la survie de votre identité cinématographique. Fondé en 1939, l'Office national du film (ONF) a été précisément cette mesure. L'ONF a été la première institution au monde uniquement consacrée à la production et à la distribution de documentaires, de films d'animation et de fiction alternative qui reflètent l'expérience et les aspirations particulières d'un pays. Au cours de son histoire, l'Office a créé plus de 13 000 productions et remporté plus de 5 000 prix, dont 12 oscars. Vénérée par les amateurs de cinéma dans le monde entier, cette institution nationale dédiée au cinéma a aussi servi d'inspiration et de guide au Ghana lorsqu'il a mis sur pied la Gold Coast Film Unit (école de formation). Une innovation remarquable qui a fait école.

SYNTHÉTISEUR
L'oscillation acoustique

Si vous êtes un admirateur de Bjork, d'Avicii, de Radiohead ou d'autres artistes qui recourent à la musique électronique, dites merci à Hugh Le Caine. En 1937, ce physicien canadien créa le premier synthétiseur de musique. Sa création, la saquebute, est un clin d'œil à une ancienne forme de trombone. La saquebute de Hugh est un instrument qui recourt aux technologies utilisées dans les radars, les radios et en physique atomique – des filtres, des générateurs de formes d'onde, des modulateurs de fréquence et d'amplitude – pour générer et moduler le son. Pratiquement n'importe qui peut jouer de son instrument (la jouabilité de l'instrument était l'une des deux préoccupations primordiales de Hugh quand il mit au point son instrument; l'autre était de produire des sons harmonieux). La main droite enfonce les touches sur le clavier, tandis que la main gauche tourne une manivelle pour contrôler le volume, le ton et le timbre de chaque note jouée. Les synthétiseurs, aujourd'hui dotés de cadrans de réglage et de boutons électriques, remontent à l'innovation de Hugh.

BACON CANADIEN
La protéine en uniforme

Si vous aimez le bacon de dos, dites merci aux
Britanniques. Enfin, la moitié d'un merci. La Grande-
Bretagne, ayant été coupée de ses fournisseurs
européens réguliers durant la Seconde Guerre
mondiale, s'est tournée vers ses alliés canadiens.
Non seulement les Canadiens ont envoyé plusieurs
tonnes d'œufs, de poudre d'œuf et de volailles,
mais ils ont aussi mis au point un bacon spécialement pour eux. C'est que le bacon britannique n'est
pas le même que le bacon en lanières entrelardé
dont les Nord-Américains raffolent. Nos cousins
d'outre-Atlantique préfèrent des tranches plutôt
rondes. Pour satisfaire leurs envies, le Conseil
national de recherches Canada a produit une pièce
de bacon de forme allongée qui se coupe en tranches.
Environ deux tonnes de ce qui sera appelé le « bacon
canadien » ont traversé l'Atlantique chaque semaine
pendant toute la durée de la Guerre : des protéines
en uniforme voyageant par bateau.

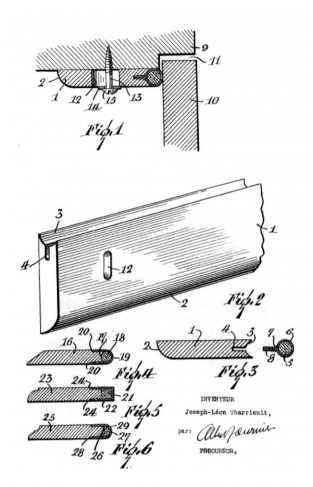

COUPE-FROID
Le combat contre les courants d'air

La pénurie stimule souvent la création, et la
pénurie était un mode de vie durant la Seconde
Guerre mondiale. En 1943, le rationnement du
métal et du caoutchouc inspira à Joseph Therriault
une nouvelle sorte de coupe-froid. L'isolant du
Néo-Brunswickois se composait d'une moulure de
bois avec une bande coussinée de feutre. Il avait
aussi percé des trous pour insérer des vis, de façon
à ce que les propriétaires et les bricoleurs puissent
resserrer ou relâcher les bandes autour du cadre
de leur fenêtre. Tandis que les Canadiens s'inquié-
taient de devoir combattre à l'étranger, Joseph
mettait fin discrètement à une autre sorte de
bataille, celle-là, plus proche de la maison.

NOUVELLE ÉCLAIRANTE
Le moment révélateur

Avec la publication, en 1950, de sa première nouvelle, *The Dimensions of a Shadow* (*Les dimensions d'une ombre*), Alice Ann Munro commençait sa carrière littéraire professionnelle. Au cours des 65 années qui suivirent, l'écrivaine canadienne révolutionna l'objet et l'architecture de la nouvelle. Ses histoires, qui se comptent désormais par douzaines, traitent de nombreux thèmes : l'amour et le travail, les petites villes et les grands rêves, l'âge adulte et le vieillissement, la vie de famille et la vie en solitaire, l'authenticité et l'ambiguïté. Peu d'action se passe en surface, mais il y a beaucoup de mises à nu. Avec un œil attentif, de même qu'un esprit ouvert et un cœur réceptif, le lecteur est exposé à un rayon de lumière : mot après mot, page après page, goutte après goutte, à mesure que les récits font des allers-retours dans le temps pour révéler leur vérité. La démarche novatrice d'Alice Munro a été adoptée par des écrivains partout dans le monde, et en particulier à Hollywood où les cinéastes et leurs publics se sont inspirés des livres de l'écrivaine canadienne, et ont abandonné leur obsession de la chronologie précise. Les critiques partagent cet enthousiasme, comme en témoignent clairement les trois Prix du Gouverneur général, le Giller Prize, le Man Booker International Prize et le prix Nobel de littérature.

BARRE NANAIMO
La favorite de l'État

Selon la légende, dans l'édition de 1953 du livre de recettes d'Edith Adams, un nouveau délice apparaissait dans la section dessert. Facile à faire, même s'il pouvait sembler complexe : un délice à trois étages avec une base de biscuits, une couverture en chocolat durci et une crème pâtissière au centre. Pour donner un patrimoine attachant à ces barres originales, on les a baptisées du nom d'une petite ville sur l'Île de Vancouver, Nanaimo. Edith ne s'imaginait pas avoir créé un tel engouement. Les barres ont rapidement été adoptées par les cuisinières canadiennes affairées qui non seulement servaient ce dessert à leur famille, mais aussi lors des réunions de travail, des soupers paroissiaux et des rassemblements communautaires, partout. Aujourd'hui, les barres Nanaimo ont acquis le statut d'institution canadienne, élues à plusieurs reprises friandise favorite du pays. Partout dans le monde, les gourmands découvrent ce délice sucré. On le trouve dans les magasins britanniques, dans des cafés de Manhattan et dans des cafés-bars au Laos, en Espagne, à Taiwan, et même en Australie, partout où se trouvent des amateurs de Nanaimo.

POUTINE
Le savoureux mélange maudit

Qu'arrive-t-il quand vous mélangez des frites, du fromage en grains et une sauce brune bien chaude? Selon Fernand Lachance, vous obtenez *une maudite poutine*! Beaucoup croient que le propriétaire du Café Idéal, de Warwick, au Québec, a servi sa première poutine en 1957 alors qu'un client lui avait demandé d'ajouter des grains de fromage à son habituelle commande de frites. Fernand s'était exécuté en ajoutant deux innovations: il servit le mélange sur une assiette et il le couvrit d'une sauce pour le garder chaud. Dans les années 1980, sa création s'est répandue dans tout le Canada et au nord des États-Unis. Devenue un classique dans les restaurants locaux, elle figure aussi au menu des plus importantes chaînes mondiales de restauration rapide. Des franchises consacrées au plat sont apparues et lui ont ajouté toutes sortes de garnitures qui font une entorse à la recette traditionnelle. La poutine s'apprête maintenant à conquérir le monde. En 2016, la poutine a été servie à la Maison-Blanche lors d'un dîner d'État en l'honneur du Canada. En Russie, on sert régulièrement une version régionale appelée «Raspoutine». Félicitations, Fernand, votre poutine est un sacré succès partout sur la planète.

DICTIONNAIRE BIOGRAPHIQUE DU CANADA
L'histoire d'un peuple

Bien que sa conception ne soit pas exceptionnelle, sa structure est unique. À la différence des versions britannique et américaine, qui dressent la liste biographique par ordre alphabétique, l'édition canadienne est publiée par période, chaque volume couvrant un intervalle d'années précis. L'approche par intervalle de temps possède trois avantages majeurs: elle permet de regrouper les spécialistes d'une même période, ce qui facilite la recherche, la révision et le recoupement des entrées; elle aide le lecteur à garder toujours en tête la période historique à laquelle les individus décrits ont vécu, et elle permet de réviser les volumes publiés sans devoir mettre à jour toute la série. Mis sur pied en 1959, le *Dictionnaire biographique du Canada* est une publication bilingue de l'Université de Toronto et de l'Université Laval. Le premier volume de ce dictionnaire particulier est paru en 1966, avec 594 biographies datant des années 1000 à 1700. Aujourd'hui, ses 15 volumes comptent 8 419 biographies couvrant une période qui va de l'an 1000 à 1930, la suite étant en chantier. Impressionnant par la période qu'il couvre et tout à fait unique dans sa structure, le *Dictionnaire biographique du Canada*, c'est l'aventure de nombreux individus qui révèlent l'incroyable histoire d'un peuple.

TECHNIQUE MUSICALE GOULD
Le génie du studio

La carrière sur scène de Glenn Gould s'est terminée le 10 avril 1964 à Los Angeles, le jour de son dernier concert. Le pianiste n'a toutefois pas mis fin à son activité artistique à ce moment. Au contraire, il a entrepris une démarche différente, que certains ont qualifiée de «supérieure» (peut-être Gould lui-même). Dans les studios d'enregistrement, dans ses compositions et les émissions radiophoniques, Gould a approfondi toutes les questions que se posent les artistes : Qu'est-ce que l'art ? Qu'est-ce qui définit la créativité ? Un enregistrement est-il moins authentique qu'une performance sur scène ? Ses expériences d'enregistrement et sa philosophie ont remis en cause les réponses conventionnelles à ces questions. Il nous a obligés à examiner plus attentivement notre perception de la relation entre le compositeur, l'interprète et l'auditeur. Il nous a incités à reconsidérer nos idées préconçues quant à l'originalité et à l'authenticité. En passant de la scène au studio, ce génie a paradoxalement redéfini la véritable nature du talent artistique.

WONDERBRA
Le potentiel de redressement

Certains produits sont tellement efficaces que leur appellation définit toute une catégorie à elle seule. Pensez à Kleenex pour les papiers mouchoirs, à Teflon pour l'antiadhésif et à Vaseline pour la gelée de pétrole. C'est aussi le cas de Wonderbra et de sa lingerie féminine. Wonderbra a été créé en 1964 par la styliste Louise Poirier, de la Canadian Corset Company. Le nom du produit faisait allusion à la révolution que son soutien-gorge provoquerait à une époque où quatre femmes sur dix portaient encore des gaines. Jusque-là, les sous-vêtements féminins n'étaient que des versions remaniées des anciens corsets et des gaines. Or, l'entreprise montréalaise avait constaté que les femmes voulaient quelque chose qui correspondait davantage aux nouvelles modes et à l'indépendance nouvellement conquise par les femmes – quelque chose de féminin avec une liberté de mouvement, élégant et avec le maintien nécessaire. Composé de 54 éléments de structure, le Wonderbra était en dentelle et comportait une armature qui «remontait et maintenait, de manière à créer un effet pigeonnant confortable», des qualités exigées par la femme moderne, selon la recherche marketing. Ce fut en effet un succès. En 1979, le soutien-gorge Wonderbra dominait le marché canadien, les femmes faisaient la queue pour l'acheter. Plus tard, il fut distribué aux États-Unis. Wonderbra demeure un favori à travers le monde, un symbole vestimentaire de liberté sociale qui a sorti du placard l'industrie du sous-vêtement féminin, lancé un secteur d'activités évalué à des milliards de dollars, et fidélisé un nombre incalculable de clientes à la marque.

STANDARDS DE COULEUR POUR LE DRAPEAU
Les 500 000 nuances de rouge

Une feuille d'érable rouge sur fond blanc entre deux bandes rouges est identifiée au drapeau canadien partout dans le monde. Par ses couleurs contrastantes et vives, ce drapeau symbolise la nature intrépide du peuple canadien. Imaginez maintenant la même feuille d'érable sur un fond gris sale avec des bandes orange délavé. Pas très joli. C'est toutefois ce à quoi ressemblaient les premiers drapeaux qui flottaient en 1965. Le vrai Nord a beau être fort (NDT : allusion aux paroles de l'hymne *Le vrai Nord fort et libre !*), son drapeau souffrait de la dureté du climat. Les chercheurs du Conseil national de recherches Canada ont essayé de trouver des solutions à ce problème. Ils ont testé la résistance d'échantillons de tissu et de teintures en les exposant aux éléments et dans une soufflerie. Les résultats de ces rigoureux essais leur ont permis d'établir un premier standard pour le drapeau national du Canada. Ils ont ensuite tout inventorié, des types de tissu aux œillets et au fil à coudre à utiliser, jusqu'à la teinte de rouge idéale, en sélectionnant la meilleure parmi un million de nuances. C'était la toute première fois que des standards de teinte internationaux étaient appliqués à un drapeau national. Munis de ce guide précis, les fabricants partout au pays pouvaient désormais produire des drapeaux aussi solides et robustes que le pays lui-même. Longue vie à la feuille d'érable !

CHAT SPHYNX
Cajoleur chauve

Quand Riyadh Bawa a entendu parler d'un chaton né sans poil, il n'y a pas vu qu'une nouveauté. Il y a vu une circonstance opportune. C'était en 1966, et l'étudiant en sciences de l'Université de Toronto a cru pouvoir tirer parti du gène récessif que portait ce jeune chat et créer une nouvelle race pour les personnes allergiques à la fourrure des félins. Il a donc acheté le chaton et sa mère et, avec l'aide de sa propre mère (une éleveuse de chats siamois), il a accouplé les deux chats pour produire une portée de chatons chauves. Il a ensuite accouplé les mâles de la portée avec des chats communs femelles, pour produire celui que l'on appellera le « sphynx ». Le nom est un peu trompeur, car ces chats n'ont rien de mystérieux. Ils adorent la proximité et l'intimité parce qu'ils perdent leur chaleur corporelle beaucoup plus rapidement que leurs hirsutes cousins. On les surnomme les « cajoleurs chauves ».

YUKON GOLD
La patate universelle

Les immigrants européens et sud-américains du sud de l'Ontario ne comprenaient pas pourquoi il n'y avait pas de pommes de terre à chair jaune dans leur pays d'adoption. Les patates jaunes étaient un aliment de base dans leur pays d'origine, et tout ce qu'ils trouvaient dans les marchés canadiens du voisinage en 1950, c'étaient de pâles imitations insipides. Un scientifique de l'Université de Guelph, Gary Johnston, n'était pas convaincu du besoin d'une patate à chair jaune jusqu'à ce qu'il en goûte une qui provenait directement de la plantation péruvienne du père d'un étudiant de second cycle. Une dégustation qui fit changer d'avis le bon docteur, et le lança dans une recherche de deux décennies pour créer la patate parfaite. En croisant plusieurs variétés domestiques et étrangères, en 1966, il parvint finalement à créer une nouvelle espèce à pelure lisse, sans yeux et avec une chair savoureuse. Elle peut être bouillie, rôtie, cuite au four ou frite, et mieux encore, prête à pousser dans les contrées plus fraîches de l'Amérique du Nord. Le nom trouvé par Johnston et son collègue, Norman Thompson, rend hommage à la couleur caractéristique de la patate et au patrimoine canadien, Yukon Gold. Elle est devenue depuis une superstar, cultivée au Japon, adorée en Finlande et en Suède, et sur les tables du monde entier.

QUALITÉ SONORE
Les premiers standards audio au monde

Qu'est-ce qu'un son de qualité ? Jusqu'en 1970, l'absence totale de moyens reconnus pour mesurer la performance des enceintes acoustiques avait conduit à une qualité et à un design inégaux, à des demandes infondées de la part des fabricants et à un manque d'attention aux besoins des consommateurs. Cette année-là, le Conseil national de recherches Canada a entrepris de définir la qualité du son. Une équipe de recherche a construit une chambre anéchoïque – une pièce qui absorbe le son et élimine l'écho – puis elle a placé un haut-parleur dans la chambre et mesuré le son qu'il produisait à divers endroits de la pièce. L'équipe a répété l'essai sur de nombreux haut-parleurs. Floyd Toole, l'un des chercheurs, a mis au point une nouvelle série de tests de précision. L'un d'eux demandait à des auditeurs, assis dans un salon reconstitué, de noter les sons identiques reproduits par divers haut-parleurs dissimulés derrière un mince rideau. Les auditeurs notaient les sons selon leur clarté, leur fidélité, leur définition, leur ampleur, leur intensité et l'agrément d'ensemble. L'Audio Engineering Society a repris les travaux de Floyd et les a publiés, attirant ainsi l'attention des fabricants, des audiophiles et des magazines professionnels. Les standards audio de Floyd Toole provoquèrent une révolution dans la conception des haut-parleurs, à mesure que les concepteurs comprenaient, de manière limpide, les caractéristiques de performance d'un son de qualité.

BOVRIL
Le bouillon avec du bœuf

«Faites-moi parvenir un million de boîtes de bœuf.»
Grosse commande. Pourtant, ce fut bien la commande faite par Napoléon III en 1870. L'empereur
français avait besoin de nourrir ses troupes durant
la bataille contre les forces prussiennes. John Lawson
Johnston, un Écossais qui vivait au Canada, était
prêt pour la tâche. Sauf qu'au lieu de la viande en
conserve, il créa un extrait de bœuf liquide qu'il
appela «Bovril», de *bov*, qui veut dire «bœuf» et
vril, «force». Le produit tirait parti des nombreux
élevages de bœuf présents au Canada. L'extraction
stérilisée et le procédé de mise en conserve de
Johnston rendaient possible l'entreposage des
boîtes pour de longues périodes et leur transport
sur de longues distances, sans altération du produit.
Depuis, le Bovril est devenu populaire partout sur
la planète, en temps de guerre comme en temps de
paix, parmi les soldats français, les explorateurs
de l'Arctique, les partisans de soccer anglais, les
cuisiniers et ceux qui désirent seulement un
remontant rapide, chaud et nourrissant. Fort
comme un bœuf? Amenez-en!

ÉVALUATION DE DÉRIVÉ
La formule optionnelle

Un produit ou contrat dérivé est un contrat dont la
valeur dépend de la performance d'un autre produit,
habituellement de biens qu'un investisseur achètera
ou vendra plus tard. La façon d'évaluer ces biens a
tourmenté des générations d'économistes. L'aspect
épineux de toute évaluation, c'est le risque. Attribuer
une prime de risque est difficile, même si, en
théorie, il est facile d'analyser l'attitude d'un
investisseur à l'égard du risque; en pratique, c'est
un problème beaucoup plus complexe. Le modèle
Black-Sholes l'a résolu. Mise au point en 1973 par
Fischer Black, de Washington D.C., et Myron Scholes,
né à Timmins, en Ontario, la formule est un
modèle mathématique du marché financier qui
contient des outils d'investissement dérivé. Les
répercussions de ce modèle sont loin d'être théoriques. Du jour au lendemain, l'équipe de travail
américano-canadienne légitimait les activités des
marchés d'options et propulsait le volume des
opérations sur options à de nouveaux sommets.
Le Chicago Board Options Exchange (CBOE) a pu
ouvrir la même année alors que le modèle était
rendu public, et en une seule décennie, il avait
négocié plus d'un million de contrats d'option
chaque année. Leur travail était si révolutionnaire
que le Dr Black, l'Américain, et le Dr Scholes, le
Canadien, ont obtenu le prix Nobel d'économie.
Rien de compliqué dans ce cas.

ÉCRAN TACTILE MULTIPOINT

Le *zoom* par pincement

Les inventeurs avaient imaginé le *zoom* par pince-
ment dans leur tête et sur papier pendant des
années. La véritable percée dans cette technologie
eut lieu en 1982. Elle s'est produite à l'Université de
Toronto quand des chercheurs de l'Input Research
Group a vraiment fait le premier *zoom* par pince-
ment avec la participation d'un humain. Son écran
était doté d'une plaque en verre dépoli avec une
caméra derrière. La caméra détectait le doigt ou les
doigts déplacés sur la plaque et enregistrait ces
données sous forme de points noirs sur fond
blanc. Cette application concrète d'une
perception tactile multipoint a déclenché une
foule de recherches et de conceptualisations
subséquentes. C'est dans les films et les
émissions télévisées qu'elle a été le plus
manifeste. C'est désormais une installation
fixe sur nos dispositifs numériques mobiles.

JUSTE POUR RIRE
Le festival international du rire

Montréal est la capitale de l'humour. Chaque été, la ville attire des douzaines d'humoristes parmi les meilleurs, plus d'un millier de gestionnaires de l'industrie du spectacle et environ deux millions d'amateurs d'humour du monde entier. Leur lieu de rassemblement est le festival Juste pour rire. Tout a commencé en 1983 par un court festival de deux jours. Deux ans plus tard, c'était le début de la version anglaise, Just For Laughs. Depuis, ses fondateurs, Gilbert Rozon et Andy Nulman, ont organisé le premier festival international d'humour annuel, qu'ils ont transformé en un empire multimédia. Les émissions de télévision *Juste pour rire* et *Just For Laughs* sont diffusées dans plus de 140 pays et par 100 compagnies aériennes à travers le monde. Près de 300 épisodes des gags JPR, qui représentent plus de 1,5 milliard d'appels de fichiers sur YouTube, constituent la plus vaste collection jamais filmée de gags muets en caméra cachée. Pour couronner le tout, le festival lui-même gagne en envergure et en popularité chaque année. La capitale de l'humour continue d'être de plus en plus drôle.

MOTEUR DE RECHERCHE INTERNET
L'archive sans v

Avant Yahoo! et Google, il y a eu Archie. Le premier moteur de recherche était un projet que des étudiants de l'École d'informatique de l'Université McGill avaient mis sur pied pour se connecter à Internet. Alan Emtage avait rédigé la première version du moteur de recherche en 1990. Son programme compilait une liste d'archives de protocoles de transfert de fichiers qui étaient stockés dans des fichiers locaux. Bill Heelan et Peter Deutsch ont ensuite rédigé un script qui permettait aux utilisateurs de se connecter et de chercher dans ces fichiers. Au bout de deux ans, Archie contenait 2,6 millions de fichiers qui totalisaient 150 gigaoctets de données. Alors qu'à cette époque il représentait un exploit, Archie – on avait raccourci le mot *archive* pour respecter la limite de caractères – est aujourd'hui une pièce de musée. Ce vestige des débuts d'Internet a pris sa retraite en Pologne.

NUMÉRISATION 3D
L'image dans la matrice

La réalité virtuelle a longtemps été le rêve des ingénieurs. Toutefois, pendant des années, on pensait que les tentatives de le concrétiser viendraient des ordinateurs virtuels. En 2004, les ingénieurs du Conseil national de recherches Canada l'ont rendu réel, ou aussi proche du réel que le virtuel peut l'être. Cette année-là, l'organisation a compilé les plus récentes avancées dans le stockage de données et accéléré le traitement et les applications bureautiques pour créer la numérisation 3D. Les progrès en matière de stockage et de traitement étaient cruciaux, car le processus de numérisation comprend des millions de mesures qui génèrent également d'énormes volumes de données. À la différence des reproductions de type carton de la réalité virtuelle initiale, la numérisation 3D génère des représentations visuelles concrètes et précises qui reproduisent la réalité à une échelle presque microscopique. Les concepteurs du *Seigneur des anneaux* et le réseau de franchises Matrix ont su en tirer profit en utilisant la technologie pour reproduire des scènes et des manœuvres humainement impossibles à réaliser. Les professionnels français de la restauration et de la conservation de l'art ont, quant à eux, tiré parti de ce progrès en créant le premier modèle virtuel 3D de type archive de la *Mona Lisa* de Leonardo da Vinci, tout sourire.

11.5
11.0
10.5
10.0
9.5
9.0
8.5
8.0
7.5
7.0
6.5
6.0
5.5
5.0
4.5
4.0
3.5
3.0
2.5
2.0
1.5
1.0
0.5

Postface

Chacun de nous a le pouvoir et le devoir de chercher des moyens d'améliorer le monde dans lequel nous vivons.

Les Canadiens et les Canadiennes possèdent un talent particulier pour l'innovation, et notre prospérité comme nation dépend plus que jamais des idées novatrices. Nous, les auteurs, souhaitons ardemment que ce livre incite les Canadiens et les Canadiennes à croire en leur capacité d'être ingénieux et ingénieuses et à mettre en œuvre leurs idées.

Joignez-vous à nous dans notre recherche de nouvelles façons de penser et d'agir pour rendre le monde plus intelligent, plus proche, plus bienveillant, plus sûr, plus sain, plus riche et plus heureux. Existe-t-il une façon plus agréable de vivre ensemble ?

Ligne du temps des innovations

HISTOIRE ANCIENNE

Manteau de bison

Canot

Traîneau à chiens

Appelant à canards

Igloo

Kayak

Crosse

Gilet de sauvetage

Maison longue

Sirop d'érable

Mégaphone

Mocassin

Potlatch

Lunettes de neige

Raquettes

Toboggan

1600

1606   Souper-spectacle

1634   Tartelette au beurre

1700

1784   Genoux des bateaux

1800

1801   Charrette de la rivière Rouge

1811   Pomme McIntosh

1833   Hélice marine

1837   Échelle à poissons

1839   Bouteille de plongée

1840   Écriture syllabique autochtone
du Canada

1843   Laveuse-essoreuse à rouleaux

1844   Pâtes et papiers

1853   Machine à vapeur à double détente
Corne de brume

1854   Kérosène
Odomètre

1857   Forage pétrolier

1859   Climatisation des voitures ferroviaires

1861   Billet vert

1862   Oléoduc

1863   Système avec tige à saccades

1867   Canada
Patins à pinces

1868   Voiture à vapeur

1869   Similigravure

1870   Bovril
Chasse-neige rotatif

1872   Godet graisseur

1874   Ampoule à incandescence
Police montée du Nord-Ouest
Téléphone

1875   Hockey
Planche à repasser

1878   Combiné

1879 Roulement à rouleaux

1880 Robinet combinant eau chaude
et eau froide

1882 Étiquette à bagage
Cuisinière électrique

1883 Perche de trolley

1884 Beurre d'arachide
Heure normale

1885 Bonbons « os de poulet »
Maillon à vis
Chemin de fer transcontinental

1886 Ferme expérimentale

1887 Appareil panoramique

1889 Ventilateur rotatif
Chronique journalistique

1891 Basketball
Blé Marquis

1893 Coupe Stanley

1894 Boussole Brunton
Pistolet à calfeutrer

1896 Calculatrice d'intérêt
Voiture panoramique

1899 Cuve de développement

1900

1900 Brownie (Appareil photo)
Hélice escamotable
Clé ouvre-boîte
Radio pour la transmission vocale

1901 Transmutation nucléaire
Caisses Populaires

1903 Message publicitaire

1904 Canada Dry

1905 Atlas national

1906 Salle de cinéma

1907 Chaland forestier de Russel

1908 Physique nucléaire
Vis Robertson

1909 Jeu des cinq-quilles
Commerce de détail
des cosmétiques
Silver Dart
Vedettariat

1910 Jolly Jumper

1911 Boîte à œufs
Boucle à déclenchement rapide

1912 Crispy Crunch

1913 Fermeture à glissière

1914 Basculeur de wagons rotatif

1915 Masque à gaz

1916 Conseil national de recherches
Canada

1917 ASDIC
Canuck de Curtiss
Voiture alimentée à la paille
Fenêtres à vitrage isolant

1919 Feux de marche arrière
Sirop Buckley

1920 Homard en conserve
Barre de chocolat
Camion à benne
Médecine légale
Groupe des Sept
Hélium liquide
Mulligan
Chaussure imperméable

1921 Insuline

1922 Film documentaire
Burette de mécanicien

1925 Radio électrique
Fin de la rouille des céréales
Baromètre du mont Logan
Souffleuse

1926 Loi du zéro absolu
Mots croisés sur table

1927 Réfrigérateur Monitor Top

1928 Hélice à pas variable

1929	Sarcleuse à tiges
1930	Costotome
	Peinture de signalisation routière
	Locomotive aérodynamique
	Coussin péteur
1931	Technique de l'école de Montréal
	Pablum
	Plexiglas
1932	Easy-Off
	Boîte à sardine
	Hockey sur table
	Rails en acier trempé
1933	Superman
1935	Avion sur skis
1936	Atlas du cœur
1937	Service de transfusion sanguine
	Moissonneuse-batteuse automotrice
	Autoneige
	Synthétiseur
	Émetteur-récepteur portatif
1938	Microscope électronique
1939	Coffee Crisp
	Office national du film
	Rouleau à peinture
	Shreddies
	Étoiles des amas globulaires

1940	Production d'aéronefs en série
	Bacon canadien
	Combinaison anti-g
	Projet Habakkuk
1941	Traitement hormonal
1942	Curare chirurgical
	Weasel
1943	Coupe-froid
1946	Ambulance aérienne
	Mesures incitatives inégales
1947	Autobus accessible
	Pompiers parachutistes
1948	*Déclaration universelle des droits de l'homme*
	Neige
1949	*Beaver*, De Havilland
	Orenda
1950	Protection contre les avalanches
	Nouvelle éclairante
	Sac à ordures
	Traitement contre la maladie de Hodgkin
	Diffraction neutronique
	Moissonneuse-batteuse Roto Thresh
1951	Bombe contre le cancer
	Théorie des transferts d'électrons
	Stimulateur cardiaque
1952	Satellite *Alouette*
	Pont chimique
	Semoir pneumatique Flexi-Coil
	Mât STEM

1953	Fauteuil roulant électrique
	Barre Nanaimo
1954	Clou vrillé
1955	Pile alcaline
	Reprise instantanée
1956	Système Beartrap
1957	Cinéma multiplex
	Maintien de la paix
	Poutine
	Valise de Scarborough
1958	*Avro Arrow*
	Dynamique des réactions
	Tuyère protégée
1959	Fusée *Black Brant*
	Dictionnaire biographique du Canada
	Indicateur de position d'écrasement
	Masque de gardien
	Spectroscopie moléculaire
	Osmose inverse
	Motoneige
1960	Purée instantanée
	Études des médias
1961	Euro
	Cellules souches
1962	Pistolet agrafeur de microchirurgie
	Tectonique des plaques
1963	Aides pour les aveugles
1964	Technique musicale Gould
	Wonderbra
1965	WATFOR

1966 Standards de couleur pour
le drapeau
Chat sphynx
Yukon Gold

1967 Procédé d'images multiples
dynamiques
Physique des particules

1969 Bloody Caesar
Confédération des syndicats
canadiens
Photographie numérique

1970 Semoir pneumatique
Qualité sonore
Animation par image-clé
Décortiqueuse de sorgho
Manteau Thermofloat

1971 Réacteur CANDU
Projecteur IMAX
Main prothétique

1972 Braille informatisé

1973 Cellules dendritiques
Évaluation de dérivé

1974 Canola
Laser
Justice réparatrice

1975 Commutateur téléphonique
numérique
Saturday Night Live
Télomères

1977 Chimie fondée sur l'ADN

1978 Neurophysiologie visuelle
Yuk Yuk's

1980 Pâte à modeler Tutti-Frutti

1981 Canadarm

1982 ARN catalytique
Vaccin contre la méningite
Écran tactile multipoint
Jeu Trivial Pursuit

1983 Boîtes bleues de recyclage
Cocktail contre le VIH
Juste pour rire

1984 Renifleur d'explosifs
Récepteur des cellules T

1985 Brosse Sulca

1987 Huard
Sifflet sans pois
WEEVAC

1989 Mannequin ACTAR 911
Théorie du langage
Dictionnaire *Oxford* en ligne

1990 Inspection intégrale des aéronefs
Cidre de glace
Moteur de recherche Internet
Miel solide
Xylanase

1992 Déjeuner pour bien apprendre
Vision spatiale

1993 Modem 56K
Test de dépistage rapide du VIH

1995 Java

1996 BlackBerry
Cradleboard
Messagerie bidirectionnelle

1997 Coopératives d'huile d'argan

1999 Me to We (Du moi au nous)
Nunavut
Étoiles zombies

2000

2000 Clou télescopique
Right To Play

2001 Masse du neutrino

2004 Pièces colorées
Numérisation 3D

2005 Droits climatiques
Granules EcoTraction
Turbine hydrocinétique
Miovision

2008 Abeego
Formation en ligne ouverte à tous
(FLOT)
Vérité et réconciliation

2009 Théière intelligente

2010 HerSwab

2011 Vaccin contre la peste bovine
Coussin d'hélicoptère

2012 Diagnostic des blessures
Xagenic 2012

2013 iTClamp
Téléchirurgie
L'art comme innovation

2014 Le programme Milk Carton 2.0

2015 Rond-point de l'itinérance
Le projet SakKijânginnatuk Nunalik
Apprentissage très précoce
des langues

2016 Recherches inuites sur l'Arctique
Pont sans réparations

REMERCIEMENTS

Les auteurs souhaitent exprimer leur satisfaction et leur reconnaissance aux nombreux collaborateurs et collaboratrices de partout au Canada qui, par leurs conseils éclairés, ont contribué à la réalisation de ce livre. Ils remercient entre autres…

Maria Aubrey, Christine Balasch, Alex Benay, Guy Berthiaume, Derek Beselt, Cynthia Biasolo, Dick Bourgeois-Doyle, Catherine Campbell, Maria Cantalini-Williams, Joanne Charette, Elizabeth Chestney, Azka Choudhary, Lois Claxton, Annabelle Cloutier, Sandra Corbeil, Stephen Downes, Jacob Dwyer, Joe Dwyer, Matthew Dwyer, Tessa Dwyer, Carol Elder, Guy Freedman, Chad Gaffield, Jean Paul Gladu, Daniel Goldberg, Scott Haldane, Brian Hanington, Brent Herbert-Copley, Kimberlee Hesas, Ted Hewitt, Monique Horth, Caroline Jamet, Millie Knapp, Jean Label, Sylvianne Latus, Steven Leclair, Joe Lee, Hélène Létourneau, Laurie Maier, Soriana Mantini, Richard Mayne, Ryan McKay-Fleming, Craig McNaughton, Marcia Mordfield, André Morriseau, Duncan Mousseau, Sheila Noble, Andrew Norgaard, Gilles Patry, Doug Pepper, Luiza Pereira, Leanne Perreault, John Phillips, Sarah Prevette, Neil Randall, Tony Reinhart, Julie Rocheleau, Fiona Smith-Hale, Wilf Stefan, Renée Tremblay, Lahring Tribe, Margot Vanderlaan, Paul Wagner, Stephen Wallace, Christopher Walters, Tonia Williams…

… sans oublier tous ces autres créateurs dont l'importante contribution a donné vie à cet ouvrage.

CRÉDITS DES IMAGES

Images courtoisie de Société des musées de sciences et technologie du Canada

Cuisinière électrique (13) ; Ampoule à incandescence (14) ; Ferme expérimentale (8, 15) ; Cuve de développement, Pistolet à calfeutrer (16) ; Radio électrique (18-19) ; Camion à benne (21) ; Burette de mécanicien (22) ; Production d'aéronefs en série (23) ; Fusée *Black Brant* (28) ; BlackBerry (31) ; Canot (41) ; Traîneau à chiens (42) ; Raquettes (43) ; Oléoduc, Voiture à vapeur (47) ; Chemin de fer transcontinental (50-51) ; *Silver Dart* (53) ; Baromètre du mont Logan (54) ; Locomotive aérodynamique (38, 56) ; Étoiles des amas globulaires (57) ; Autoneige (58) ; *Beaver*, De Havilland (59) ; Satellite *Alouette* (60) ; Motoneige (61) ; *Avro Arrow* (63) ; Messagerie bidirectionnelle (67) ; Réfrigérateur Monitor Top (73) ; Braille informatisé (77) ; Igloo (92) ; Chasse-neige rotatif (97) ; Boussole Brunton, Hélice escamotable (99) ; Vis Robertson (100) ; Souffleuse (102) ; Clou vrillé, Système Beartrap (107) ; Coussin d'hélicoptère (116) ; Insuline (121) ; Costotome (122) ; Pablum (118, 122) ; Microscope électronique (125) ; Moissonneuse-batteuse Roto Thresh (127) ; Pistolet agrafeur de microchirurgie (132) © Mozhgan Kermanshahy ; Pâtes et papier, Forage pétrolier (146) ; Blé Marquis (144, 148) ; Chaland forestier de Russel (152) ; Hélice à pas variable (156) ; Projecteur IMAX (167) ; Sirop d'érable (174) ; Pomme McIntosh (177) ; Laveuse-essoreuse à rouleaux (178) ; Homard en conserve (188) ; Synthétiseur (196)

Images courtoisie de Bibliothèque et Archives Canada

Mégaphone (10) Ministère de l'Intérieur du Canada/Bibliothèque et Archives Canada ; Basculateur de wagon rotatif (20) ; Dynamique des réactions (27) © Harry Palmer/Bibliothèque et Archives Canada ; Canot (40-41) portrait © Peter Winkworth Collection Canadiana/Bibliothèque et Archives Canada ; Kayak (42) © Richard S. Finnie/Bibliothèque et Archives Canada ; Toboggan (43) © Peter Winkworth Collection Canadiana/Bibliothèque et Archives Canada ; Charrette de la rivière Rouge ; Hélice marine (44) ; Combiné (48) © Bell Canada/Bibliothèque et Archives Canada ; Heure normale (49) globe © Anderson & Chapman Matthews/ Bibliothèque et Archives Canada, portrait ; Radio pour la transmission vocale (52) ; Atlas national (53) © Société canadienne des postes/Bibliothèque et Archives Canada ; *Curtiss Canuck* (54) © Société canadienne des postes / Bibliothèque et Archives Canada ; Film documentaire (55) © Robert and Frances Flaherty/Bibliothèque et Archives Canada ; Avion sur skis (57) ; Ambulance aérienne (59) © Association des infirmières et des infirmiers du Canada/Bibliothèque et Archives Canada ; Études des medias (62) © Josephine Smith/Bibliothèque et Archives Canada ; Médecine légale (73) ; *Déclaration universelle des droits de l'homme* (75) © Société canadienne des postes/Bibliothèque et Archives Canada ; Lunettes de neige (93) © L.T. Burwash/ Bibliothèque et Archives Canada ; Corne de brume (94) ; Canada (96) ; Masque à gaz (90, 101) © Le

Ministère de la Défense nationale Bibliothèque et Archives Canada ; Rails en acier trempé (104) © département de la Main-d'oeuvre et de l'Immigration /Bibliothèque et Archives Canada ; Maintien de la paix (108) ; Masque de gardien (110) © Bibliothèque et Archives Canada /Montreal Star Fonds ; Service de transfusion sanguine (124) ; Vaccin contre la peste bovine (141) ; Système avec tige à saccades (147) ©Topley Studio Fonds/Bibliothèque et Archives Canada ; Chronique journalistique (148) © The Carbon Studio/Bibliothèque et Archives Canada ; Message publicitaire (150) © Good, M.T./ Bibliothèque et Archives Canada ; Canada Dry, Salle de cinéma (151) ; Vedettariat (153) ; Manteau de bison (174) ; Crosse (175) © James Inglis/Bibliothèque et Archives Canada ; Souper-spectacle (176) ; Climatisation des voitures ferroviaires (178) ; Similigravure (179) © Bibliothèque nationale du Canada / Bibliothèque et Archives Canada ; Appareil panoramique (183) © Panoramic Camera Co./Bibliothèque et Archives Canada ; Coupe Stanley (185) © Temple de la renommée du hockey/Bibliothèque et Archives Canada ; Boîte à sardine (193) © Office national du film du Canada/ Bibliothèque et Archives Canada ; Office national du film du Canada (196) ; Nouvelle éclairante (198) © Barbara Woodley/Brasserie Labatt du Canada/ Bibliothèque et Archives Canada ; Technique musicale Gould (200) © Walter Curtin/Bibliothèque et Archives Canada

Images courtoisie du Conseil national de recherches Canada

Conseil national de recherches du Canada (20) ; Neige (23) ; Diffraction neutronique (25) ; Émetteur-récepteur portatif (58) ; Orenda (60) ; Fauteuil roulant électrique (77) ; Aides pour les aveugles (77) ; ASDIC (101) ; Projet Habakkuk (104) ; *Weasel* (105) ; Renifleur d'explosifs (112) ; Inspection intégrale des aéronefs (114) ; Pont sans réparations (117) ; Combinaison anti-g (125) ; Bombe contre le cancer (128) ; Stimulateur cardiaque (129) ; Spectroscopie moléculaire (130) ; Canola (135) ; Vaccin contre la méningite (137) ; Téléchirurgie (143) ; Standards de couleur pour le drapeau (photographie) ; Qualité sonore (203) ; Numérisation 3D (207)

Autres

Appelant à canards (10) photographie courtoisie de Clifford Lamboy/Musée canadien de l'histoire
Machine à vapeur à double détente (11) photographie courtoisie de the York-Sunbury Historical Society
Billet vert (11) photographie © Archives de la ville de Montréal
Godet graisseur (12) United States Patent and Trademark Office
Roulement à rouleaux (12) Tong2530/Shutterstock.com
Maillon à vis (14) Francesco Losenno/Shutterstock.com
Transmutation nucléaire (17) photographie © Musée McCord Montréal
Physique nucléaire (17) snapgalleria/Shutterstock.com
Mesures incitatives inégales (24) Jon Levy/Getty Images
Loi du zéro absolu (24) Bettman/Getty Images

Traitement contre la maladie de Hodgkin (127) photographie courtoisie de Archives de l'Université de Toronto

Pont chimique (130) photographie courtoisie de l'Université de Stanford

Cellules souches (131) Claudio Divizia/Shutterstock.com

Décortiqueuse de sorgho (132) JIANG HONGYAN/Shutterstock.com

Réacteur CANDU (133) Frank Lennon/Toronto Star/Getty Images

Main prothétique (134) belushi/Shutterstock.com

Cellules dendritiques (134) image © National Institutes of Health

Télomères (135) Designua/Shutterstock.com

Chimie fondée sur l'ADN (136) AP Photo/Tobbe Gustavsson

ARN catalytique (136) AP Photo/Bob Child

Cocktail contre le VIH (137) DIOMEDIA/Medical Images RM/Andreas Schindler

Récepteur des cellules T (138) Presse canadienne/Nathan Denetter

Brosse Sulca (138) image courtoisie de Sulcabrush Inc.

Test de dépistage rapide du VIH (139) photographie reproduite avec l'autorisation de *The Chronicle Herald*

Droits climatiques (140) Presse Canadienne/Chris Windeyer

ITClamp (142) photographie courtoisie de iTrauma Care

Bonbons « os de poulet » (147) image courtoisie de Ganong Bros. Ltd.

Calculatrice d'intérêt (149) photographie courtoisie de the Western Development Museum, Saskatoon

Brownie (Appareil photo) (148) photographie courtoisie de Margot Vanderlaan

Commerce de détail des cosmétiques (152) gresei/Shutterstock.com

Jolly Jumper (154) photographie courtoisie de Jolly Jumper

Barre de chocolat (155) Drozhzhina Elena/Shutterstock.com

Sarcleuse à tiges (156) courtoisie de Morris Industries

Coussin péteur (157) Andrew Paterson/Alamy

Moissonneuse-batteuse automotrice (158-159) Cristi Kerekes/Shutterstock.com

Coffee Crisp (160) Felix Choo/Alamy

Shreddies (160) Paul_Brighton/Shutterstock.com

Reprise instantanée (161) © Canadian Broadcasting Corporation

Cinéma multiplex (162) © City of Ottawa Archives

Pile alcaline (163) © The Globe and Mail/AP Images

Purée instantanée (163) Sergey Lapin/Shutterstock.com

Procédé d'images multiples dynamiques (164) Doug Griffin/Toronto Star/Getty Images

Bloody Caesar (164) Jeff Wasserman/Shutterstock.com

Photographie numérique (165) Bedrin/Shutterstock.com

Semoir pneumatique (165) photographie courtoisie de the Western Development Museum, Saskatoon, Bechard Collection

Animation par image-clé (166) image courtoisie de l'Office national du film du Canada

Laser (167) photographie courtoisie de Joe D image courtoisie de wyer

Saturday Night Live (168) Allan Tannenbaum/Getty Images

Yuk Yuk's (169) logo © Yuk Yuk's Inc.

Jeu Trivial Pursuit (170) Rawdon Wyatt/Alamy

Huard (171) © 2017 Royal Canadian Mint. All rights reserved

Pièces colorées (170) © 2017 Monnaie royale canadienne. Le coquelicot utilisé comme un symbole du Souvenir au Canada est une marque déposée de la Direction nationale de la Légion royale canadienne. Il est utilisé avec la gracieuse autorisation de la Direction nationale.

Cidre de glace (171) © Robert Galbraith

Barre de chocolat (155) Drozhzhina Elena/Shutterstock.com

Mocassin (176) © Ezume Images/Shutterstock.com

Tartelette au beurre (177) photographie courtoisie de Joe Dwyer

Patins à pinces (179)

Hockey (171, 180-181) Hulton Archive/Getty Images

Étiquette à bagage (182) BrAt82/Shutterstock.com

Appareil panoramique (183) photographie des Archives publiques de l'Ontario, C 286-4-0-4

Ventilateur rotatif (184) Morphart Creation/Shutterstock.com

Basketball (184) Bettmann/Contributor/Getty Images

Coupe Stanley (185) utilisée avec la permission du Temple de la renommée du hockey Musée et archives

Clé ouvre-boîte (186) Ken Tannenbaum/Shutterstock.com

Jeu des cinq-quilles (186) Digipear/Shutterstock.com

Boîte à œufs (187) safakcakir/Shutterstock.com

Fermeture à glissière (187) urfin/Shutterstock.com

Mulligan (189) Everett Collection/Shutterstock.com

Cirque du Soleil (190) photographie courtoisie du Cirque du Soleil

Groupe des sept (191) photographie des Archives publique de l'Ontario, F 1066

Chaussure imperméable (192) PolakPhoto/Shutterstock.com

Mots croisés sur table (192) photographie courtoisie de Alvin Richards

Hockey sur table (194) courtoisie de l'éditeur

Superman (195) Hulton Archive/Handout/Getty Images

Bacon canadien (194) whitemaple/Shutterstock.com

Coupe-froid (197) © Innovation, Sciences et Développement économique Canada

Barre Nanaimo (198) NoirChocolate/Shutterstock.com

Poutine (199) Foodio/Shutterstock.com

Wonderbra (200) © Musée McCord, Montreal

Standards de couleur pour le drapeau (201) (Échantillons de tissu) komkrit Preechachanwate/Shutterstock.com

Chat Sphynx (202) Eric Isselee/Shutterstock.com

Yukon gold (202) photoghie/Shutterstock.com

Bovril (204) Chris Leachman/Alamy

Évaluation de dérivé (204) Bloomberg/Getty Images

Écran tactile multipoint (205) OmniArt/Shutterstock.com

Juste Pour Rire (206) Presse Canadienne/Denis Beaumont

Moteur de recherche Internet (206) doomu/Shutterstock.com

INDEX

INGENIOUS (Version anglaise)

Édition	Doug Pepper
Éditrice déléguée	Kimberlee Hesas
Conception graphique	CS Richardson
Composition	Erin Cooper
Production	Carla Kean

Texte composé en Swift Neue, Brandon Grotesque et Neutraface.